D0512379

michel normandin
Québec
15 novembre 1984

COLLECTION FOLIO

Muriel Cerf

Maria
Tiefenthaler

Albin Michel

© *Éditions Albin Michel, 1982.*

Muriel Cerf est née le 4 juin 1950. Bac philo en 1967, puis études de dessin avant d'entrer pour trois ans à l'École du Louvre où elle étudie l'art extrême-oriental. Brefs stages au *Figaro* et à *L'Express*, et longs voyages, quinze années durant. Doit son entrée précoce dans le monde des lettres à Roger Caillois et à Max-Pol Fouchet. Doit beaucoup à son premier éditeur, Simone Gallimard. A publié successivement, et non sans succès : *L'Antivoyage* (1974, Mercure de France et Folio), *Le Diable vert* (1975, Mercure de France et Folio), *Les Rois et les Voleurs* (1975, Mercure de France et Folio), *Hiéroglyphes de nos fins dernières* (1977, Mercure de France), *Le Lignage du serpent* (1978, Mercure de France), *Les Seigneurs du Ponant* (1979, Mercure de France), *Amérindiennes* (1979, Stock), *Une passion* (1981, Lattès), *Maria Tiefenthaler* (1982, Albin Michel).

A Béatrice Bah et Françoise Useldinger
à ma sœur Afrique et à ma sœur Europe
à ma sombre et ma claire

I

CHOC EN RETOUR

« Maudits soient les marins qui ont amené ce fou !
Que ne l'ont-ils rejeté à la mer ! »

Tristan et Iseut

Ipse venena bibas [1]

Amine Youssef Ghoraïeb arpenta encore l'appartement odieux et nu, se souvint que les robes de la jeune fille restaient dans les placards, qu'elle les ferait peut-être chercher par ses coursiers complices, se rua sur les placards.

Avant que les juifs ne les reprennent, profiter de ces reliques. Il enfouit son visage dans le fourreau d'argent qu'elle portait le soir du premier dîner, pleura et se moucha dedans, déchira deux autres robes, l'envia d'attacher tant d'importance à du velours, du pilou, du coton, du satin, de la soie floche, du crêpe georgette. Détesta les cintres imposteurs auxquels ces chiffons devaient leur tenue — on l'aurait dite encore dedans, moins les rondeurs récentes qu'il lui fit prendre et dont elle devait déjà avoir lourdé un maxi. L'envia d'éprouver des joies à s'harnacher, à se chemiser de pilou. Boutonna et déboutonna les six chemises de pilou garçonnières, qu'elle ne mettait plus car il la voulait déguisée en femme. Enfila la première, écossaise, qu'à cause de son propre amaigrissement, il parvint à boutonner, et, serrant la robe de crêpe georgette, s'allongea sur le lit.

1. Bois toi-même les poisons.

11

Se releva, saoul de son parfum, cette *Eau de la Reine de Hongrie*, qui imbibait le tissu, et pensa à un autodafé de sa garde-robe, car.

Car, une moitié de la penderie révélait une première face intolérable de Maria Tiefenthaler : outre le pilou boutonné à droite, vastes chemises très douces en camaïeux de roux et de beige dans lesquelles elle flottait à l'aise, il compta une quarantaine de pull-overs en laine épaisse, rêche, drue, pare-brise, achetés en grande pompe chez Scapa of Scotland, évocateurs d'hivers de célibat, d'intellectualisme gaucho, de braves dîners en brave pull-over avec braves copains, encolure fendue en V révélant les clavicules qui peu à peu s'enrobèrent, mais qui, hélas, devaient pointer à nouveau, les pull-overs aux manches un peu trop longues dans lesquels enfouie elle semblait un moinillon studieux, les pull-overs de jacquard enfantin anti-sexe, idoines sous les lampes d'opaline de la B.N., carapaces laineuses qu'aucune main d'homme ne saurait percer, armures de confort égoïste — à quoi pensez-vous, femmes, saloperies d'Atalantes narquoises, en enfilant avec délices des pull-overs de laine ? ayez donc froid, grelottez, attrapez des rhumes, soyez grabataires, nous vous soignerons — il continua l'inventaire. Haine égale pour les jeans, ambigus, étroits, qui lui allaient trop bien — largesse ascétique des pull-overs, pas un téton ne se donnant à voir, mais accès aux regards donnés gratis au fessier divin, peau bleue rugueuse collée dessus, voire cousue, armure aussi, mais provocation et défense, à croire qu'elles dorment avec tant ça les moule, et aux cuisses imperceptiblement concaves pour cause d'anorexie, mais les derniers temps étoffées pour cause de boulimie, ce qui se remarquait surtout quand, une fois assise, la chair double de volume — regarde mon amour, c'est-y pas mieux, ces cuisses concaves vraiment Mauthausen, pas d'allusion à ces choses-là, disait-elle quand, froissée humainement en ses œuvres vives et juives, Maria contemplait atterrée l'arrondi des cuisses, avant qu'elle ne décidât de planquer ses jeans dans l'armoire pour ne plus être tentée de les mettre car ils la serraient aussi à la taille et plus ils serraient, plus, obéissant au principe de la fuite en avant, elle grignotait des pralinés. Jeans donc, pour l'androgynat, jean pour les longues marches nocturnes des poètes, jean structurant ses formes exquises, jean frondeur avec lequel (l'aïeul, le blanc aux fesses, le pâlichon à force de lavages) miss Tiefenthaler fit la pérégrine — autre chose qu'il n'avait jamais toléré : ses souvenirs de voyage. Avec ce même jean, il se pouvait qu'elle eût franchi les frontières d'Asie, dormi dans le Magic Arrow de Bangkok à Singapour, non, ne pas faire d'impasse, de Bangkok à Penang, à Penang où elle séduisit un Chinois planteur d'orchidées avec lequel elle dégringola la péninsule malaise en Lincoln à air conditionné et chauffeur, la garce, et le Chinois baptisa une de ses créations, une toute menue tigrée : la Maria. Une orchidée à son nom. Titre de gloire. Il brûla le jean, vit se consumer dans le feu ses antivoyages, crémation symbolique — oh que plus jamais elle ne couchât sur la plage de Mavalipuram près des temples noirs comme navires de granit — de ce côté-là, tranquillité relative, depuis qu'elle publiait et avait un nom dans la république des lettres, son désir de voyages, assouvi, ne semblait pas sur le point de renaître et avant la virile intervention d'Amine Youssef Ghoraïeb destinée à mettre bon ordre à la jubilation brouillonne d'un écrivain, l'aventure se déroulait sur le seul macadam parisien qu'elle adorait et qui résonnait si gaiement sous ses pas —, se consumait le jean dont le bas effrangé avait traîné dans les rizières bleues de Swayambunath. Il hésita devant la pile de futals en velours. Velours émeraude, bronze, sable, grenat, bleu dur, velours des rapins, des poètes, des Beaux-Arts, taille quatorze ans, provenant d'une boutique pour enfants de Saint-Germain, et délaissés depuis l'épisode du harem. A présent, elle devait les regretter, faisait pas un temps à aller en petit short, et elle avait déjà sûrement rétréci. Je vais à l'arche, disait-elle en parlant de la maison V..., et de son geste si gracieux, elle défroissait le velours grenat et tirait le futal sur ses hautes bottines anglaises dûment sanglées cernant la cheville ouvrière des marches à pied scandaleuses — scandaleuses : marcher, seule. Se faire aborder, peut-être, bien qu'il sût que sa mine absente, ses yeux de rêverie, ses nattes collégiennes ou beauvoiriennes, sa moue distante, son pas alerte, ses habiles promptes glissades entre les poubelles lors des grèves et ses ondulations rapides de panthère défiaient entraves, feux verts, piétaille, embouteillages, dragueurs et mendigots (pardon erreur, à ceux-là elle donnait toujours quelques piécettes par superstition et ne pouvant agir autrement tel saint Martin, la diablesse aimait les gens, leur demandait son chemin, ce dont il était, lui, incapable par orgueil, timidité et angoisse — la sainte luciférine, pas du tout. A l'aise. Partout chez elle, reine et voleuse). Marcher. Une honte. Pieds bandés m'attendant mon amour. Marcher : on contrôle tout de soi-même. A la rigueur, plus tard, quand il l'aurait reprise, lui laisser l'usage des raquettes sur lesquelles elle aurait le vertige. Abolir ce contrôle permanent d'elle-même. Au feu, les pantalons de velours — toujours ça que les juifs n'auraient pas.

Il inspecta le rayon fourrures. Là, ambivalence. Utilitaires, bonnes pour la santé dans la mesure où, maigre et sans capiton, elle claquait des dents dès septembre. Premier point en défaveur des fourrures. Le

14

second, on le connaît : trop d'éclat dans le charisme des fourrures. Du soyeux, du duveteux, du sensuel, du câlin, petite renarde tapie dans le renard, fourrures, sémaphores, appel aux caresses. Fourrures mondaines, porteuses de chance, et ses entrées enfourrurées chez Lipp, gênantes. Mais aussi féminité. Il épargnerait les fourrures. On verrait bien si elle ferait cambrioler la penderie et en extraire le lynx, les renards, etc. Ce serait grand siècle de les lui laisser. Après tout, il les lui laisserait.

L'inspection du second côté de la penderie le supplicia et le réjouit. Là, subsistaient les témoignages de leurs liens. Là, vêtements somptueux, inutiles, précaires, à s'enrhumer, déshabillés c'est-à-dire habillés, inconfortables, vêtements de femme, anciens sortilèges, il se souvint de l'ennui de sa fiancée quand elle se glissait dans des robes inconciliables avec son éthique d'écrivain hermaphrodite. Encombrantes, décolletées, enstrassées, festives, rebrodées, pailletées, outrageusement chères, étiquetées Dior, Saint-Laurent, ou Azzaro, dans lesquelles elle se sentait diminuée, étrangère, réduite au servage de lui plaire — transie et extrêmement sexy, la malheureuse granulait de froid des pieds à la tête dans un fourreau de sirène, du genre de celui que revêtit Salammbô avant de pénétrer dans la tente du guerrier Mathô. Assortis, les escarpins trop exigus, au talon incompatible avec la marche, souliers de vair exigeant port de collants fins qui filaient, quelle barbe, elle préférait vraiment les chaussettes à carreaux pure laine.

Ces robes de couturiers, si onéreuses, elle les portait avec un vif sentiment de culpabilité et d'indécence, regrettant ses salopettes et son jean, bien sûr. Idem les sous-vêtements — ne s'était-il pas aperçu qu'avant, elle ne portait ni slip ni soutien-gorge ? Au cas où les combinaisons de satin et autres lingeries champagne plussent à d'autres dans des circonstances futures qu'il préférait ignorer, l'homme abandonné se décida à les lacérer consciencieusement, une par une.

Dans la salle de bains, il recensa quinze bâtons de rouge à lèvres taillés en biseau, qu'il flanqua à la poubelle. Interdiction de rouge à lèvres, lèvres symbole trop ostentatoirement vaginal, ne point les arborer lustrées et éclatantes comme pulpe de raisin avant les vendanges du baiser. Lèvres ternes et décolorées suffisaient. Puisqu'il la désirait ainsi, elle ne devait pas se désirer autrement. Pour les yeux, cinq ombres à paupières du sépia au castor, dix mascaras au goupillon englué de châtain sombre. Poubelle. L'œil nu suffisait de même. Il exempta de la destruction, pour leur innocuité, les fards à joue et la poudre Caron, s'aperçut avec contentement que, des somnifères et du sucre de synthèse au maquillage et aux instruments de séduction, il n'avait rien épargné, enfant haineux du maléfice abolissant ainsi les pouvoirs de l'amante qui comme sa mère ne se devait qu'à lui et dont seul le renoncement patent aux autres calmait les angoisses. Quant à la machine à écrire et aux écrits, il n'en avait pas laissé trace. Ayant une nouvelle fois symboliquement annulé l'absente, oubliant le coupable fer à friser, les épingles indispensables aux nattes détestées, car estudiantines, il prit quelque repos pendant lequel il ne pensa pas une seconde qu'il ne la reverrait jamais et qu'il n'avait détruit que les parures d'une ombre.

Il s'éveilla dans un silence d'agonie, tandis qu'elle ouvrait ses rideaux sur le blanc soleil de décembre, pacifiée, prête à recommencer ses œuvres occultes : les poèmes. Plus gémellienne, volatile, railleuse et circonspecte que jamais, elle consulta un pan de ciel lavé, bâilla, merde elle souffrait encore de la mâchoire et de l'arête nasale, s'interrogea vaguement sur la cause de ces douleurs, les renia jusqu'à ce qu'elles disparussent, se sentit légère de mille futilités, hors de danger, le monde était à ses pieds et à ses conditions, ivre de complétude, soulagée infiniment, oublieuse déjà, comme, dit-on, toute parturiente, des tortures de la veille, car vagissait, feulait, criaillait, tambourinait la vie montant en tohu-bohu disparate de la cour où la concierge vidait des seaux, la Pythie sauta sur son lit, prit possession de l'oreiller, à la chatte elle aurait eu beaucoup de choses à dire au sujet des hommes et, en particulier, des Orientaux émigrés natifs du Scorpion, mais du sujet elle avait sa claque, et il y avait, en urgence, à déchiffrer d'autres signes gouvernés par d'autres étoiles.

*

Chose téméraire que de pioncer, plusieurs nuits de suite, dans les robes de la femme aimée et disparue. Tunique de Nessus. Il avait l'impression, au réveil, que le tissu incrusté dans les pores de sa peau le brûlait. En outre, il faisait des cauchemars atroces, dans lesquels Maria se roulait dans la neige, s'en fourrait dans les trous de nez, dans les oreilles, dans le nombril, dans le sexe, il se réveillait avec dans la bouche le goût bleu et insolemment pur de cette neige, dans les yeux un ciel à la fois vide et obstrué d'une pesante charge de nacre, et aux tempes sa couronne de fer de roi destitué. Soit, une vacherie de migraine.

Et rien n'était pire que de tenter à nouveau la plongée dans le sommeil. Avant le mauvais rêve, quelques scènes des *Caprices de Maria* : le matin, un de

17

ces matins qu'il l'obligeait à vivre alors qu'elle, la lunaire, en avait horreur et que Flaubert lui-même ne se couchait jamais avant quatre plombes du mat donc devait dormir jusqu'à midi et que, sans besoin de référence, nul n'est tenu à cette vision d'aube livide comme une âme ennuyée, un de ces matins où, ayant balancé son Sucaryl à la poubelle, il mit quatre sucres dans ce café expresso qu'il l'obligeait à boire et qui lui causait tant de dégâts aux nerfs et au cœur — son regard absent, froid, résigné quand elle en exigea un cinquième, qu'elle imbiba de ce caoua toxique, qu'elle croqua lentement devant lui avec l'air d'une chienne qui l'aurait tout aussi bien grignoté dans sa paume pour plus d'humiliation puis, très polie : pardon, je m'absente. L'absente était allée gerber dans les chiottes et en revint, blême, l'haleine fleurant le gargarisme salin. Évidemment, un morceau de sucre, ça n'a l'air de rien, mais pour les diabétiques et les fous de la maigreur comme Maria Tiefenthaler, il convient de savoir que c'est tout comme la ciguë.

Afin d'échapper à ces agressions de la mémoire, restait le suicide, car l'alcool et les amphés n'arrangeaient rien, et ces comprimés antitoux à base de bromure ne faisaient que de l'endormir et lui flanquer la nausée. Chacun son tour, bonhomme, se dit celui qui ne donnait pas deux liards de sa peau. A présent seul dans le cercle igné, il n'avait plus qu'à retrousser aimablement le dard venimeux et se le planter dans sa nuque de Scorpion. Pas de sa faute s'il naquit au moment où la nature se met au tombeau en attendant les primevères, mais moins qu'un autre, ayant violé une magicienne, il n'échapperait aux décrets des astres.

18

— Jé né peux plous rien, dit la Fornarina d'un timbre de voix désolé, bien que l'accent italien lui ôtât du pathétique. Ton père Fouad mé soupçonne d'entré-tenir oun gigolo. A la rigueur, il té concédéra oune chambre d'hôtel mais pas lé Plaza, sour quoi il m'en-voie té dire dé né plous reparraître roue Mourillo avant amende honorrable, réprise dé tes étoudes, dou polo, dou Racing et oubli dé la fille dé Sion, voilà.

Amine eut un rire thanatique. Poncé, frais et ambi-tieux, montant une jument sur du gazon, tel le voulait son père, qui le reniait au moment où, démoli, il lui demandait secours — et les meubles ? Belle-maman rachèterait-elle toutes ces aberrations ? Diffitchilé, avoua l'Italienne, il mé soucre mon argent dé poche dé peur dou gigolo. S'il soucrait, adieu définitif aux reliques de leur cathédrale dévastée. Le polo et le Racing ! a-t-on déjà vu un amoureux transi et sportif ? Son seul sport d'amoureux l'épuisait. Sans quitter l'appartement où le relançait l'Argentine, cette fieffée salope qui avait aidé Maria à s'enfuir, que donc il ne voulait pas entendre et qu'il jeta dehors avec une telle violence qu'elle déboula tête la première les marches du perron, Amine ne cessait de démarcher mentale-ment, intriguant, complotant, combinant, malaxant la glaise du Devenir, orateur solitaire ressassant les plaidoiries de l'ombre, asservi à un imaginaire dépravé ; il payait sa dette, à lui d'être encloué et impuissant, à elle d'être de nouveau en partance, mobile et nomadique figure. Il payait, s'il se consolait un peu en pensant à la cloison nasale abîmée et à la dent qu'elle avait crachée puis, broyé par sa propre mécanique d'enfer, il regrettait d'avoir, ni plus ni

19

moins, loupé un crime, quelles qu'en fussent les conséquences pénales.

— J'accepterai toutes ses conditions pourvu que je
la voie, que je me nourrisse encore de son parfum,
l'*Eau de la Reine de Hongrie,* que sa présence nie la
certitude de l'irréversible — si je la vois, belle-maman,
si elle consent à m'écouter, je trouverai les mots qui
dénouent les sorts, la seule chose que je ne peux plus
supporter est son absence, à laquelle je préfère cent
fois sa haine, m'en prendre plein la gueule et que sa
voix pourfende ce silence d'épreuve et d'abandon,
quand elle est partie elle m'aimait encore, belle-
maman, je l'attendais depuis des millénaires et je
l'avais entourée des sept cercles, juste avant le passage
à tabac, elle m'aimait, me le disait, qu'elle me le dise
encore, même si c'est faux, unique but de ma vie sinon
basculer tout de suite. Je trouverai la brèche de sa
cuirasse, je... Pardon ? (Agostina remuait les lèvres,
donc parlait et il sut avec effroi que son mal galopant
lui interdisait plus que jamais l'écoute des autres.)
— L'hôtel Esmerralda, roue Saint-Joulienn-lé-Pau-
vre, finit-il par entendre. Sa conseillère ajouta : chambres cosy avec voue sour Notré-Dame, ce qui l'acheva.
Bien, il déménagerait, d'un caravansérail à un cagibi,
peu importait. Il emporterait les robes de féerie, celles
du soir, pour s'endormir avec au cas où il pourrait
dormir. Le reste, il le laisserait à la racaille juive.
Sinon, la perspective d'être dépouillée de la totalité de
ses fringues mettrait la belle dans une telle rogne qu'il
perdrait beaucoup du terrain de sa reconquête.

*

Ainsi fut fait. Les juifs vinrent le lendemain, et embarquèrent tout ce qu'ils trouvèrent, y compris les fourrures et les objets d'art, dans un camion. Il ne broncha pas, les regarda faire, ne pouvant ni ne voulant rien empêcher.

Le ton de sa grand-mère, au téléphone — du fil à couper le beurre. Sûr qu'elle reconnut la voix du soupirant, même travestie par un mouchoir emmaillotant l'appareil.

— Maria est absente. Elle travaille chez des amis.

Garce. Ses amis et ses chères études. Lugubre, il raccrocha. Ladite garce, malgré un léger traumatisme crânien, avait dû reprendre son fructueux polylogue avec le monde, ses chats, ses grand-mères, son — ses ? — éditeur(s ?), Paris, éventuellement la Maison-Blanche ou le Kremlin, avec elle, cette menteuse évaporée, cette saloperie de Gémeaux, Cancer à l'ascendant pour plus de fuligineuses tromperies, on pouvait s'attendre à tout, de ce qu'elle fût espionne double il se serait accommodé (difficilement, car ce métier implique de nombreuses relations), mais de son commerce galant avec ses amies qui l'emmenaient manger des truites meunières dans les bouillons, point ne s'accommodait. Sans doute, depuis quinze jours, et le débarquement des camionneurs juifs venus de la rue des Rosiers ou du Roi-de-Sicile, avait-elle encore reperdu des kilos, vendu les rubis sang-de-pigeon, la montre au cadran diamanté, la bague de fiançailles, les fourrures, peut-être même les éléphants khâdjars et les vases chinois (pas certain, elle les aimait énormément), racheté une nouvelle machine à écrire à laquelle elle mettrait du temps à s'habituer et râlerait de ne plus pouvoir taper aussi vélocement, bref ressuscité d'une façon pascale. Dans le tombeau, il n'y avait plus qu'un mort-vivant, lui. Ô combien plus mort que ne le furent jamais, même pour un bref délai, le Christ et Maria Tiefenthaler, y compris quand, sous la férule de son amant, celle-ci se disait déjà d'un autre monde.

Ô ma fragile, te serrer encore et encore dans mon gantelet de velours. Même avec le nez de travers, elle séduirait toujours, ayant d'autres arguments : sa parole, tarie pendant la réclusion d'amour, ce fichu *logos* qui devait rejaillir avec la virulence des jets de la fontaine de Trevi.

Ô ma fragile, t'entraîner dans les îles lointaines du Pacifique Sud, convoquer les requins du large et te jeter dans le lagon — à peine un apéritif pour ces grands méchants. A moins que ceux-ci ne fissent autour de toi des bonds de dauphins, saleté de magicienne juive, tu es bien capable de les apprivoiser.

Elle SERAIT encore prise de vertige devant les abîmes. S'il était Scorpion, elle avait Pluton en Lion et ça, je vous jure que c'est du four solaire, et que ça aspire les natifs vers le royaume d'En-bas. Destrudo et libido, voilà l'affaire, envoyons-lui un petit télégramme.

Ou plutôt, attendons un peu pour le télégramme. Mieux, assiéger sa maison. Éventuellement, se tirer une balle devant elle, mais attention, pas à la tempe, trop dangereux, à la mâchoire, de cette façon le plomb risque de ressortir par le nez ou l'oreille, elle réciterait le Pater Noster avec lui dans l'ambulance, à lui la mort ou pseudo, à elle le deuil et la coulpe. Il se tuerait puisqu'elle ne l'aimait plus, *laisserait sur elle une trace indélébile*, in memoriam, merci Drieu La Rochelle. Il se tuerait comme on appelle au secours en ménageant toutes ses chances de survie. Puis, il l'aurait repentante à sa merci. Il la fatiguerait à force de délires de grandeur, de persécution et de revendication jusqu'à craquelure mentale de l'aimée. Elle abandonnerait toute discussion, pervertie par sa subtile et permanente mauvaise foi — oui-da, il avait encore des chances.

*

— Aux commissaires-priseurs d'évaluer les dégâts ! Que de belles choses brisées ! enfin, cousine, tu sais qu'on a rapporté ce qu'on a pu. Pauvre hère ! fit Edmond, prêt à s'apitoyer sur l'ensemble de la création depuis la signature de son contrat avec Le Seuil. Néanmoins, méfiance ! Le Deutéronome condamne l'absinthe, couleur de ses yeux ! Et je suis sûr qu'il s'adonne toujours aux enchantements pour te reprendre, ce répugnant !

— Qu'il s'adonne, mon bon. Tu me vois ravie d'avoir récupéré mes antiquités et quelques riches couvertures chauffantes de chez Révillon. Plus jamais il ne brisera le Tabernacle de Sainteté ni ne fracturera le Saint des Saints, c'est-à-dire ne me sautera, ni dans un hamac, ni devant une cheminée, ni dans les décharges municipales, une de mes petites tocades, qui ne l'emballait pas.

— C'était donc un bouc sauvage ! L'histoire fait le tour du neuvième arrondissement. M. Papazian est devenu tout blanc, je le tiens de mon père, quand il a vu la joncaille. On ne sait pas encore le résultat de l'estimation, il faut d'abord qu'il se remette du choc. Il

24

t'a connue gamine au square Montholon, et depuis, ta carrière ne cesse de le surprendre, il dit que c'est merveille. Enfin et entre nous, ça doit faire dans les vingt briques, mais il te donnera lui-même le chiffre exact. M. Papazian a dit que Mercure Esprit de Piété et, ça tombe bien, maître des Gémeaux, gouverneur de cent mille légions de génies, a dû te protéger sérieusement. Quant à mon père, il t'a confectionné un nouveau talisman au nom de Cahethel Dieu adorable, c'est le sens de l'attribut, et le sixième verset du psaume 94, à porter sur la peau pour obtenir la bénédiction divine, chasser les esprits maléfiques et remplacer ton sceau de Salomon que tu as, ma bohème de cousine, PERDU ! Et perdu quand ? Juste avant de rencontrer le bouc sauvage ! Évidemment !

— Écoute, mon cœur, je te promets d'aller rendre visite à ton père, lui souhaiter pour la nouvelle année une heureuse influence de la part des étoiles, fit Maria, doucement narquoise.

— Ne te moque pas, garde ce talisman. N'oublie pas que non seulement le type aux yeux d'absinthe est fils de Bélial, mais qu'il peut entretenir des rapports étroits avec Samaël archange maudit qui jamais ne retrouvera son saint nom. Tout à fait le genre samaëlique, époux de Lilith la pute. Comme quoi il se trompait en voulant t'épouser, commenta Edmond avec déférence.

— Cousin, ne te fais pas une trop haute idée de moi — d'autre part, je n'ai définitivement pas besoin de talisman, mais que Ghoraïeb fils soit samaëlique me paraît juste. La lecture de mes bouquins l'aspergeait d'eau bénite sous laquelle il suffoquait, et cet imprudent m'avoua même que, lors d'un voyage à Jérusalem, il dut sortir au pas de course du Saint-Sépulcre poursuivi par les prêtres catholiques romains, grecs et orthodoxes. Merci pour la razzia, cousin. Demain soir, emmène-moi dîner à l'épicerie russe, rue Daru, ça me fera plaisir. Tout ne cesse de me faire plaisir en ce moment. A demain donc, mon valeureux.

Il ruminait beaucoup de conditionnels et de phrases commençant par *et si*, en suspendant dans l'armoire exiguë de sa chambre d'hôtel les robes qui feraient douter le personnel de ses mœurs et le seul costume qu'il ait emporté, outre un pull-over et un jean. Le reste de sa garde-robe attendait, rue Murillo, un retour du fils prodigue que remettraient sur pied les soins pragmatiques d'Agostina — quand ce petit regagnera le parc Monceau, ses smokings, innombrables chemises, cravates de soie, boutons de manchettes œil-de-tigre seront là fidèles tout autant que moi belle-mère instigatrice d'une telle mésalliance et coupable d'une telle tragédie, je lui ferai bouffer des steaks tartares et prendre des complexes vitaminiques, faudrait-il encore qu'il regagnât les pénates au lieu de marner comme un rat dans une piaule infâme — Belle-doche faisait un zona de l'affaire : défaut d'aiguillage, jamais elle n'aurait dû orienter Amine vers une intello qui pas de doute devait être légèrement gousse mais comment croire à ces choses en voyant cette gamine, *faccia d'angelo*...? Dans son affliction, elle écartait tout dîner mondain, refusait de recevoir, envisageait un pèlerinage à Rome, prétextait de règles inendiguables pour ne plus subir les assauts de Fouad, par ricochet le couple senior se portait plutôt mal, que de désagréments à cause d'une si malencontreuse love affair, et cette vente publique, un déshonneur, un Corot, je vous demande un peu, elle s'était payé un Corot pour mettre dans la salle de bains, des meubles chinois, des nègres à torchères, de quoi aménager une Folie dans le genre Bagatelle, et à en remontrer aux Fornarina les plus expertes...

Or, à l'hôtel de la rue Saint-Julien-le-Pauvre, le sado qui gava une mince angélique dans un but d'engraissement, l'inonda de sperme dans un but d'engrossement, bref la voulut élargie comme une chaussette familiale, icelui devenu par un flagrant choc en retour anorexique total et maigrissime, s'avouait que ne plus souffrir demeurait le comble d'horreur. Balancer entre le sui et l'homicide, un reste de jouissance.

Sans extra-lucidité, il sut que Maria, cachant aux inconnus ses ecchymoses et son crâne couleur waterman bleu-noir, dînerait probablement chez une de ses amies, mais ne rentrerait pas après minuit pour cause de convalescence. Vu la teinte du crâne, peu de chances qu'elle dînât avec un quelconque malfrat. Trop coquette pour s'offrir en l'état aux regards masculins, la Célimène cérébro-spinale !

Et si — saisi d'un étourdissement, il jeûnait depuis une semaine et dut s'étendre — et si — chambre désuète et mélancolique, convenant à une douleur refusant de se tenir tranquille, vue sur les tours tentatrices de Notre-Dame, mieux que l'unique Eiffel, davantage de classe pour un suicide courtois — et si — profitant de l'évidence : son amaigrissement, son teint livide, son impuissance à mettre un pied par terre sans que le plafond ne valsât, à ingérer une miette sans gerber illico, et s'il prenait un taxi... (nous en étions là, les trois bagnoles et les fringues, confisquées chez papa Fouad jusqu'à reddition de son fils) s'il se faisait conduire rue de Maubeuge, s'il grimpait sur les rotules l'escalier au tapis mité, s'il sonnait, que se passerait-il ? A l'évidence, que ce fût elle ou son yéti de grand-mère qui ouvrît la porte, il s'écroulerait, preuve de jeûne religieux, éventuellement tenterait de crever de faim, juste là sur son paillasson, mort conséquente à une agressivité détournée contre lui-même, mort qu'elle verrait peut-être sans sourciller... Mais arrive-t-on vraiment à mourir de faim, quand on a derrière soi des années de gueuletons chez Lasserre ? Il faut s'y prendre en bas âge comme dans le tiers monde. Il maudit sa réserve de calories qui lui interdisait cette façon spectaculaire et très propre de claboter.

A la bien-aimée éternellement gravide mais pas des œuvres d'un homme, devant laquelle il se sentait morne steppe (elle, une cité fortifiée), il jura de voler à nouveau, une par une, ses certitudes de joie et ses enchantements. Il se sentait prêt à de longues approches prédatrices, c'était une bataille perdue, non la guerre. Mais comment attendre ? Tromper l'attente ? Il serait masochiste, aussi masochiste qu'il fut sadique. Le combat se révélait plus âpre que prévu — pourtant, il avait PRESQUE réussi. La machine à écrire par la fenêtre. Le manuscrit, les agendas, autodafé. La garce en possédait peut-être un double, cette question le tourmenta, le premier jour où il se décida à prendre l'air, et lors d'une de ses fréquentes nausées, dans les waters du Fouquet's. Après quoi, un peu soulagé, il appela Maximilien auquel il se confessa jusqu'à ce qu'une émeute de producteurs le chassât de la cabine, empuantir les toilettes et squatteriser le téléphone, ça suffisait comme ça, on le jeta dehors, sort auquel il se résignait, son lot sur cette terre. Maximilien, qui le rejoignit une heure plus tard au bar Alexandre où il fit moins de dégâts, recula à cause de l'haleine fétide, calibra les ravages de la passion — un spectre, une haridelle, un gastralgique au teint plombé, que le bel Amine Youssef cajolé par les mères aryennes en l'espoir de lui coller leur fille incasable et richissime.

En tant que cordon sanitaire, Max lui infligea un Vichy précisant Célestins. Écouta son ami jusqu'à neuf heures.

— Conclusion, dit-il en vidant une vodka que lui autorisait une santé recouvrée, après la fin d'une épique romance avec une Kibboutzim décidément trop attachée à la croissance de ses primeurs dans le Néguev, chieuse patentée et sioniste qu'il rendit à ses tomates, à la défense de quelques pierres du Sinaï et des mines du roi Salomon, tout ça dans le même coin, afin qu'elle ne perturbât plus la vie d'un célibataire heureux, pléonasme — conclusion, les trente-neuf kilos de Mlle Tiefenthaler, pardon, les quarante-sept après réclusion et gavage, bravo ça je n'y aurais pas pensé, quarante-sept kilos, chiffre astronomique, « voilà la grosse » devait-on susurrer sur son passage, ciel, quarante-sept dis-tu, et elle se trouvait immonde, ce dont tu te félicitais... les quarante-sept kilos en sus l'Underwood assassinée, remarquez le sifflement serpentin du *s*, comme salaud, admets ma juste sévérité, se sont révélés de trop gros morceaux pour tes dents de jeune chien.

— Un bâtard de teckel, qui se prenait pour un loup-cervier. J'admets. J'assume. J'ai été trop vite. Entassé les bourdes, boulettes et gaffes. Me voilà émasculé. Je crois aussi, mon cher psycholâtre, avoir définitivement passé outre ta fameuse *borderline*. Ou tu m'enfermes à la villa Montsouris, célèbre relais de campagne, ou je récupère Maria. Je préfère la seconde solution.

— Il y en a une troisième : le lithium. Rien qu'un sel, comme le magnésium. Et n'oublie pas le dosage de lithiémie. Regagne tes confortables pénates, reprends les Beaux-Arts, sois exemplaire, demande pardon à papa Fouad, remercie ta belle-mère qui est une dame d'œuvres, si cette fille est ta ciguë. Du lithium, quelques putes, beaucoup de boulot, construis comme ton père des H.L.M. dans le désert, et je ne sais pas, moi, une ville pour les chevaux et les piétons au Brésil pays en pointe, ça t'occupera, thérapie de l'action.

— Pas question de matelas au lithium, hurla Amine, ni de ville pour les chevaux, je veux Maria, je l'aurai, je ne ferai plus les mêmes conneries, je serai prudent, je ne voudrai plus la réduire à zéro, si, je t'assure, j'ai changé. Je la préfère avec sa damnée création que sans, car sans, je ne l'aurai pas et le quatrième étage de la tour Eiffel ne sera pas assez haut, comme le disait elliptiquement son cousin en brioche à cause de la malveillance des comités de lecture.

— On a déjà songé à supprimer la tour Eiffel à cause des furieux, mais renoncé au projet en raison des touristes. On a aussi asséché la piscine de la clinique Laborde à cause des noyés. Cela dit, dégelée, passage à tabac et beignes ne me paraissent pas une méthode propre à convaincre Mlle Tiefenthaler. Trouve autre chose. Un silence, puis des enjolivures délicates, calligraphiques, des lettres, un peu d'honneur que diable, ne va pas lui tomber sur le casaquin avant cicatrisation des plaies et des bosses. En toute honnêteté, si je ne constatais pas chez toi des déprédations mentales si graves, je t'interdirais de la revoir car elle t'est aussi nocive que tu lui es catastrophique. Bien. Mais puisqu'il te faut rouler jusqu'au caniveau, roule, carcasse, elle t'y aidera de bonne grâce en cas de rancune, tant qu'il y a de la rancune, il y a de l'espoir. Maintenant, que comptes-tu faire ?

— L'attendre pendant la saison froide à l'hôtel Esmeralda. Tu te souviens, je la comparais à Esmeralda... J'ai emporté ses robes, c'est un peu d'elle.

— Ineptie. Ton père te coupera les vivres.

31

— Je ne remettrai pas les pieds à Murillo. Les sarcasmes de Fouad me tintent déjà aux oreilles. Les pieds et les oreilles sont déjà glacés, tu peux toucher. Je préfère définitivement mon placard à balais dans un hôtel économique, condition propre à culpabiliser la juive.

— Maître chanteur ! Pauvre cinglé ! Enfin, libre à toi. L'hiver s'annonce rigoureux.

— L'hiver, oui. Je caillerai dans ma solitude. Rien à attendre de l'hiver, qui est SA saison. Le froid lui fibrillotte la névroglie. Mais il y a Pâques. Je tenterai quelque chose à Pâques. Et l'été. La chaleur la désarme, vois-tu. Je lui proposerai un voyage, le Pacifique Sud, Tahiti, Moorea, les atolls. Elle connaît déjà la Polynésie, mais pas tous les atolls. On s'échappe moins facilement d'un atoll que d'un rez-de-chaussée.

Navré, Max ne sut plus que répondre aux divagations de ce type méconnaissable, dont la pommette tendait à trouer une peau de fossile.

*

A bout d'obsession paroxystique, il décida du télégramme, hésita à lui faire part d'un cancer au poumon le menaçant, d'examens à Villejuif, non le cancer, ça ne marcherait pas, se contenta de griffonner sur le télégramme les six lettres écrites sur la coquille d'œuf préalablement vidé qu'un caballero imprudent jeta à l'héroïne du roman de Pierre Louÿs : quiero. Quérir, chérir.

Puis, il avala quelques comprimés de bromure, se coucha et attendit. Reçut un télégramme en retour. Tachycardique, il le déchira, lut : ÇA NE FAIT RIEN J'AVAIS UN DOUBLE, devina qu'il s'agissait du manuscrit intitulé *L'Égéide,* éructa : *la pire des femmes* et se prit en pitié. Qui était-elle, à la fin des opérations ? Cynique, en toute impunité, prompte à dépenser énormément d'argent pourvu que ce fût celui d'autrui, et nonne, et chaste, et sainte, pétrie de civilité puérile et honnête, et pute lettrée, et geisha, puis il rectifia : plût au ciel qu'elle fût vraiment pute ! Solution de facilité, qu'elle fût pute.

Sa famille, perdition ! Il eût préféré la certitude d'un amant, la savait plus garantie par sa chasteté que par un don corporel à autrui, car, à l'abri de toute souillure, elle demeurerait interdite et absolue telle qu'il l'avait choisie.

Dégoûtée (pour un bref délai) des grandes manœuvres séductrices, honnissant les hommes jusqu'à guérison des parties contusionnées, elle ne devait souhaiter qu'une vie monacale et lui épargnait pour un temps la jalousie, mais il sentit ses masséters se contracter à la pensée de Maria bandelettée (peut-être lui avait-il vraiment bousillé le tympan), allumant le gril destiné à La Viande chez Rose dont elle citait le boucher, boucher de Rose, chic boucher d'Auteuil et meilleur de Paris selon la carnivore qui, rue de Verneuil, s'empoisonnait quotidiennement sous son regard charmé de sauces crème incompatibles avec les fulgurances poétiques. Il détesta Rose et le boucher. Eut la certitude qu'elle dînait à Auteuil ce soir-là. Appela après recherche fébrile dans l'annuaire. La fille de Rose lui répondit, traîtrise involontaire, qu'effectivement on attendait Maria « comme d'habitude à neuf heures quinze, elle écrit très tard ». Ce « comme d'habitude » le bouleversa et il décida, pour sa première effraction d'un nouveau genre, d'interrompre sa grève de la faim, c'est-à-dire d'absorber un morceau de gruyère, d'infliger à Dulcinée la vue de sa décrépitude vengeresse, et s'apprêta pour cette parade de fantoche telle une épouse de maharadjah allant au bûcher les paumes rouges de henné, conscient de l'impair qu'il commettait mais absolument incapable d'agir autrement.

Les caprices de Maria
Vivre de sang, de chair, de roses et d'imprévu

Maria en effet arborant ses plaies de guerre venait de recouvrer l'usage intégral de la parole et en abusait, pendant que Rose aux petits soins disposait sur la table les bougies à la cannelle, et que fumait le gril où caraméliserait bientôt La Viande d'Auteuil de leur secrète cérémonie.

— Quelques morsures réciproques d'où téguments déchiquetés, je lui souhaite le tétanos, deux coups de poing dont un à la mâchoire d'où incapacité de refermer la bouche, les arcades dentaires jouxtées l'une à l'autre en arrière, ça, tu as vu, mais ce que tu n'as pas vu, c'est la séance de torture chez l'ostéopathe qui me fit basculer ladite mâchoire vers le bas en refoulant le menton vers le haut ! le tympan déchiré par une gifle, un soufflet nerf de bœuf sur l'oreille d'où hémorragie, surdité et bourdonnements, un essaim de guêpes, il paraît que la commotion n'intéresse pas la chaîne des osselets, dixit le toubib, en ce cas grâce à l'imperturbabilité de cette chaîne si je suis encore un peu sourdingue ça va s'arranger — ma dent fracturée, juste un petit fragment d'ivoire expectoré gracieusement devant l'amoureux, moins grave que je ne le pensais, il reste un bon bout de cette dent. On aura recours à un ersatz invisible et coûteux. Quant au nez, il lui restera une façon de biaiser originale et imperceptible. Il paiera la note. Qu'il danse, donc! dit la joyeuse déposant avec onction extrême la barbaque sur le gril d'où se dégageaient les fumerolles idoines. Rose mon cœur vois où mènent ces sordides histoires. Trompe ton diplomate, occupe-toi de ta fille, suis mon exemple, qu'il profite de visu à quelqu'un : toi, la première, prompte à sombrer dans la chienlit des rapports passionnels, chapelets égrenés, de grain de lassitude en grain d'indifférence, rosaire au fil ténu si difficile à rompre. Toute passion excepté celle du Christ : barbarisme, solécisme et nécrose. Épouiller le crâne teigneux de ses amis, soigner leur lèpre, voilà la rédemption. Idolâtre, infâme, voleur, cupide, outrageux et ravisseur, Amine le Corinthien rétif n'héritera pas du royaume de Dieu ni de celui de son père, s'il continue ses conneries. Eh, eh ! Je m'en félicite.

Elle touillait la salade. Allez savoir pourquoi, chez Rose, ces menues choses ménagères avaient autant de charme, pourquoi elle dosait l'air de rien, avec virtuosité, l'huile de noix et le vinaigre de xérès, pourquoi la cuisson de la barbaque lui évoquait quelque festin maori, pourquoi le quotidien se faisait ductile, souple sous leurs doigts, pourquoi l'émouvait le gazon artificiel de Rose, ses sels de bains, la moutarde à l'estragon témoignant d'une délicate attention de la part de l'amie, tandis que tous ces détails si poétiques du gynécée devenaient prosaïques, encombrants et menaçants au sérail dont elle s'était échappée — pourquoi le regard des femmes rendait-il aux objets une gravidité sensuelle et métaphorique, pourquoi ressentait-elle la faim, vacuole creusant sainement son estomac, pourquoi le cérémonial des bougies et des trois tasses de décaféiné bues en conversant tout comme entre hétaïres d'un bordel du Pirée au siècle de Périclès la réjouissait-il tant, pourquoi mangeait-on chez Rose sans en avoir l'air, pourquoi le gril en fonte gondolé l'attendrissait-il, pourquoi desservait-elle la table et fourguait-elle les épluchures dans la poubelle avec tant d'empressement serviable, pourquoi cette allégresse du bavardage non pas oiseux, mais moment de vérité parfois exténuant... Jamais elle ne se lassait d'écouter discourir, à propos de problèmes amoureux qui, en soi, ne l'intéressaient guère, une Rose dont elle réprouvait et déplorait le sentimentalisme, pourquoi ce discours sur l'amour la réveillait-il au lieu de l'endormir, si celui de Ghoraïeb (pourtant la concernant de fort près) la plongeait dans un coma létal — elle touillait donc avec énergie l'excellente scarole, trouvait gai de savoir où, exactement, chez son amie, se trouvaient les verres à vin, le beurre et les serviettes, tout ça n'était que preuves additionnées de *philia*, puis on s'apercevait que, repu, on n'éprouvait plus le creux stomacal, donc qu'on pouvait parler parler parler sans mastiquer en même temps, confessionnal, entente sacrée, joue effilée et cernes de Rose, trace des sévices moraux infligés par l'être aimé (entre autres de longues attentes au télé-phone), mâchoire réajustée de Maria, souvenir de ceux qu'on sait, toutes les réparations de façades valaient bien une messe, à savoir les bijoux, fourrures et merveilles qu'Edmond et quelques estafiers hébreux étaient venus quérir chez ce salopard.

— En fait, dit-elle, le salopard, contre toute attente, ne moufta pas et les laissa embarquer le coffret à bijoux, avec les bijoux, les fourrures, les chaussures, et la paire d'éléphants. Le reste avait mystérieusement disparu et le salopard resta muet sur ce point à élucider. Tant mieux pour les robes du soir dont je ne vois plus l'usage, tant pis pour ma panoplie de jeans, beaucoup moins chère à reconstituer.

— Tu ne perds pas le nord, sale juive, fit Rose, avec respect révérenciel.

— Bah, avec la résolution des biens, je ferai des

heureux, my love, ou le tour du monde avec toi. Le lynx est déjà sur les épaules de Tova.

De l'amour niant la transe et la transcendance, de l'amour qui ne sublime rien, écœurée, meurtrie et bosselée, elle ne supportait plus que l'écho renvoyé par son amie dont elle se faisait l'auditoire attentif, prête au verdict de bon aloi. Elle avait touillé la salade, sans qu'une feuille ne s'échappât du récipient, bonne à marier à condition que ce fût avec une de ses comparses, touiller à vie par *philia*, débouché une bouteille de saint-émilion car l'ambassadeur possédait une cave prestigieuse dont bénéficiait Maria qui jamais plus ne toucherait à une liqueur ni au mortel champagne, seulement un verre de tanin apaisant au dîner, sagesse et maturité reconquises, le bouchon avait sauté joyeusement, à nous le saint-émilion, trinquons à nos alliances, à la belle aventure, à la liberté qui, pardon, n'existe pas, aux révolutions sidérales, Rose, ma blonde aux paupières plus longues que celles de Garbo.

Au coup de sonnette, Rose tressaillit et pria que ce ne fût pas son amant du Quai, qui la trouverait démaquillée, le cheveu en queue de rat et le pied dans ses charentaises. Maria, furieuse du dérangement, alla ouvrir de mauvaise grâce.

Apparition sinaïtique : Amine Youssef Ghoraïeb, après un visible et long jeûne, pendant lequel — ce qu'il était le seul à savoir — il alterna le bromure pour calmer les parties basses et les amphés pour ravigoter les parties hautes. Il la vit, par l'entrebâillement de la porte, sous un jour d'extrême cruauté, se remémora les mises en garde de Maximilien et, devant ce monstre d'innocence, éprouva une trouille hélas toujours viscérale. Demander où se trouvaient les chiottes ne lui semble pas de nature à faire bander son androgyne amour, il grimaça, fit comme si de rien n'était, se conseilla de s'en aller pendre sur-le-champ dans la mesure où il s'avouait la pérennité de sa passion pour cette chienne, qui, tôt ou tard, le pousserait à cette extrémité. Différer celle-ci n'était donc qu'un gaspillage de souffrance.

— Mais entre, chuinta la Serpolnica, sphinge de Mégare, avec une amabilité inattendue.

Il entra, prit place sur un coin de divan, accepta un tilleul, proféra quelques banalités. Elle souriait, en dedans, comme un chat repu. Il augura de ce sourire rentré qu'elle se foutait royalement de sa gueule. Profitant de l'absence de Rose, gracié pour quelques minutes par la préparation du tilleul, il lui prit la main avec une maladresse de novio.

— Maria, y a-t-il... y a-t-il quelqu'un d'autre ?

Aussitôt posée, sa question, de par son indigence, le consterna. Elle le regardait avec un mélange de raillerie, de pitié, et quelque trouble perfidie — peut-être même, ce qui était encore plus intolérable, un reste de tendresse dans ses grands yeux ponctués d'or.

— Pardon, murmura-t-il sans attendre de réponse, or, pitié, qu'il y en eût un autre, il implorait cet autre d'exister, qu'un autre la possédât et la violât, qu'il ne fût pas délaissé pour qu'elle s'en allât vers elle-même, ce qu'attestait son silence — la pire des femmes, en vérité.

— Pas UN autre, Amine Ghoraïeb, fit-elle d'une voix de gelée blanche. Il y en a dix mille, et on retirera pas mal d'exemplaires après épuisement du stock. Soit, aucun, c'est pareil. Si on parlait d'autre chose ?

Elle alluma une cigarette, lui souffla au visage une fumée insultante qu'elle dissipa d'une main lasse, et il se dit qu'il payait cher le nez de traviole (si peu, si peu), la mâchoire luxée, le fragment d'incisive brisé, l'ecchymose sur le genou, le saccage du tympan et la touffe de cheveux scalpée, ça il payait, et paierait à crédit sa vie entière pour avoir touché à cette gale qui vida son compte en banque, tout en se saoulant à la poire Wilhelmine et en prisant, à la fin des opérations, de la coke avec une Sud-Américaine.

— Accepte un dîner, pria-t-il. C'est tout ce que je veux de toi.

— Mes dîners sont pris. De toute façon, je ne te verrai plus jamais le soir, car après le coucher du soleil, les Scorpions empirent. Je n'ai de libre qu'un déjeuner, dimanche prochain. Je t'appellerai pour te le confirmer. Où crèches-tu en ce moment ?

— A l'hôtel.

Elle arqua les sourcils, n'enquêta pas plus loin, et nota le numéro de l'Esmeralda sur son carnet de chèques.

Sidéré qu'elle acceptât, il s'interrogea immédiatement sur le sens de ce *oui*. Oui d'inconséquence, de charité, de malice, ou d'extrême scélératesse. Tilleul bu, il se vit renvoyé avec une exquise et féroce courtoisie.

*

Il ne sortit pas de l'hôtel pendant quelques jours. En latence, castré par cet intenable compromis, persuadé que toute reprise d'un rapport physique avec elle serait un brillant fiasco, poursuivi par l'image d'une insolente créature qui vivait si bien son présent sans lui, Amine Youssef, qu'un sort condamnait à ne plus espérer de futur avec elle. De tension mentale, il pensait claquer d'une minute à l'autre. Ces petits points d'or dans ses yeux de chatte, fuite des galères vaincues — les siennes, les levantines — ou promesse de réhabilitation ? Elle ne téléphonait pas. Parjure, déjà, à cette première promesse. De la mort-aux-rats que cette fille.

Il s'interdit de sortir, attendit près de l'engin muet, jusqu'à ce qu'une rage de battue le prît. Il connaissait les habitudes de cette spartiate. La piscine couverte Molitor, en face de l'atelier du peintre Martin, cinq longueurs le samedi, même en hiver. Oui, mais l'état de ses tympans et du reste ne lui permettait sans doute pas la piscine d'eau lustrale. A tout hasard, il rôda dans les piscines, poussa jusqu'à celle de Neuilly, boulevard Inkermann, près de l'appartement de sa mère. Ne l'y trouva pas. Il aurait dû la cogner moins fort, histoire de la retrouver à la piscine, mais on ne saurait penser à tout. Le Liban explosait, et il s'en foutait bellement.

L'enfermerait à nouveau. La menacerait du gril en fonte si dans un restaurant elle avait eu l'audace de dévisager un serveur. Normal, qui n'utiliserait en ce cas le gril en fonte ? Lui tiendrait la jambe jusqu'à quatre heures du matin sachant que le lendemain elle déjeunait chez son éditeur qui s'inquiéterait de sa mine décavée — discourir donc sur les vétilles pathétiques de la jalousie jusqu'à ce qu'elle demandât grâce et reconnût qu'il était dans son bon droit. Il connaissait sa force, la *gana* tellurique des femmes d'Amérique du Sud dont parle Keyserling, et comptait en user, ayant trouvé l'archétype de son désir : la femme de sa vie, laquelle ressemblait terriblement à sa mort. Prendrait l'écouteur quand elle recevrait un coup de téléphone. Amine, mon vieux, tu travailles du chapeau, se dit-il après sa tournée des piscines. Bâillonne tes démons, soit, ferme ta gueule, si tu as de la chance de la revoir, porte ses paquets, ouvre le parapluie au-dessus de sa tête, règle la note du dentiste et du toubib, sois son vassal, en attendant.

— Papa, dit Edmond, j'ai été affreusement distrait. J'ai sonné, elle m'a ouvert la porte, et j'ai claironné à ses pauvres petites oreilles au tympan amoché que je publiais mon premier bouquin au Seuil, voilà comment nous sommes, même en face d'une telle cousine... Je n'étais même pas étonné qu'elle fût là, un peu surpris seulement. Complètement absorbé par ma propre histoire.

— Allons, allons, elle comprend ça très bien, tu n'as pas à te faire de souci. Mais dans quel état as-tu trouvé Maria, à son retour d'exil ? Je veux dire, après ce séjour avec un homme dans cet appartement...

— Exil, tu l'as dit. Oh, pas en état de croquer tes pistaches. Une dent en moins. De la bouillie dans la bouche. On a mangé des... enfin, de la viande hachée...

— On appelle ça hamburgers saignants, c'est entendu, après ?

— Une petite cassure au nez. Bel ouvrage. Le fils de Bélial l'a tabassée à mort. Non seulement fils de Bélial, mais, m'a-t-elle dit, Scorpion ascendant Scorpion avec lune noire au zénith, un beau ciel d'orage.

— Je n'y entends rien. Mais un possédé, ça j'en étais sûr ! Pauvre enfant ! Il a dû pratiquer avec elle les choses du sexe, dont elle ne peut qu'avoir horreur, fit le

43

père d'Edmond, qui, en la matière, se trompait un chouia sur le compte de Maria Tiefenthaler.

— Horreur, horreur, ça n'est pas sûr, rectifia Edmond, enfin au début elle trouvait agréables ces dégoûtantes pratiques, parce que le Bélial fils était beau garçon et de trompeur teint sémite, voilà ce que je crois. J'ai opéré un raid sur l'appartement de la rue de Verneuil où il l'avait cloîtrée. Enfin, pas seul. J'étais avec quelques amis. Le lâche goy n'a pas haussé un sourcil. Lui tomber dessus à cinq était lâche aussi. Alors, on l'a laissé croupir dans son gourbi de luxe et on a rapporté à Maria quelques objets utilitaires qu'elle avait laissés là-bas dans sa hâte à quitter cet endroit maléfique où vécut, m'a-t-elle dit, l'inventeur du pendule. L'inventeur du pendule, le Scorpion et Bélial, ça fait beaucoup de contre-indications quant à la paix de l'âme.

(Fourrures, rubis et le reste, *objets utilitaires* dont Edmond éluda le décompte, boff, le Scorpion goy lui devait bien ça, à Marie la juive, pour avoir tenté sur sa personne un crime de sang !)

— La Schekinah accompagne les Justes partout où ils vont. Apparemment, mon cher fils, elle n'a pas lâché les basques de ta cousine. Tu nous l'amèneras dès qu'elle sera mieux.

— A ce propos, il se pourrait qu'elle ait encore à vendre quelques bijoux, est-ce que ton ami diamantaire... ?

— M. Papazian ? Je crois même que sa fille Hermine était à l'école avec Maria. Je soupçonne du louche. Ce sont toujours les cadeaux de cet endiablé ? Ton silence m'apporte la réponse. Alors, en effet, il FAUT s'en débarrasser. Mais qu'elle ne les jette pas à la poubelle, fit M. Rosenthal d'un ton pressant, ah non, sacrilège ! M. Papazian lui fera une jolie petite évaluation de l'ensemble, et le problème sera réglé. Il y a toujours un moment, mon fils, où il faut faire les comptes ! Tiens, prends cette boîte de rahat-loukoums, faits par ta mère, tu la lui porteras.

— Ah non, ah non, je crois qu'elle les a pris en aversion, les rahat-loukoums, surtout pas de rahat-loukoums ! Bon, papa, je vais travailler. J'ai un second livre en chantier.

M. Rosenthal se demandait encore, quelques instants après, quel était le rapport entre la haine de la virginale cousine pour les loukoums et les œuvres du Bélial libanais. Cette question le tourmenta long-temps. Pour résoudre celle de la vente des *objets utilitaires* récupérés par son fils, il téléphona à M. Papazian qu'il mit au courant de l'affaire, ou du moins d'une de ses conséquences : l'estimation d'un rab des mystérieux bijoux. Quelque chose comme le collier de la Reine, à n'en pas douter, pensa judicieusement M. Rosenthal en son âme naïve.

Appel de Maria, vendredi soir.

— Aux Diables des Lombards, à treize heures quarante-cinq, dimanche.

— J'y serai, dit-il, et il raccrocha, moulu comme un flagellant de Séville. Ainsi jouerait-elle avec le temps, lui tendrait-elle des embuscades, en des lieux qui n'étaient pas ceux du hasard, lui fixerait-elle d'étranges assignations, de loin en loin sans doute, de même qu'au début elle l'attendit derrière son rempart de craie solaire, lui échappa, rigolarde, pour venir le rejoindre, dans un bal, un soir de destin.

Aujourd'hui, elle écrirait sur les écorces de sa route des signes rares, qu'il faudrait comprendre, or rien n'effraie tant l'homme que les signes. La voix de cette fille traçait autour de lui un cercle plus précis que celui qu'un athame creuse dans le sol. Il irait, pérégrin fantoche, non plus le Diable des Tarots, mais la première lame, celle de ce pauvre con : le Bateleur.

Il arriva en avance aux Diables des Lombards, bistrot américain où on servait à toute heure des hamburgers œuf-à-cheval dans un tohu-bohu peu propice aux démarches sacrificielles et complexes d'un

amoureux, mais il lui fallait, maintenant, tout accepter
— il aurait d'autant plus apprécié un dîner en cabinet
particulier qu'il redoutait la foule dans laquelle, proté-
gée, elle se mouvait à l'aise, tandis qu'il recevrait
comme par hasard des bourrades, coups de genou et de
pied. Elle accepterait peut-être, outre un modeste
hamburger œuf-à-cheval, une suite de concessions,
dont celle de lui rendre visite dans son hôtel... Avec une
pudeur janséniste et un reste d'orgueil, il frémit à
l'idée que Maria jaugeât de visu sa décrépitude, calibrée en mètres carrés dans sa présente retraite, cette
chambre minable, mais pour seulement un tête-à-tête
loin des autres, il était prêt à tout — revenons-en au
hamburger. Il craignait fort que sa propre vésicule,
convulsée, ne l'obligeât à quitter la table pour expur-
ger sa bile dans les chiottes, d'où il ressortirait vert-de-
gris. S'il dégueulait, elle ne tiendrait pas le coup, à
moins que sa damnée compassion pour le genre
humain et sa manie de se prendre pour une sainte
laveuse de pieds...

D'emblée, il s'expliquerait au sujet de la disparition
de ses frusques, s'excuserait de leur lacération et de
leur incinération. La charmante lui ferait un bien
grand honneur en portant encore les bijoux qu'il lui
avait offerts, mais se ferait un bien plus grand plaisir
en les monnayant, aucune illusion là-dessus. Après les
excuses, montrer ou non les preuves de sa détresse, se
livrer — douceur! —, s'abandonner à sa fureur raci-
nienne, lui décrire, comme il le fit à sa mère, ses
tourments, la question ordinaire et extraordinaire à
laquelle il était soumis des orteils (brodequins) à la
tête (tenailles frontales), juché qu'il était, un boulet à
chaque pied, sur l'arête aiguë d'un chevalet qui lui
broyait les couilles, détail spécialement horrible pour
un Scorpion régi par le sexe et le sacrum, mais
désagréable pour tout le monde. Tassé sur le tabouret

du bar, estourbi de rumeurs bachiques et d'un vacarme de couverts entrechoqués, flingué de néons rose shocking, envieux de tous ces morfaleurs de brocolis et buveurs de jus de légumes, en pleine santé ces gus, il prenait déjà Maria à partie avec véhémence, la couvrait d'une pesante chape de mots vains, tentait une orgie muette de prières égarées, inventait des clauses à un contrat fictif la liant encore à lui, comme, quand il marnait encore dans l'appartement, il s'en prenait à son saut-de-lit, à ses slips, à la doublure parfumée de ses fourrures, comme, à l'Esmeralda, il se roulait sur ses robes de crêpe, s'en travestissait, s'endormait en bavant dessus à la manière de ses épouvantables matous qui, eux, l'avaient reprise dans leur commune yourte de nomade aussi interdite aux hommes que le mont Athos aux personnes du sexe. Treize heures quarante, et le suppôt de sa passion ne se manifestait point.

A treize heures cinquante, elle poussa la porte vitrée, il la reconnut à peine, ne trouva plus aucun rapport entre la jeune fille en imperméable kaki et sa chimère — qu'avait donc à voir cette nouvelle personne avec sa propre géhenne ? Seul son nom, vocable stratifié, qu'il se répéta en le martelant, Ma-ri-a-Tie-fen-tha-ler, puissante abstraction, signifiait encore sa chute, mais ce nom ne correspondait plus à la mince juvénile en kaki, il s'aperçut qu'elle disparaissait sous sa propre, son incommunicable folie, frôla l'imperméable pour s'assurer qu'il n'y avait pas d'ectoplasme planqué dessous, où donc était Maria, qui ne s'appelait que manque, désolation, peste et gale et fièvre paludéenne, Maria qui l'empêchait de digérer une feuille de salade et le condamnait aux dégueulis putrides, qui était cette étrangère dans un vêtement qu'il ne lui connaissait pas ? A mille lieues de lui, soudain. Ce fut une prompte, fugace impression de trouver le double inutile d'un modèle à jamais perdu.

Elle mit le cap sur lui avec une aisance de vieux marin à ancrer son bateau dans un port familier, et sourit à son ancien camarade d'enfer, comme si cet enfer avait été une simple mais emmerdante caserne. Ses grands gestes libres, sa grâce d'oiselle et son air de hibou offusqué par le jour lui rendirent le rêve un instant confisqué.

Vois ce que je suis devenu, hurla-t-il en silence à cette héroïne d'une autre Résistance. Comment vas-tu, se contenta-t-il de bredouiller, et elle répondit à cette sottise le Très Très Très bien des gens exonérés des travaux forcés d'une passion, des gens qui en outre aiment effrontément leur métier, ont énormément d'autres soucis mais excitants ceux-là, bref bandent pour tout autre chose que la sale engeance des amoureux et, se méfiant désormais des furies faisant suite à ces derniers, les excommunient d'un seul regard charmant. Elle devait peser environ trente-huit kilos de causticité friponne, de félonie mutine, de roueries vipérines, et là, il la retrouvait, la vaurienne, en son exaspérante singularité.

Torpillé par la frustration devant l'agile bien-être qu'elle affichait, il se qualifia de vieille chaussette, de pantin et de Gilles, sur ce ils prirent possession d'une table, toujours ça de commun, si les voisins étroitement accolés à eux ne pouvaient qu'entendre leur dialogue. Peu importait à Maria, à lui beaucoup, question d'éthique ; les mecs supportent rarement qu'on s'immisce dans leur vie privée, cela dans les endroits publics, dans ce cas pourquoi y vont-ils, dans le cas présent, il n'avait pas le choix et sut que celui de sa mie correspondait à un besoin de chaleur humaine autre que celle d'Amine Youssef qui l'avait embrasée jadis jusqu'à ce qu'il restât d'elle un petit tas de cendres, mais Maria était du genre Phénix.

Pendant qu'elle relisait le menu pour la troisième fois, il se livrait à ses supputations et pronostics coutumiers, ne trouvait plus de tendres reproches à lui formuler, puisqu'elle était là, et qu'une dialectique sorcière voulait qu'il restât immobile, assumant à son tour la sujétion, la dépendance, et se soumettant aux évidentes prérogatives de cette fille qui ne l'aimait plus, et qu'il aimait toujours.

— J'ai retrouvé ta pochette du soir, dit-il piteusement.

— La superbe en tapisserie à fermoir de zircon ?

— Moui. Pardon pour tes robes, expectora-t-il dans un râle. Elles sont...

Il lui tendit un sac renfermant la pochette, un de ses derniers cadeaux avant la rupture, en profita pour lui prendre une main qu'elle retira fermement.

— Je m'en fous, des robes, dit-elle. Changeons de sujet. Si je t'ai convoqué dans cet endroit plutôt bruyant, c'est qu'après je vais acheter mes savons au babeurre chez Upla près du Trou.

Savons au babeurre chez Upla près du Trou, il faillit collapser sur le menu. Allez après cela l'impressionner par grand étalage d'excès de passion, laquelle ne seyait pas à l'endroit, ils auraient dû se trouver au bord du lac de Sirmione, sous les lustres du Gritti à Venise, dans le caravansérail de la mère du Shah à Ispahan, comment placer le « d'où venons-nous, qui sommes-nous, où allons-nous » (sous-entendu, ensemble), et sa kyrielle de questions oppressantes, tyranniques et asphyxiantes, comment contaminer de sa lèpre cette vaccinée, comment. Changer de tactique. Il tenta de fixer ses lèvres de manière voluptueuse. Autant flûter. Cette canaille s'épanouissait sous les néons roses, parlait de problèmes fiscaux et d'édition. Il y avait décidément maldonne.

— J'ai vendu quelques trucs en brillants, susurra ce sosie féminin de Shylock, pour me racheter une machine à écrire, ce que j'ai pu trouver de plus vieux comme modèle, d'Underwood on n'en fait plus depuis la dernière guerre. J'ai eu de la chance, il en restait une chez M. Léon, mon fournisseur. Méchant homme que tu es.

Elle le grondait, maintenant, comme un de ses chats ayant usé du lavabo à la place de sa sciure et laissé de cette exaction des traces patentes. Après consommation de hamburger, elle le traînerait chez Upla près du Trou en raison d'achats hygiéniques, qu'il paierait, bien qu'il n'eût presque plus un rond. Se préparait un bel après-midi de fièvre tierce et d'espoir.

— ... même pas indexée sur le coût de la vie, disait-elle, poussant aux limites son angélique chiennerie à propos de la mensualité que lui concédait son éditeur. Si je n'ai pas de prix littéraire, je devrai me séparer des rubis. Et toi, où en es-tu ?

Assourdie par son vouloir-vivre et *le bruit effronté que lui faisait sa jeunesse* (Mme de Sévigné), à Maria de ne rien entendre. Elle ôta son imper de trappiste d'un geste ondulant, apparut en pull irlandais, sous lequel elle était maigre et nue pour se plaire.

— Nulle part, comme tu t'en doutes (quand même, lui signaler qu'il ne pétait pas le feu). Ou plutôt, ajouta-t-il, toujours à l'hôtel Esmeralda dans une rue où il est question de saints et de pauvres.

— Fouad ne banque plus ? Désolée. Vrai, on a claqué beaucoup de pognon.

Couperet d'indifférence, voix polaire, puis à nouveau, mystérieusement disponible, affreusement aimable, polie à la tabasser sur-le-champ, oublieuse, pleine d'égards pour lui, le traitant en gosse convalescent, lui conseillant la viande saignante vu sa mine hâve. Il crut à une comédie consciente, comprit qu'elle goûtait avec un soupçon de sadisme sa victoire et la reddition du maître, mais ne put accepter la réalité : elle ne l'aimait plus, elle l'aimait bien, ne lui en voulait plus et, réfugiée derrière le miroir d'où elle n'entendait plus ses vociférations silencieuses mais impératives d'amant bafoué, elle lui refusait jusqu'au don de sa haine. Il tenta de truquer, d'aménager ce sinistre petit bout de vécu rosi de néons absurdes et arrondi de l'abominable gentillesse témoignée par une jeune fille d'humeur apparemment aussi frivole qu'excellente. Il refusa d'admettre qu'Amine Youssef le Preux ait glissé sur Maria la Chatte sans laisser la moindre empreinte sur son pelage lustré. Ote-moi d'un doute, ou rends-les-moi tous, pria-t-il in petto, devant l'indifférence totale, à leur passé et à leur futur, d'une jeune fille au front insolemment candide. Seul comptait pour cette charmeuse un présent ludique, plein de drôlerie et d'indolence — elle ne lui ferait donc pas grâce d'un soupçon de ressentiment humain ? Il s'effraya de cette féminine, presque maternelle faculté de réparation : Maria avait un talent inouï pour rafistoler les choses cassées jusqu'à ce qu'on ne vît plus aucune trace de bris. Jusqu'à ce que tout fût solide, restauré, comme avant. Et ça, c'était bien le pire. La maigre garce, tout en réparant le présent, tranchait à coups de fourchette résolus les brocolis dont elle faisait l'éloge pendant qu'il remuait des pensées criminelles, tantôt envers elle, tantôt envers lui, et qu'un lâcher de ballons, dans le restaurant, égayait les enfants. Il jeta un coup d'œil furibard aux ballons sur le caoutchouc tendu desquels souriait un diable tout à fait de circonstance, se moquant de lui très à propos, il y avait de quoi, il ne pouvait que provoquer des hurlements de rire, il était un grand comique triste, au fond, quelqu'un entre

Buster Keaton et Woody Allen, que l'assemblée s'accroche au lustre, dans le rôle du bouffon il atteignait des sommets, et elle poursuivait l'éloge du brocoli qu'on trouve rarement en France, mais souvent en Italie, il se crut perdu par les brocolis, bouquets pommelés d'un vert artificiel dont elle vantait les tiges fermes et la fraîcheur drue ; vaincu par ces légumes et les ballons, il renonça à émettre la question de confiance qu'il reporta après l'achat des savons.

Lune froide à la subtile aura de chasteté, Maria la Vertu, douce, impersonnellement amène, restait sur une réserve qui appelait un acte primal, un autre meurtre, ses gestes étaient des estafilades de cruauté comme ceux, à la tension poignante, des danseuses de flamenco, elle, circéenne et vierge, vierge déesse aimant le sang, arrosait de ketchup son hamburger et lui demandait le sel d'un ton véritablement enchanteur, il lui passa le sel et le reste de ses pouvoirs, elle avait la tête d'une vierge qui n'a plus ses règles et l'intransigeante pureté du cristal de roche, elle était redevenue épure et épée, le poison dans ses veines s'était changé en sang bien propre, son rire agissait sur lui comme un solvant, elle n'obéissait qu'à son propre ordre émotionnel et devant lui, aqueuse, lunatique, mobile mercure, mutable et mutante, coupait sa viande en petites boulettes parcimonieuses — il me paraît presque inutile de préciser que, depuis la rupture, Amine n'avait baisé aucune femme, et qu'à ce jour où aux Diables des Lombards elle mastiquait de la viande hachée, il se promettait sans aucun mérite des années de continence absolue, à cause du poison de ce crotale.

— Bien sûr, des babioles en brillant, disait-elle, j'ai tiré davantage que le prix d'une Underwood, mais l'Underwood est sans prix pour cause de rareté, c'est comme le caviar et le lynx qui réchauffe les pieds de Tova, la nuit.

— Fais ce que tu voudras, mais ne parle plus de ces objets revendus, de ces dons ou de ce troc sordide, Maria, s'il te plaît !

Elle le considéra avec un sourire oblique.

— Il n'y a pas de troc sordide, Amine. Rien que des objets *chargés* que je ne pouvais pas garder.

ON NE PLEURE PLUS. DEPUIS LE DIX-NEUVIÈME SIÈCLE ON NE PLEURE PLUS. DEPUIS LA PREMIÈRE GUERRE MONDIALE ON A COUPÉ LES CHEVEUX DES MÂLES. Bouclettes et larmichettes, zéro. On avale, tout rond, sans mâcher à cause du mauvais goût, les pires triviales candides insultes d'une fille qu'on a failli assommer avec une statue de pierre thébaine, très lourde. Néanmoins, il ne résista pas à se contredire, et à demander si elle avait TOUT vendu, ou pas encore.

— J'ai donné et j'ai vendu. Je suis une sale juive. Très pute. Toi, très riche héritier. Ton père réparera la casse. Parfois aussi je mens : j'ai gardé la montre, ton premier cadeau, cette pince de crabe si jolie, on aurait dit du givre dessus, qui me faisait enfler les poignets. Elle est au coffre.

Il abjura tout jugement de valeur la concernant. Au point où ils en étaient, les mots devenaient incompétents, il ne restait qu'à la frapper jusqu'à ce qu'elle s'écroulât, mais le cercle de protection inscrit autour d'elle l'en empêchait, et s'il avait voulu authentiquement la refroidir, il n'avait qu'à ne pas louper son coup la première fois, l'ère des violences n'avait aucune chance de recommencer, et il aurait à peine pu écraser du talon un moustique, faute de force dont il était vidé.

Gorgée d'immanence, de nicotine et de décaféiné (un troisième), rivée à son siège, elle ne manifestait pas l'intention de bouger (la présence de l'Autre donc ne l'incommodait pas tant que ça) et tortillait du doigt une mèche couleur de ce sirop d'érable qui sucre les pancakes. Nonne monstrueuse. Il paya la note et lui offrit, mince cadeau, de l'accompagner à pied, où elle allait (où qu'elle allât !). Elle fourra allégrement le sac du soir dans la poche de son imperméable, et le condamné l'accompagna au bord du trou des Halles, marcha sur les décombres et ses propres démolitions — au moins cette perforation du ventre de Paris et une bruine tranchante ne froissaient pas ses humeurs de long pantin lapidé, à l'inverse d'un soleil neuf qui aurait avivé ses plaies et attiré les mouches dessus. Il portait le riflard, l'abritait sous l'ombrelle, avait payé les savons certes, paierait tout et en silence, porterait le riflard à vie, dette de quelques millénaires, soustrayons le matriarcat des temps néolithiques.

Aveugle aux signes et feux de détresse, elle marchait à son côté, babillait pour éviter les brèches du silence et pour cause d'excitation personnelle, car il lui arrivait des tas de choses heureuses, dans sa profession, depuis la sortie des limbes, il retenait son envie de la gifler et, vainement, des sanglots d'enfant — oh, qu'elle sache que je me tais par devoir, que je suis impropre à l'héroïsme et à celer cette mania, que donc j'ai quelque mérite à me contenir, qu'elle remarque mes yeux rouges — elle remarqua, effectivement, diagnostiqua une conjonctivite et lui conseilla les Gouttes Bleues ; ça se complique parfois d'orgelet, ajouta-t-elle, l'air sincèrement embêté, à ce lointain demi-frère d'une lignée bâtarde, aux châsses sujettes à de malsaines purulences, bref un infecté dont il ne fallait pas trop s'approcher de crainte d'une contamination. Son inconscience dépassait les bornes. Fébrile, plus tremblotant qu'un junkee, moite et gelé, il la suivait, haussait le parapluie avec respect pour que les baleines n'accrochassent pas ses beaux cheveux et derechef souhaitait secrètement l'assommer. La reine de Saba n'aurait pas eu plus de prévenances de la part des porteurs de son palanquin.

Égrenant le rosaire des rues, ils parvinrent jusqu'au douaire interdit — 9, rue de Maubeuge. Il tenta l'impassibilité quand elle lui prit des mains le parapluie, l'aspergea en le refermant, appuya sur la sonnette — et s'ouvrit la porte du couvent, soit la porte cochère du vieil immeuble bourgeois où habitait Tief depuis son enfance, excepté son catastrophique séjour rue de Verneuil, avec un fiancé.

Sur son palier, elle fouillait dans sa gibecière à la recherche des clés. En une seconde allait disparaître, avec elle, le charisme du monde, il ne verrait plus l'ébréchure sublime de ses dents de devant, les prêtresses du lieu sacré cacheraient le fétiche sous des linges blancs dans la crypte du temple, il flanchait, gonflé de mesquins ressentiments, subodorant l'appui et la couvade d'un entourage de femmes qui se souciaient de la santé du jeune génie et le chasseraient du territoire où elles gardaient le génie à vue ; avide de recommencements, il tenta un baiser, quelque frottis dermique ou buccal, toucher l'idole, s'emparer d'un peu de son *mana*. Elle ne m'aime plus, se dit-il, elle est toute défascinée, repoussée par mes miasmes, suffoquée par ma folie trop dite, trop langagière, il crut qu'elle le méprisait profondément, tandis que cette intraitable carogne, d'une éblouissante sérénité, cherchait ses clés qu'elle sortit de sa besace en même temps qu'un menu paquet.

— La bague.

Elle avait donc accepté de le revoir pour cet acte légal et honnête : lui rendre le diamant des fiançailles. Le reste, moins les affûtiaux détruits, elle en avait fait prendre les trois quarts, cette pie-grièche, mais elle tenait à officialiser la fin de leur alliance et la violation d'une promesse de mariage dont elle ne lui devait ni dommage ni intérêt.

Une arme que cette clé Fichet d'acier crénelé, pensait Maria, s'il bronche, je lui en fous un coup dans les parties, je devrais me procurer également une bombe lacrymogène au cas où il ferait le planton en bas à deux heures du matin.

Elle ouvrit la porte d'une clé menaçante, et s'en fut sans un mot réintégrer sa chatounière.

Le dos rond, il dégringola l'escalier, tentant de se persuader qu'il avait affaire à la plus infâme des crapules, qui lui coûta autant d'argent que chacune des femmes de son père, lourd devis, mais il restait trop lucide pour ne pas s'avouer que Maria était autre, et pire qu'une donzelle intéressée et fort versée en courtage du sexe, pire qu'une chieuse intellectuelle toute vouée à son écriture, pire qu'une mondaine extravertie prolixe et superficielle, pire qu'une Aspasie de Milet, qu'une Anaïs Nin ou qu'une Célimène, Messaline certes pas, car sensuelle, non sexuelle, peu portée sur la chose, ce qui lui donnait le sentiment d'avoir été (un bref moment) l'exception, mais ne le délivrait pas de jalousies plus perverses envers les filles de son clan, dont cette gosse était le totem — cette gosse frigide et effroyablement charnelle, menteuse par délicatesse, épicurienne comme les pourceaux, à la psyché frémissante comme un papillon dont plus jamais il n'approcherait sans qu'il n'allât se poser ailleurs.

*

Ce soir-là, il rentra rue Murillo, vaincu ; Fouad obtint de lui une coupe de cheveux et l'assurance qu'il

reprît les Beaux-Arts illico, Agostina le câlina inces-
tueusement, ce soir-là l'aurait volontiers accepté dans
son lit avec Fouad si ce triangle n'eût semblé suspect à
un patriarche chrétien, renonça à cette bonne idée et se
contenta de l'accueillir avec les transports qu'il attendait d'une autre ; retrouvant le cocon familial avec
quelque plaisir, Amine se tança vertement de l'éprouver. Il aurait dû rôder autour du trou des Halles en
commémoration de sa marche au supplice, Berlioz s'il
vous plaît, la *Fantastique*, cuver son chagrin dans cette
chambre lugubre de l'Esmeralda, mais il n'en supportait plus les courtines rouges et le papier mural à
volubilis ; lâchement, il préférait se chauffer la
plante des pieds devant l'âtre, s'enfiler un whisky
écossais puissant comme du pipi de tigre, contem-
pler les graphismes secs des arbres noirs sur un
ciel pourri et non les tours engageantes de Notre-
Dame.

— T'a-t-elle renndou la bague, carrissimmo ?

Toujours plus belle, ce soir-là, en col roulé de
cachemire rouge et pantalon de cuir à provoquer des
attaques chez tous les michetons arpentant la rue
Saint-Denis, l'hétaïre le cajolait et se permettait de
donner la préférence, le temps qu'il se remît sur pied,
à son beau-fils, pauvret moribond à cause d'un chagrin
d'amour, et tout cela par sa faute, et sa fichue propen-
sion à jouer les entremetteuses.

— Elle m'a rendu bagouze, vagit Amine, en plein
baccara.

A l'heure où Amine Youssef baissait les armes devant
père et belle-mère, ceux du camp adverse, soit Maria,
Edmond Moïse, maman Tiefenthaler et Jeanne Bogdanov « montaient au sixième » les trésors dérobés à la

caverne orientale, dont certains paieraient les dettes du cousin, nourriraient d'oursins riches en phosphore l'amie Jeanne, chômeuse professionnelle et auteur d'une saga fluviale, une sorte de Mississippi des juifs, dont on ne voyait pas venir la fin — et les membres du clan de bénir l'ex-fiancé libanais, et Maria, dépourvue de scrupules faute d'enseignement religieux et inenseignable comme tout artiste, se félicitait de l'opération, ne regrettait pas les robes du soir, versait une larme sur ses frusques du jour, bon, elle se reconstituerait une garde-robe d'hiver grâce aux royalties de M. Durand, nouveau producteur car cette fois elle tenait un solide sujet de scénario sur l'amour, tout ce savoir acquis grâce à cette passionnante expérience valait bien une messe à rebours et quelques gnons.

Ils casaient éléphants khâdjars et céladons dans une chambre de bonne, à côté d'une malle-poste, de pots de chambre, d'un bac à injections datant de la guerre de quarante, aucun encens montant à ses narines n'eût tant grisé Maria que la poussière soulevée par un tel remue-ménage dans cette chambre de bonne inutilisée faute de bonne, où elle découvrit un bidet d'émail datant, lui, du temps de l'empereur, dont elle fit cadeau à Bogdanov qui le décorerait de géraniums.

Un souper fin attendait le bon vouloir d'Amine qui, renonçant à son anorexie puisque la personne en cause n'en apprécierait pas les effets, honora d'un appétit compensatoire la poularde demi-deuil et de circonstance. Plous jamais d'intellectouelle, toutes prétentieuses et ambiziosa, disait belle-maman, prréférrables les poutes, et dé toute façon, prréférrable ta carrière, réprends dé cé pétit vino rosso pour té calmer, ça vaut oun valioum.

Lors, un peu ivre de Chianti Antinori, il résolut de s'interdire — aussi strictement que si c'étaient des cercles de jeu — le salon de thé Angelina, les économiques Bouillons, la vénérable brasserie Lipp, et les autres cantines de Maria, jusqu'à ce que, restructuré, il pût affronter l'envers de son soleil, l'inclément trésor de sa vie et son futur ulcère à l'estomac.

Journée dominicale avec sa mère. Côtelettes chez Rumpelmayer, où elle rencontra un éditeur avec lequel elle envisageait une alliance au cas où sa première arche ne la contenterait plus ; dans le grand chambardement, elle changerait peut-être d'éditeur, en même temps que de fringues, et si *L'Égéide* ne se vendait pas, elle s'offrirait une année sabbatique. Les miracles se multipliaient depuis la disparition de Ghoraïeb qui lui avait porté une invraisemblable cerise. Plus rien ne lui était arrivé dès l'intrusion dans sa vie de ce corps étranger, et, bien avant l'emprisonnement dans un périmètre mesurable, plus subtilement, il l'enferma dans son cerveau brûlant au centre duquel personne ne l'atteignait, flairant son indisponibilité et craignant de se cramer les doigts.

Or elle ne se levait joyeuse au milieu du jour que pour qu'icelui lui apportât du nouveau, sinon entrée dans la tombe, idem dans les œuvres noires de la passion. A celles-là se garder de se donner désormais.

Le monde obstrué, pesant et vide d'Amine représentait très exactement la négation du sien. Dans ce monde-là, tout n'était que rapports de force, destruction, ingérences perpétuelles, à quoi penses-tu mon amour, un tel t'a abordée au restaurant ou à la piscine pour t'entretenir galamment de théâtre ou d'opéra, crois-tu donc qu'il appréciait l'instant, ô ma naïve, les lumières au tungstène d'une brasserie, le café au goût ferrugineux ou, en cas de piscine Molitor, le radiateur sur lequel tu disposais ta serviette quand il vint te débusquer pour parler d'opéra, ricanement. Mais, intervenait-elle timidement, il ne m'a pas demandé mes coordonnées, je t'assure, c'était un instant de fusion gratuite, second ricanement attendri devant l'inconscience de la novice, les hommes, voyons, ne pensent qu'au sexe, tentent leur chance, devinent que ça ne marche pas donc se retirent prudemment, voilà. Ah bon. Et elle lui en voulait encore tant de lui avoir infligé cette vision atroce des choses de la vie. A ces choses, évidemment, préside Éros mais de cent ductiles manières n'ayant rien à voir avec le rut : de plus, elle savait combien facilement elle nouerait des liens privilégiés avec autrui, et comme ce serait à nouveau édénique de se sentir aimée et d'aimer sans vouloir prendre ni être pris, rapport incompréhensible à Ghoraïeb. Boréal, ce mec, un glaçon, veuf inconsolé, ennuyeux inhumain personnage nombrilique n'écoutant que sa voix off, les autres en bruit de fond, donc comment pouvait-il comprendre la magie simple des rapports poétiques, charnels, constructifs, qu'elle créait patiemment chaque jour, jetant des ponts arachnéens entre elle et des rivages nouveaux, claquant des doigts pour que naisse l'arc-en-ciel, flairant parmi la foule rouge d'un bal masqué un parfum d'ailleurs, mettant le cap sur le parfumé et le humant jusqu'à ébriété.

— Si je me trompe, disait-elle à sa mère buvant du Lapsang Souchong en parfait accord d'anglomanes dans l'appartement du boulevard Inckermann, pendant que bleuissait le soir sur les créneaux des frondaisons et que s'allumaient une à une les lampes discrètes de la bourgeoisie derrière les hautes fenêtres, si mon briseur de machine à écrire détient la vérité, si le monde est aussi laid qu'il me l'a donné à voir, je me suicide immédiatement comme Socrate.

— Pardonnez-leur, dit Mme veuve Tiefenthaler à propos des hommes jeteurs de machines à écrire, ils ne savent pas ce qu'ils font.

Surprise par l'à-propos ironique de cette citation, Maria leva sur sa mère un œil prodigieusement doux. Elle pardonnerait, un peu plus tard. Sa revanche muette serait de prendre du plaisir sans lui devant les Bosch au Prado, de jouir sans lui des crépuscules sur l'île Saint-Louis dupliquée dans le fleuve, sans lui du frottement satiné de la doublure d'un nouveau pantalon en flanelle rêche, sans lui de l'hiver, sa chère saison immaculée. Ô saine arrogance des solitudes.

— Oui, maman, je suis une truffe, je lui ai rendu la bague, décidément le monde entier se penche sur ce brillant, oui maman, j'ai gardé les quelques fourrures qu'il avait oublié de détruire, à savoir du chien, de l'âne et du renne, récupérées par Edmond la semaine dernière, tu sais combien je redoute les frimas et ça fera un capitonnage excellent pour les paniers des chats au cas où par superstition je ne consente plus à porter ces peaux de bêtes, mais ça m'étonnerait que je superstitionne à moins de zéro non les fourrures j'adore je ne tiendrai pas le coup, ne me reste que ça comme vêtement le reste il a tout lacéré ce vandale c'est tant mieux, les fourreaux d'argent ou de crêpe georgette pour dîner dans les Bouillons, inutilité.

Puis, d'un commun accord, elles regardèrent un documentaire exaltant sur le Yémen, et Maria se sentit dans les mollets ses chères fourmis du voyage.

— Sale race que les chrétiens d'Orient, pesta Edmond avant d'ajouter, en plein lyrisme : ainsi Murillo soupira-t-il aux pieds des remparts de Maubeuge, ainsi le parc aristocratique de Monceau dut-il mettre en berne ses drapeaux devant la victoire des platanes modestes du prolétaire square Montholon. Eh oui.

Hasard ou défi, leur promenade merveilleuse à travers Paris, jardin d'hiver où les cousins cueillaient les gemmes des gelées blanches, Paris vitrine où ils ne s'arrêtaient point rue de la Paix mais au détour de venelles obscures pour admirer au fond d'une cour les joailleries biseautées du froid — cette promenade, ce soir-là, les mena de l'épicerie russe de la rue Daru au parc Monceau où les branches des arbres nus, contournées comme des appliques rocailles, évoquèrent de sombres réminiscences à l'esprit de Tiefenthaler, de même que la lune, un cartel de faïence, de même que les nuages, de pâles bouquets, des baguettes enrubannées, des godrons, carquois et lambris enguirlandés, de même que le firmament, la laque de Coromandel d'un paravent chinois, un relent de poire Wilhelmine insulta ses narines qu'elle s'empressa d'enfouir dans un tapon imprégné de gardénia, remercia Yahvé et non Bouddha par égard pour son cousin si on sait l'éclectisme et la tolérance de l'héroïne en matière religieuse, se moucha donc et remercia Yahvé de lui fournir un tel décor gratis, et non plus celui, qui venait de ressusciter fâcheusement, d'un appartement fort coûteux, rue de Verneuil.

Edmond, en verve, lui narra ses angoisses passées et lui confessa qu'il ne croyait pas, quand elle emménagea avec le Gentil, qu'elle en sortirait vivante. O Seraphim ! Désolation des zélateurs du seul Dieu ! Pâlirent Ourim et Toummîm, émeraudes sacrées des nomades hébreux ! Se fendirent les douze pierres du Sinaï !

Sa cousine née d'une goy mais si juive, Rebecca de la racine des cheveux à la pointe des orteils sans parler de l'intelligence, juive *sine qua non*, manne et victoire aux mains d'un porc impur et non cascher ! Anesse de Balaam têtue comme celle-ci et comme celle-ci visionnaire car à l'ânesse l'ange se montra, sa cousine séquestrée en Sodome et Gomorrhe à la fois ! Honte ! Honte ! Autant manger le nerf sciatique du chameau que d'assister impuissant à cette catastrophe ! Atterrement des quatre cents prophètes d'Achab ! Fourvoiement incompréhensible de la part d'une telle cousine, donc il y avait les maudits dans le coup !

— En plus des maudits dans le coup, dit Maria battant la semelle, communiant avec Edmond d'un nuage de froid et caillant en consanguinité devant les grilles baroques interdisant l'accès du parc qu'enchantait la nuit, il y avait bergères à oreillettes et ennui dramatique au creux de celles-ci, et perdition sous peu. A l'heure qu'il est, minuit à ma montre suisse, le malheureux gobe des barbituriques dans une chambre, ignorant que nous sommes sous ses fenêtres. Pèlerinage involontaire. A lui l'emprisonnement et les grilles carcérales. Belles grilles, reconnaissons-le. Je me demande ce qu'il a fait de mes acquisitions intempestives et encore en bon état, il doit rester le paravent et les quelques chinoiseries que ne peut contenir l'appartement des Ghoraïeb déjà très meublé, et vide d'esprit. Peu me chaut d'ailleurs. La pensée des chiottes de marbre rose et du vernis Martin me donne un haut-le-corps. Quand va-t-on aux Diamantaires fêter la publication de ton exégèse du Talmud qui te vaut des lettres enthousiastes du rabbin Finkelberg et de Philippe Sollers ?

— Gloire aux Diamantaires et excellente idée ! Cantine propice aux juifs de tous les pays et de notre arrondissement, bien que tout n'y soit pas cascher, excellente institution, fameuse pour son épaule d'agneau croustillante, spécialement de lait au mois de janvier, il faut se dépêcher car, dès février, c'est de l'agneau âgé. La bête entière pour célébrer la rupture de tes fiançailles et la publication de mon bouquin, double naissance. Jeudi me paraît un bon jour, de cette façon bourré d'agneau rôti je tiendrai le coup jusqu'à la fin du Sabbat qu'à présent je respecte même si le jeûne me vaut des vertiges mystiques, jeudi donc convoque Bogdanov Jeanne, nous banquetterons aux Diamantaires rue Lafayette, sois gentille de m'épargner la Chinoise et Bourdel-Lepeuple dont je ne me sens pas très coreligionnaire et devant lesquelles je me gêne de me couvrir le chef avant la dégustation.

— Accordé, fit Maria. Maintenant, au cas où le maniaque rôde avec la carabine et nous prenne pour des éléphants, et en la certitude de m'enrhumer, si nous prenions un taxi ?

Ils évitèrent la rue Murillo et arpentèrent quelques hectares du dix-septième avant d'arrêter le véhicule qui ramena l'écrivain sur ses terres, puis Edmond non loin de là, rue Rochambeau, car il se trouve que le neuvième concentre beaucoup de génies au mètre carré, sans compter les spectres dont celui de la cachexique aux Camélias qui le hante depuis les heures glorieuses du quartier d'Antin, et celui des duchesses balzaciennes dînant chez Poccardi au temps de la splendeur des boulevards aujourd'hui déchus et du faubourg Montmartre livré au peuple du Croissant grand buveur de citronnades sucrées, faubourg d'Orient méphitique auquel Maria ne résistait pas, se croyant à Moscate ou au Pakistan, de la même façon qu'à tout imaginatif de tempérament nerveux, le seizième endimanché offre une vue remarquable sur la Giralda de Séville et qu'une oreille suffisamment sensitive peut y entendre encore l'écho des sérénades anciennes données par les majos sous les fenêtres des belles Ibériques.

Après son expérience de claustration, dans un arrondissement lointain, en compagnie du fou absolu qui la voulait pour femme, plus émoustillée de retrouver le Paris qui lui appartenait en propre qu'après ses longues fredaines sous les tropiques, elle imprima à ses boules Quiès une forme de turlupin, arrima d'un nœud expert, derrière le crâne, son masque nocturne, entra en pyjama Old England dans les bastilles du songe dont elle seule détenait la clé d'os ivoirin, jura qu'on ne la lui volerait plus, et donc s'endormit avec la joie procurée par un simple pyjama de frais coton incompatible avec les exercices amoureux, et l'absence du fardeau velu d'un bras lui ceignant la taille ou celle d'une main rampante éventuellement moite tentant de se livrer sur elle à des attouchements générateurs d'insomnie. Plus de respiration vicinale, ni de grand corps imprimant un creux au matelas, rien que, sous ce matelas, le petit pois de la princesse du conte. Et en elle l'enfance infinie et les rêves permis et le royaume nietzschéen du OUI DA JAWOHL et l'inaltérable solitude.

Un café aux Diamantaires

Minuit. Amine, ne pouvant accepter la rémission provisoire du sommeil, suspectant, avec un flair de braque humant les fumées de la biche, l'approche d'une ombre, tournicota entre la salle de bains marmoréenne et le salon désertique, s'y ennuya beaucoup, s'agita, fuma quantité de cigarettes, assis devant la cheminée, en robe de chambre du genre hittite. Il la sentait proche, mais doutait qu'elle eût l'aplomb de gueuler sous son balcon un péan à la lune, pourtant il entendait distinctement sa voix issue des remous de la nuit, en contralto celle d'un de ses féaux de Sion. Il maudit la néréide au sang de givre clair et à l'œil fixé sur ses intérêts, froide comme un agent de change, en définitive.

Tel est pris qui croyait prendre, se dit-il stupidement devant le feu qu'il jalousait à cause de l'affection de Maria pour Bachelard, le philosophe, n'ayant aucune parenté avec Madame la grand-mère de l'aimée — l'aimée, sa lointaine, rêvait sur le feu, lui ne savait pas rêver, le feu restait une abstraction fonctionnelle et chauffante, non un foyer de plaisir. Elle adorait toutes les pyrotechnies, les feux d'artifice et de Bengale, les bougies, les volcans, les incendies, autant que des fourrures, car calorifuges sans risque d'empâtement,

68

hautement poétiques, brandons et caresses. Lui, sans elle, gelait.

Oh la voir encore 13, rue de Verneuil, tendant ses mains de cierge, ignées en transparence, vers les fleurs brasillantes du feu, dans la cheminée, et lui souriant d'un rosaire de perles où couvaient d'autres flammes en une pâle crémation. Il claquait des dents. L'hiver sans elle, intolérable. Il jalousa, plus encore que le feu, plus que ses livres, plus que sa garde scythe, plus que sa mère et que le spectre de son père, plus que l'Underwood et ses écrits, plus que son éditeur, plus que les éventuels inconnus qu'elle rencontrerait, plus que son zoo familier, plus que sa porte cochère, plus que la cigarette qui bénéficiait de ses lèvres, plus que la fumée qui s'immisçait dans ses poumons, plus que le cancer très intime qui les rongerait, plus que le cuir slave de ses bottes, plus que le bruissement de son gynécée, la saison froide en laquelle elle entrait avec gratitude, saison des femmes, des félins, du Dedans, des chouettes et des chats, des phantasmes celés, des gerçures scolaires, de la colle d'amande, des sapins résineux, des rhinopharyngites permettant l'instillation de gouttes à la fleur d'oranger, des marrons fissurés grésillant à brûler les doigts gourds à travers les moufles, des pelisses façon Tolstoï, des pudeurs, des chimères et des cocons brumeux. Qu'espérer d'une lunaire bercée des mordorures d'automne, en aimant tout autant les éphélides et les fauves monnaies cliquetant aux branches, que la nudité hivernale, qu'espérer d'une amoureuse des rentrées de septembre et des falbalas enstrassés des Noëls qu'il détestait, nié par la joie des autres, époque catastrophique pour les déprimés, tandis qu'elle écrasait nez et mitaines coupables d'enfance aux vitrines des Galeries Lafayette devant les automates, la Vierge des Glaciers ou la Reine des Neiges, qu'espérer d'une personne qui jamais ne vit la boue sordide de janvier — à lui la gadoue, à elle nez en l'air cette fois les hosties fondantes du grésil parisien qu'elle qualifiait de neige, à elle l'ivresse quand floconnaient les mousselines virginales d'une saison qui lui allait si bien.

Mais un peu de patience : la sève du printemps, en revanche, lui pincerait les nerfs, l'été la lui livrerait fusillée de lumière, écartée de son élément sélénite, argenté, sombrement magique, l'été et ses clartés idiotes la déshabilleraient de ses manteaux opaques, bien qu'il sût que cette invulnérable salope avait aussi le pouvoir d'aménager cette saison, qu'il lui suffisait d'un vœu pour tamiser le soleil, et que le hâle sur sa peau lui donnait un vêtement d'invisibilité, succédant à celui de ses fourrures. Néanmoins, l'emmener, l'été, sur une île bien dure, à la lumière bien cassante et si possible, sans avion pour assurer le retour. Il dut prendre trois Mogadon pour dormir. Une sale habitude.

*

Elle se hâta vers le portail, inspecta ses abords, point de spectre dans ce brouillard de bocage anglais. Chose significative, depuis peu, le portail était fermé automatiquement à neuf heures, attention aux clés sinon téléphoner de la gare du Nord réveiller Mme Mamine et les chats, criminel, mais avantage de cette mesure de sécurité prise par le proprio, plus de risque de clochards ni d'homme répudié, planqués sous le porche, prêts à lui faire la peau, la cour, ou les deux.

Ce soir, aucun pied-de-grue. En cas d'hiver sibérien, le quêteur risquerait la pneumo, ou bien dissimulerait un sous-vêtement Thermolactyl sous son chic pull de cachemire, elle frémit à l'idée qu'un être aussi shakespearien dût en arriver là pour le privilège sans lendemain de l'entr'apercevoir. Pauvre fou auquel sa mère devait tricoter des pulls à torsades du genre breton, classique et chauffe-cœur-meurtri, en traitant la fiancée dissidente de pouffiasse et de bâtarde de truie.

Dans cette autre nuit, elle vaqua à travers l'appartement, munie d'une lampe de poche, recensa dix Sucaryl en poudre, liquide, ou en comprimés, cinq nouveaux pantalons à pinces et autant de jeans collants comme des chausses médiévales, trois paires de boots, une paire de bottes cavalières, exulta d'aise devant ce début de reconstitution d'une garde-robe. Le manque sémite et un petit grain. D'où cette trouille intense QU'ON NE FASSE PLUS LE MODÈLE, et ce besoin constant de réapprovisionnement qui la poussait à des bizarreries comme de piller un parfumeur de la totalité des rouges à lèvres Biba disponibles, depuis l'adolescence, sauf exception pour le Dior *Sanguine*, elle privilégiait les Biba, et apprenant l'année précédente la chute de cette maison londonienne, une sueur froide perla entre ses seins, *Plum, Mulberry, Burgundy et Marroon* seraient désormais introuvables, elle avait horreur que disparaissent ses futiles fétiches, c'était quelque part une mort douce et triste, or par chance et surtout préméditation, elle en possédait assez pour tenir quelques années, à condition d'appliquer d'abord les anciens pour user des récents en fin de course.

Rassurée par la détention de tous ses trésors et le sommeil capiteux des chats, elle s'endormit admirablement vite et rêva d'un manège où elle montait d'archaïques chevaux grecs à la croupe ronde comme la roue du char d'Hécate, dévissée et roulant seule, là-haut, au ciel comblé de dieux, demeure des météores.

La parure de rubis coulait, froide, dans sa paume, et un sang clair semblait vouloir s'échapper des pierres. (Rubis : oxyde d'aluminium à cassure conchoïdale, avait dit M. Papazian, était-ce si dangereux de garder de l'oxyde d'alu, etc. ?) Vingt-cinq briques, valait l'objet. Or le futur époux de Mlle Papazian, ex-élève du lycée Lamartine où celle-ci fit les quatre cents coups avec Maria, désirait l'acheter. Les rubis égrenant les gouttes sang-de-pigeon sur la peau séborrhéique et brunâtre de la malencontreusement prénommée Hermine... Maria fit une moue dubitative. Elle ne vendrait pas le collier, mais les céladons et les éléphants, histoire d'arroser un peu ses proches dans la mouise. Elle rentra, serrant le collier dans son écrin de velours. Entendit la sonnerie du téléphone avant d'arriver sur le palier.

— C'est le Libanais, dit Mme Bachelard avec quelque dégoût. Qu'est-ce que j'en fais ?

— Tu me le passes, fit-elle sans réfléchir. Amine ? (...) Vais toujours Très Très Très bien. Tiens, jeudi, je déjeune avec Edmond aux Diamantaires, rue Lafayette. Viens pour le café. Quel numéro ? Oui, c'est long la rue Lafayette, ça s'allonge même jusqu'à la gare du Nord. Aucune idée du numéro. Tu trouveras dans l'annuaire. A bientôt.

Curieux, phosphora Mme Bachelard, je ne la croyais pas méchante. La voilà qui joue à la montreuse de marionnettes. Un vieux rôle. Il est vrai qu'elle joue tout le temps, depuis son bas âge impossible de l'empêcher de jouer, et quand on essaye, elle se met à pleurer que c'en est déchirant. Le gars n'a pas fini de morfler, comme elle dit. Elle le restreint au café, maintenant. Même plus le privilège de la nourrir. Cela dit, il la nourrissait un peu trop à son goût — pas au mien. De mon temps, ce manche à balai aurait fait tapisserie. Aujourd'hui, ça fait cracher des diamants. Cette fin de siècle ne cesse de m'étonner, pourtant j'ai vu deux guerres, mais allez comprendre cette procession de transis derrière ce joyeux squelette... Enfin ! Les surprises gardent jeune et stimulent l'esprit, prenons-le comme ça. Ce chameau, quand même !

Il se réjouissait lugubrement d'être admis au café. Rancart aux Diamantaires rue Lafayette, donc. Cette allusion à la joaillerie était d'un goût douteux, mais elle ne lui fit pas l'honneur d'y penser. A lui la quête ardue des coïncidences, des preuves, de désamour ou de regain, à lui la filature, les enquêtes, la fiche technique du scénario et anthropométrique de leur histoire, les archives de leur passé, à lui de répertorier les indices, à lui le répudié toutes ces besognes policières, oui son amour relevait du service d'ordre, de la haute surveillance, des constats, restaient les perquisitions et visites domiciliaires avant la prise de corps et la mise au violon, non, plus de passage à tabac, seulement la garde à vue. Mais en attendant, il exerçait l'honorable tâche d'un limier, d'un argousin, d'un mouchard, d'un chevalier du guet, ou d'un alguazil — elle avait aussi sa garde, ô combien efficace, à laquelle elle permettait sans doute le port d'armes en cas de rififi.

Le voyage polynésien, parfait, mais pas avant l'été. Elle y opposerait, pour l'instant, un refus formel. Évoquer les vacances de Pâques. A cette date, le Maroc, d'où un avion quotidien pourrait rapatrier la jeune fille quand elle le voudrait. Le Maroc, terrain où il avait des appuis. Acheter une bouteille de Boulaouane, et rendre visite, pour consultation occulte, à sa chère maman, avant qu'elle ne perdît ses esprits et le contact avec ceux de l'Islam. Les temps (fin du Kâli-Yuga) n'étaient plus au cartésianisme, il ne se sentait pas tout à fait ridicule, et de toute façon, avait renoncé à se juger. Il se souvenait seulement de ses anciens pouvoirs, des petites filles qui, comme abasourdies par un lointain tonnerre, cessaient leurs jeux à l'approche d'Amine, fils de Fouad, sombre et princier gamin aux rares yeux verts, escorté de femmes hautaines, et des lourds parfums de ce passé chaud et sonore, au Liban.

*

— Seuls les pouvoirs du *haram*, mon fils...

Horrifié, il écoutait divaguer sa mère, cette Parque tapie dans sa loge de mantique, fleurant toujours la même odeur de semoule roulée main, la vieille goyesque recueillie sur ses tarots graisseux, en robe de chambre loqueteuse. Démente, elle était démente, au plus haut point de la vésanie, asilaire. Mais, cloué sur son siège, il écoutait. La vieille avait déjà oublié un peu de ses préventions contre cette juive demi-portion. Elle ne voyait plus que le malheur de son fils, et ne cherchait plus à endommager gravement la jeune fille pour qu'elle perdît de sa nocivité. Elle officiait, dans son bouge, loin des palmeraies et des marabouts, parlait « aux autres », ceux qu'on ne désigne pas, les djinns, le chitane, ange maudit, double mortifère, et les afrits, garde d'honneur du roi David, qui volèrent la bague du roi, agent de miracles, pour la donner à Assoundaï qui chassa David de sa demeure, le condamna à l'exil, et prit sa place, ruse éventée, dit la légende, quand les femmes du palais révélèrent que le

76

sosie du monarque les préférait vivement au moment de leurs règles. Ainsi — dirent la légende et la voix avinée de Mme Benkamou qui abusait du gris de Boulaouane, à Amine Youssef consterné — le peuple s'aperçut de la substitution, reprit la bague à Assoundaï et la rendit à David. Ainsi, Assoundaï fut châtié et les afrits jetés à la mer, avant d'investir le logis de Mme Benkamou, quatre cents mètres carrés, glaces à trumeaux, cheminées en marbre de Carrare et tutti quanti, palais décomposé, fort sale, fort peu chauffé, où elle vaguebullait en djellaba ou en robe d'intérieur usagée et en babouches miteuses, méconnaissable ex-épouse de Fouad qui ne lui rendait jamais visite, ce dont se chargeait son fils, apitoyé, vaguement dégoûté, perversement curieux d'observer le fonctionnement d'un esprit déréglé, ravi qu'on l'écoutât avec componction, mais, depuis que Mme Benkamou travaillait en secret à des fins d'envoûtement, depuis le modelage de la dagyde rouge, depuis le cœur lardé et toutes ces folies dont il ne comprit que trop tard l'importance, ne s'en amusant plus du tout, redoutant véritablement la trajectoire inéluctable d'un sort, jugeant sa mère dingue mais fortiche en démoniaqueries, se vomissant lui-même d'avoir mis en marche cette machine infernale, et redoutant de perdre peu à peu la raison au contact de la stryge déchaînée, ivre de joie qu'on lui confiât une affaire de haute importance qui lui permettait de racoler dans l'astral tous ses acolytes, les esprits de l'Islam, nés d'une flamme sans fumée. Partagé entre la désolation, le cynisme et une sorte d'épouvante, il multipliait les visites à sa mère, qui ne l'avait jamais tant vu que depuis le début de sa passion pour l'auteur — son double, en cire rouge, truffé d'épingles, était enterré auprès d'un cœur d'oiseau, dans le jardin — cette fille, bâtarde d'Israël, dont, au final et en secret, elle désirait l'anéantissement, mais pas trop vite, de

crainte que son fils ne vînt plus la voir si souvent, une
bouteille de gris de Boulaouane sous le bras.

*

Jeudi.

Il risquait d'être accueilli avec l'enthousiasme des
gauchistes envers la maréchaussée. Effrayant, ce côté
flicard et légiste des amoureux rejetés. Effrayante, la
cruauté de ces lois de procédure et de la complexe
jurisprudence de l'amour bafoué.

Établir un nouveau statut de leurs rapports. Elle
imposerait ses conditions, on transigerait, on parviendrait à un traité, quitte à ce qu'il s'aplatisse nez dans la
poussière comme un bon musulman couché en direction du mihrab. Il choisit une cravate avec soin et
l'aide d'Agostina navrée. (Tou né devrais pas t'obsti-
ner. L'emmener au Maroc ! Stravaganza !)

Lois donc. Ni draconiennes, ni prohibitives, ni
répressives, bien sûr. Simple loi de sûreté et constitu-
tionnelle. Comment espérer l'appâter avec une âme de
notaire ? Il la cacherait, cette âme, et tâcherait de ne
pas ressembler à un notaire. Clause essentielle : rompre le silence. Du reste, il s'accommoderait. Boufferait
la moquette, mais attendrait avant de commettre
quelques infractions aux nouvelles dispositions léga-
les. Statuant : un dîner par semaine, dans le restaurant
de son choix, où elle se nourrissait d'un pample-
mousse. Cela enregistré, demander une dérogation, à
savoir un déjeuner par-ci par-là, par exemple au
restaurant des Beaux-Arts à cause du yaourt, des
nappes à carreaux et des moutardiers qui la boulever-
saient ; surtout inviter ses amis. Ce veston de tweed ?
un peu léger. Faire semblant de ressentir le froid,

78

comme elle qui le considérait en Martien pour manque de frilosité. Opter pour un certain mimétisme. Grelotter, avaler des viandes carbonisées, lire énormément. Le mimétisme la rapprocherait de lui dont la séparaient une température constamment au-dessus de 37°, sauf en ce moment dépressif, un penchant pour les sauces faute d'appétit, et une congénitale, levantine flemme quant à la lecture des textes sacrés, tare qui la surprit, au début, quand il en fit l'aveu naïf, aggravant son cas en expliquant qu'il avait du mal à entrer dans le monde d'autrui imprimé sur vélin. D'où, il passa dès les commencements pour un hérésiarque, ce qu'il était.

— Mets un trrench, dit Agostina, il va pleuvoir et ça fait toujours bon chic mascoulin.

Il pensait qu'hélas, ça faisait surtout flic en civil.

Je suis en train de pondre un chef-d'œuvre, se dit Maria à la trois centième page de *L'Égéide,* point à la ligne, heure du déjeuner.

Tant pis pour le cortège des Panathénées, il piétinera jusqu'à quatre heures, ça risque de faire des bouchons dans les rues d'Athènes. Un chef-d'œuvre, merde alors, on ne vendra pas avec l'inflation, je vais droit à la catastrophe, et l'expert sadique qui vient de m'affirmer que le fichu vrai Corot est quand même une copie car pour cent Corot, quatre-vingt-dix copies, enfin le Corot c'est moi qui l'ai acheté ne nous en prenons qu'à nous-même, en revanche, les rubis ne viennent pas de chez Burma certificat à l'appui assez de carats là-dedans pour survivre à la mévente du chef-d'œuvre, je les garde jusqu'à plus ample informé, ce collier sur les épaules d'Hermine vraiment c'était dommage. Dans la dèche, Léonard s'exila à la cour de Mantoue. Et moi, en quelle cour ? urgence de trouver un mécène, à condition qu'il soit marié sous le régime de la communauté avec une Israélite fille de banquier et nantie de cinq enfants, seuls ceux-là vous fichent la paix. Ou passes lucratives au Plaza, au Ritz et au Trianon Palace à Fontainebleau. Une chambre bleutée, au Trianon Palace, vue sur les moutons bien qu'ils se fassent rares en cette saison... Revenons à ces bêtes ovines, l'agneau des Diamantaires et Ghoraïeb au café.

Quelle idée de l'avoir convoqué aux Diamantaires ! Te voilà comme une gamine accroupie, attentive au subjuguant tournoiement d'un toton. Subjuguant. Amine l'était encore. De la race pétrifiante. Bon. Sur ledit pétrificateur, elle avait remporté une victoire, mais la tête méduséenne, coupée, gardait selon le mythe son monstrueux pouvoir d'hypnose. Prudence donc. Cet être idéal, avec lequel elle connut aux enfers une bonne demi-saison, le bougnoul levantin aux yeux irrécusablement très verts et très beaux, était fort capable de la tenter à nouveau — tel le diable tentant Jésus, analogie allant de soi — pour s'éloigner jusqu'au moment qu'il jugerait favorable à un retour en force, et ses compagnons devraient l'en garantir par une présence tenace.

Dans ces excellentes dispositions à l'égard du jeune Libanais prévu en pièce rapportée après le dessert, elle s'aspergea d'*Eau de la Reine de Hongrie*, et se dirigea vers le restaurant.

Son état un peu fébrile cessa dès qu'elle aperçut la tribu attablée près du poêle sous les fresques helléniques, compulsant l'ample menu.

— Assez parlé des ancêtres polonais, dit-elle aux résidus de la seconde diaspora qui, quand elle entra, tenaient un concile hassidique, sinon je vous ferai bouffer des côtes de porc avec le manche. Salut, mes adorés. De marginaux persécutés et de génies trucidés, il n'y a pas que vous. Le mythe hébraïque m'assomme singulièrement aujourd'hui. Causons des Hindous, de Bombay à Chandernagor ce pays offre matière à réflexion, Bogdanov, ça va comme ça avec le mur des Lamentations, d'accord, tu attends tes règles et ton roman qui ne vient pas non plus, ça fait de l'œdème, moi, ma mère me tanne pour que je paye mes impôts et mon roman m'insomniaque, c'est pour ça que je pleure des larmes juives, à moins d'exactions frappantes de la ligue anti-youtre parlons d'autre chose. Un arak! Cousin, commande-moi un arak bien fort. Tant pis si ça me rappelle le fâcheux Liban, je boirai à ce pays infortuné et en pleine déconfiture.

— On tire à mille cinq cents au départ, dit Edmond dans la joie, et oubliant de se formaliser de la diatribe d'une cousine un peu dérangée parfois.

— Honnête. Et l'à-valoir?

— Cinq mille francs.

— Déshonnête mais normal. Le mien fut de mille cinq cents pour *Stances indiennes.* Autre événement à fêter : ce mien et premier chef-d'œuvre sortira en février dans une collection de poche accessible aux étudiants boursiers, je dois voir le responsable des couvertures sans quoi je risque sur la mienne un Çiva forniquant avec une Çakti, les gens des couvertures ne savent absolument pas de quoi il retourne mais ça leur paraît bon pour la vente, et moi de rougir honteusement à la pensée de vingt mille exemplaires dispersés dans les campagnes avec ce Çiva forniquant — *in situ,* merveilleux, mais pas en couverture de ce poche. France conne et salace. Ou alors, par malignité, ils choisiront une photo où je ressemble au président Pompidou sous cortisone, on peut toujours trouver cette rareté dans les dossiers d'agence pour me faire une vacherie. Edmond, mon chéri, ne mets pas ton nez sur la couverture de ton bouquin, je t'en prie, d'accord avec ce nez il n'y aura pas maldonne à propos des origines de l'auteur, mais en ce temps de terrorisme néo-nazi, évite les provocations.

Pause où elle alluma une cigarette par le filtre, respira un peu trop fort et renversa le poivrier.

— Les kabbalistes, on attend Amine Youssef pour le café.

Aveu expectoré, elle se tut en écrasant hâtivement le filtre pestilentiel et en attendant les réactions.

— Bon, j'admets, complaisance et vilenie de ma part, balbutia-t-elle dans un silence gelé, jamais je n'aurais dû accepter qu'il boive un café turc en notre compagnie, mais il avait l'air si misérable, la dernière fois que je l'ai vu...

— Je comprends la nécessité de l'arak, fit Edmond. Eh bien, nous verrons le bâtard méditerranéen. Nous le griserons de discours intellectuel, genre *le sommeil d'avant minuit repose davantage que celui d'après*, or ce sommeil-là NOUS énerve, qui de notre peuple connaît le sommeil d'avant minuit, heures exactes de la lecture à la lueur d'une chandelle fumeuse tels les ancêtres tous polonais dont nous parlions avec des larmes dans la voix à ton arrivée... quelques propos sur le Zohar, peut-être, l'empêcheront de commander un second café. En outre, je prendrai la mine gourmande d'un circonciseur et...

— Lui dire que l'étude est une prière, comme ton goy n'a pas l'air d'un bûcheur, ça suffira peut-être à le décourager, observa Jeanne.

Maria poussa un soupir agacé, émit quelques réflexions à propos de l'anachronisme d'un ghetto hassid qu'il lui fallait subir, dit à Edmond que depuis qu'il était un juif arrivé et non plus errant, il devenait insupportable. Sur ce, l'assomption de l'agneau fut saluée selon ses mérites dans un hourra qui fit lever de leur journal le nez long et busqué des diamantaires présents, gens d'Arménie, de Turquie, d'Iran et d'Israël au teint verdi par l'abus d'aubergines dites Iman Baildi, car l'Iman légendaire s'évanouit de plaisir après consommation de ces légumes onctueux, granulés, à la peau noire, huilée, âcre à souhait.

— Qu'il ne te raccompagne surtout pas ! dit Jeanne. Nous monterons la garde. Le renverrons et pas de quartier.

— Je compte sur vous pour parer à mes éventuelles faiblesses. Edmond, allons-nous à Jérusalem pour Pâques ?

— Non ? tu veux vraiment ? fit Edmond, les yeux brillants comme les chandeliers de Hanouca.

Et il dit Jérusalem. Et ce fut prodigieux. Et l'agneau croustillait, le riz allongeait ses aiguilles fines, les voisins tendaient leurs oreilles, Maria oublia le malaise du matin dû à la perspective du café qui faillit lui gâcher ce déjeuner historique et la rendit agressive envers sa camarilla, ce dont elle se repentait sachant que ne lui tiendraient jamais rigueur de rien les siens qui rendaient le bien pour le mal, les siens avec lesquels le monde redevenait kaléidoscope, théâtre, opéra et savoir savoureux telle cette épaule d'agneau, les siens embaumant les parfums bibliques, il pouvait bien tenter de la pétrifier à nouveau, l'être de cécité, d'absurde et d'arrogant malheur, le chancre d'amour viral, il ne parviendrait pas à ébrécher la muraille qu'ils lui opposeraient. Elle ne tenterait pas la moindre évangélisation. Lui refuser la pitié et tout regard de Pietà. Ne point bercer son supplice. Ne point mésestimer son reste de pouvoir sur elle. Ne céder à aucune curiosité le concernant. Savoir où en était un homme répudié, tentation perverse. Tenir bon. Il n'a plus de place dans mon univers, s'édicta-t-elle avec une auto-conviction prouvant la fragilité d'une fille qui ne voulut pas vendre, sur un ordre venu de très loin, les gemmes rouges offertes par son amant, sous prétexte que leur bénéficiaire, Mlle Papazian, avait le cou gras, olivâtre, et indigne de rubis.

— V'là le goy ! Chalom Aleihem ! tonna Edmond.

Il entra, transpercé de solitude, inspecta la salle, encore des néons roses, avisa la table du banquet autour de laquelle les mangeurs d'agneau de lait encadraient Maria avec une vigilance de flamines. D'un coup d'œil, apprécia l'inextricabilité des liens qui les unissaient, et le proscrivaient d'emblée. Sa seule consolation fut de créer un petit embarras d'une minute dans le discours, langage codé qui s'interrompit après le *Chalom*. Il les salua d'un air constipé, tenta de dépolariser les ions atmosphériques, sans succès. Ils poursuivirent leurs palabres sans lui accorder la moindre attention. Le partage d'une orange à l'orientale, dont Maria déposait quelques quartiers dans l'assiette de Bogdanov Jeanne, faillit le pousser à un acte violent, comme de donner un coup de pied dans le poêle des Diamantaires en vue d'incendie. De la sorte, revenant à leurs communes racines, ces sans-patrie si proches de la divinité communiaient d'oranges vernies de sirop et affadies de douceâtre eau-de-rose, et leur joie primesautière profanait sa tristesse — Jeanne, veux-tu mes écorces confites ? elle voulait, Bogdanov, et Maria de se priver de dessert et de lui concéder les fins copeaux craquants, ce qu'il y a de meilleur dans une orange à l'orientale — il en avait des bouffées de chaleur.

— De cinq à neuf heures, je carbure plus que cette salamandre, disait Edmond Moïse en direction du poêle.

— Moi aussi, approuvait Maria. Et de minuit à deux heures du matin.

— Moi hélas en chômage, disait Jeanne, j'aimerais pouvoir en dire autant, mais la lecture des petites annonces peu propices aux diplômées me déprime tant qu'il ne me reste plus la moindre énergie pour mon roman danubien. Sinon, mêmes horaires. Je vais renoncer aux petites annonces. Votre exemple m'édifie.

Elle aussi. Elle aussi oranges confites carburer mêmes horaires. Il se leva précipitamment, se sentant tourner au vert de fluorite, fonça aux chiottes, sa vésicule ne résistant pas à cet étalage vandale de jouissances créatives — différents, ils étaient si différents de lui et l'affichaient et revendiquaient la possession de Maria comme celle d'un totem, tabou aux étrangers.

A son retour, Maria renifla son haleine putride, se contenta d'observer le teint du disgracié et lui recommanda le Choum. Cette clairvoyante qui le tuait à petit feu, après lui avoir filé une ordonnance de Choum, l'ignorait pour s'adonner à une copulation de mots avec ses familiers dont l'alacrité cérébrale le réduisait à néant. A les croire tous Gémeaux. Juifs et Gémeaux, races maudites. On l'autorisa à boire un café turc dans le marc duquel, sans l'aide de sa belle-mère, il vit son enterrement et qu'il but, lui, le héros d'endurance aux mille ruses éventées, désirant les massacrer tous, couvrir d'un long hurlement ce potin sur les heures de pointe d'une atroce créativité.

L'observant sous son dru balai de cils, elle s'attendrit. Embrasser ce pauvre môme qui se crut roi en sa morbide folie, et qui sentait mauvais de la bouche. De ses doigts agiles, délivrer des mailles d'un filet de rétiaire celui qui l'avait jeté sur elle, loupa son coup et s'y entortilla, ridicule, puni par la foule du cirque qui pointait le pouce vers le bas. Situation sans échappatoire. Elle eut envie de lui proposer une petite solution, car, impliqué dans son système dont il ne pouvait changer un iota, il n'en trouverait aucune et mourrait d'inhibition, à cause d'elle.

Silencieux, il déchiffrait les signes. Posée sur l'épaule de Maria, la main de Jeanne, tel un faucon prêt à lui enfoncer son bec dans les yeux dont le vert virant au véronèse semblait agacer Mlle Bogdanov tout autant qu'un certain goupil, la couleur de raisins trop haut placés, et Amine trouva que vraiment cette teinte irrémédiable lui valait beaucoup d'ennuis. Le regard tendre d'Edmond, couvant Maria à qui il annonçait que, lui rendant la pareille, il lui dédiait son premier livre. Le chrétien maronite pouvait bien lui dédier l'univers, elle s'en foutait, elle lui aurait flanqué à la gueule tant de misère et refusé qu'on y accolât son nom. Il se sentit banal, pestilentiel, pesant de jalousie, désespéra de prendre les choses à la légère comme elle, et de proférer un son, tandis qu'ils discutaient impitoyablement, en hébreu. Il se vit sans issue et, embrasé comme naguère le Bazar de la Charité, envia les couples de jumelés abêtis qu'on lui infligeait dans les dîners chez son père comme pour le châtier davantage, il resta en sus et en suspens, par-dessus le marché et leur troc de paroles, inutile, étourdi car plaqué aux parois tournantes de son propre imaginaire par une force centrifuge, comme dans les machines à vertiges des anciennes foires, mais n'éprouva aucun plaisir à ce vertige, rien que sa perpétuelle nausée.

Pendant qu'il se croyait fichu, Maria tentait de ne pas céder à l'attrait du monstrueux, et à la satisfaction humaine qu'on l'aimât de folie. Au tréfonds, cette certitude rassurait la petite fille à la carapace d'insecte qu'elle fut, le cancrelat de douze ans que tous désavouaient, l'enfant sans identité ni voix au chapitre ni aucun droit sur le monde. Les souvenirs chaotiques d'un récent passé, leur aura fuligineuse, leur teinte saturnienne l'attachaient encore à ce garçon muet et malade qui considérait son marc de café avec tant de pessimisme. Elle souhaita soudain lui donner du bonheur, lui restituer un peu des beautés de cet hiver dont il ne discernait pas la qualité picturale exceptionnelle, les opalescences, les brumes diaphanes décolorant l'acier de la tour Eiffel, et les épées de gel tendues par les froides mains des fées dormant dans les bassins du Trocadéro. Non, il ne voyait rien de tout ça, celui qui, après vingt bonnes minutes de silence terrassé, lui chuintait à l'oreille une proposition de départ au Maroc pour Pâques. Pâques ? C'était si loin. Elle ne répondit pas, mais lui lança un regard de bienveillante commisération qui le surprit. Quoi, elle ne lui en voulait plus ? Une baffe que cette pitié. Monnaie de singe. Il préférait encore le régime de privations qu'elle lui imposait, que sa pitié. Or il ne vit que la pitié, non la tentation. Au moment où, malgré la présence de ses coadjuteurs, elle s'apprêtait à apposer sa main sur son genou et sous la table, geste inouï, il se leva, se cogna dans le poêle, opéra une sortie titubante de saoulard, et se crut longtemps poursuivi dans la rue par des rires hassidiques.

Ses comparses durent la réveiller d'un mauvais sommeil. S'inquiétèrent de l'effet hypnotique qu'indubitablement, le muet, ce robot, ce Golem, exerçait encore sur elle. Réveillée donc, ce reflet d'un songe crevant comme une bulle, tiens, se dit-elle, que m'est-il arrivé ? Où suis-je donc ? Elle reconnut avec soulagement le profil incisif de Jeanne, son teint de rousse et ses cheveux tombant en drapé mouillé sur son épaule, encore une fois elle échappa à l'attrait de l'homme-Scorpion, et se referma le ciel des dissonances noires. Aux autres d'extraire la pierre de folie du crâne d'Amine Youssef, ou s'il tenait à ce gravillon, qu'il s'en aille danser ailleurs son ballet immuable. Quant à ses proches, ce type qui les haïssait était à peine digne d'en dire du bien. Or, il la troublait toujours.

— Rembrandt aurait-il pu se passer de Saskia ? fit-elle, l'œil encore somnambulique. Puis-je écrire un scénario pour Durand si je ne vois plus jamais ce fou ? J'ai encore besoin du modèle, sous la main.

— Morbidité ! siffla Edmond. Contagion de folie ! Un chantage discret aux sentiments, et la voilà qui flanche. Désir féminin de se repaître des ravages opérés, indigne de toi. Envie malsaine. Gratouiller le prurit. Interdiction de le revoir, tu m'entends, même si ça doit te coûter vingt briques. (Aux autres.) Nous enlèverons la fille d'Égypte et de Bohême dans les tours de Notre-Dame, lieu d'asile. Ou la cloîtrerons chez Bourdel-Lepeuple pour la défendre d'elle-même. Foin des alibis pour le revoir. Nous veillerons.

*

On m'offre du Choum, de l'affection, et de vexantes prévenances, grommelait-il, pantelant dans la Jaguar inepte, car il y avait la limitation de vitesse et le fait qu'elle n'y poserait plus le séant, pourquoi cette frime sans la douce icône rectifiant son rouge à lèvres dans la glace du rabat et insérant du Vivaldi dans le lecteur de cassettes.

Elle viendra à mon enterrement, non, incinération, les cendres, plus sec, plus propre, puis elle ira faire la roue dans les salons littéraires. Ce sourire sibyllin, ces points d'or dans les yeux, de la pitié, rien que de la pitié. Non, il ne lui permettrait pas de tenir le rôle d'une sœur tourière ou d'un psychanalyste comme son seul ami, Maximilien. Sois un homme, mon fils. Se garant, il loupa son créneau, y lut le symbole de sa destinée, puis fatigué des symboles rentra chez lui, l'échine basse d'un chacal affamé et dépossédé de sa pâture par les vautours.

Le lendemain, il emmena Maximilien à la Maison du
Caviar où le serveur accoutumé aux caprices des
Ghoraïeb ne lui fit pas remarquer le dépareillage de
son veston et de sa chemise, une hérésie vestimentaire,
et de ses chaussettes, une à losanges bleus et l'autre
verts. C'était, dans son état, la moindre des choses, on
ne détaille pas l'accoutrement ni ne renifle les chaussettes d'un jeune homme ne consommant jamais
moins de 500 g de caviar osciètre, nature, sans citron ni
toast et imposant fréquemment à ses amis le même
menu. Ce soir-là, il avala sa ration jusqu'au dernier
grain, et Max se dit qu'au fond, il était en acier.

Lesté de son demi-kilo d'iode saumurée, du gris
clair, le meilleur, il confia à son auditoire favori
d'excellentes résolutions, dont la première : attendre
Maria cette nuit même devant sa porte, pour lui
exposer ses nouvelles vues, la lénifiante, lémanique,
pacifique attitude qu'il aurait envers elle, jusqu'à
accepter sa retraite pourvu qu'elle promît d'y mettre
un terme. Lui proposer le soleil africain, après ce
terme. Rien que du banal, la Mamounia à Marrakech, à
Marrakech il y a les souks et il l'ensevelirait sous des
tombereaux de babouches, de djellabas et de tapis
berbères, dans lesquels elle rentrerait roulée. Et puis
quelques monuments, les mausolées saadiens, la Kou-

toubia, très bien cette tour, on ne visite pas, et surtout une grande chambre royale avec une terrasse donnant sur le jardin, spécifier vue sur le jardin et la piscine qui est d'un bleu inégalable sous la lune...

— J'attendrai dans la voiture, en cas de grabuge, dit Max.

— Pas question, beugla Amine, forcené, et il paya la note. Encore une sale habitude.

Max prétexta une envie de marche à pied, et vit s'éloigner son ami avec déréliction. Nom d'un chien, qu'Amine se détache de cette fille ! On sait le sens de la culpabilité propre aux yiddish même demi, celle-là avait tout pris du côté de son père, et plutôt que de trancher dans le lard, elle gnognotterait la névrose tour à tour douce ou agressive de Ghoraïeb, le simple fait qu'il eût cet écrivain de malheur sous les yeux accélérerait le processus nocif. Amine dérapait sec. A ce train-là, bien que son ami n'y crût pas, il atteindrait vite la psychose, soit, la folie, point de non-retour, pas celle des esthètes, des baroques, des caractériels, des saints ou les diverses sortes de jobardises classifiées par les gens de son métier, non, il irait vers celle qui ne dit mot et dont, pas plus que les idiots hantés qui se traînent avec des yeux morts dans les villages indonésiens pour avoir fréquenté les rivages déserts où seuls veillent les esprits de la mer, jamais on ne revient.

Pour tenter d'enrayer le dérapage, non par traîtrise, mais pour éclairer la situation aux yeux myopes et si souvent distraits de Mlle Tiefenthaler, Max avait quelque peu influé sur la situation en appelant la jeune fille pour la prévenir qu'Amine perdait la boule, qu'il s'en fallait de peu qu'il ne fût fourgué aux dingues, qu'il cassait les pieds de tout le monde, qu'il n'avait en aucun cas renoncé à elle, ne renoncerait jamais, et concoctait avec une patience d'alchimiste une suite aussi terrifiante que fastidieuse de suicides loupés. Et Max, qui estimait beaucoup le talent de Mlle Tiefenthaler, mais considérait à juste titre qu'elle était un poison pur agissant, même à distance, sur l'équilibre mental d'Amine, Max, vraiment effrayé par l'état sous-humain où se trouvait son ami à cause d'une fille qu'il ne pouvait s'interdire de traiter admirativement d'arsouille, fit mouche. A l'idée des suicides, à l'image de cette loque agriffée à ses basques, de ce fou qui ne démordait pas de sa folie, elle eut la réaction d'un animal sain, quelque chose qui s'approchait d'une horreur instinctive des souillures, le renouveau de fascination cessa illico, idem disparut la compassion douce-amère, oh qu'il crève, pensa-t-elle affablement, sa seule vue me flanque une hépatite, ce zèbre est plus immonde qu'un charnier, et j'étais encore sur le point de, oh Seigneur !

Ce jour-là, elle décida de porter le talisman au nom du Dieu adorable confectionné par le père d'Edmond, et, dans son sac, des pilules pour le foie, au cas abominable où elle le rencontrerait, un jour de guigne.

Première tentative de suicide
Comme quoi on s'y salit les mains

Le taxi freina devant le square Montholon. Embusqué, il la vit chercher des billets — ce devait être dans le petit sac de tapisserie, il s'émut à cette pensée, encore quelque chose de lui —, puis sortir, nouer sous le menton les pattes de son renard argenté, et d'un pas gaillard procéder à son tour de jardin. Il lui fila le train, l'arraisonna alors qu'elle dépassait les sculpturales Catherinettes, posa sur son épaule une main autoritaire qui la fit sursauter. Trop brusque cet alpagage, se dit-il, j'ai failli recevoir dans l'œil le gaz lacrymogène à l'emploi recommandé aux femmes ambulatoires et seules, de nuit.

— Amour, commença-t-il tout frétillant, j'avais absolument besoin de te parler (sa platitude le navra mais au deuxième tour de square ça s'améliorerait, pitié, qu'elle lui laisse le temps). Elle pressa le pas, profil expressif et œil oblique comme celui des Égyptiennes sur les fresques des mastabas. Inattentif aux étrons, il glissa sur le plus colossal d'entre eux, se rattrapa de justesse à la grille du square. Méfiante, la chérie. Elle l'entendrait tout de même. Lui revint une idée brillante à laquelle il avait renoncé, mais dont, à court, il lui parla sur-le-champ.

— Voilà, dit-il, j'ai rendez-vous demain à Villejuif

pour un dépistage de cancer. Au cas où, je voulais te revoir et te proposer ce voyage au Maroc, voilà.

Un silence. Elle semblait ne pas avoir entendu.

— Amour, tu ne veux plus me voir, plus du tout ? (Il s'enferrait dans la plus absurde médiocrité.)

— Mmmmm.

— Je veux savoir. Un autre... ?

De Werther et Racine, nous en sommes à *Confidences* ou pire, pensa-t-il sombrement. Le langage lui jouait décidément des tours affreux. Aucune puissance de conviction. Lamentable avocat. Voix des sirènes, ouiche, voix catarrheuse d'enrhumé, le coup du cancer, complètement à côté de la plaque. Haussons le niveau, surtout pas le ton. Il tremblait. Pourvu que, pire que le langage, sa vésicule qui avait supporté sans mollir chocolat, barbituriques et caviar par là-dessus, ne lui jouât pas ses propres tours — sa vésicule résistait à tout, non au silence de Mlle Tiefenthaler. Bon sang. Qu'elle acceptât une scène, un échange trivial — le seul possible — sinon, tout comme un disque rayé sur lequel se poserait indéfiniment une aiguille diamant, il poursuivrait son monologue jusqu'à ce qu'elle cédât, et grognât, miaulât, feulât, griffât, bref donnât un signe de vie. Mais toute question glissait sur elle, qui, altière, fermée, marchait, éreintée par la seule vampirique présence d'Amine le Répudié.

Il regretta l'imposture sacrilège du cancer. Elle s'arrêta, lui aussi tel son double, elle chercha ses clés, rite quotidien, les dénicha après ravage dans le sac de tapisserie, jeta sur Amine un regard morne et fixe qui lui ôta toute prudence, nia sa fébrile tactique et la férule raisonnable qu'il s'imposait comme un cilice.

— D'où viens-tu ? éructa-t-il. (Sac du soir, jean, renard, une paillette bleue près du nez, donc, à une heure du matin, d'un dîner, avec qui ? Ô ce pousse-au-crime qu'elle était !)

— Si ça peut mettre un terme à ton obsession, fit Maria, de chez un mec.

Interdit, il stoppa. Jésus, cette pitance que lui mettait dans le bec la pure, l'abstinente, qui jurait ne copuler qu'avec ses écrits — une femme, donc. Ainsi elle se mettait à sa portée, en somme lui parlait sexe, langage qu'il entendait. Pour la remercier, ô lui filer une danse !

Elle le devança, trois pas, s'arrêta devant la sortie extrêmement romantique du parking souterrain, des néons roses en bouis-bouis orientaux et en parkings sortie piétonnière, jamais plus, décidément, il ne lui chanterait son aria sous des lambris rocaille. Elle parlait d'une voix égale et lisse, il s'agissait, cette fois, de se mobiliser pour écouter, entreprise des plus ardues, dont dépendait sa survie.

— Non, Ghoraïeb. Pas d'amant. Rien dans les parages. Rien que les choses fluantes de la vie. Assez de nuits blanches, de mauvaise foi, de malentendus, de dialectique faussée, de biais sadiques, de gaucheries criminelles, de droit de cuissage, tu n'as aucun droit, surtout pas celui de me forcer à t'entendre, assez de ta tristesse prosélyte, assez de ton aptitude géniale à rabattre l'enthousiasme, de ta prétendue compréhension de mon Œuvre, de tes ruses paysannes, de tes frondes permanentes, de tes aller et retour, de tes sorcelleries, de tes coliques, de tes échecs, assez de ton esprit de contradiction faute d'esprit, de ta rigidité psychique, de tes jugements de valeur, de tes chantages au suicide, FOUS-MOI LE CAMP ! Je ne veux plus de névrose, de vomissure, de succions ratées, de saloperies noirâtres, assez de ta gueule d'indic et de cette façon de venir me gauler à domicile. DÉCARRE.

Il tomba sur la pavé, bavant et se tortillant, anguiforme. Fraternelle plus que maternelle, après un instant de claire logique où elle envisagea de le laisser se

95

tortiller jusqu'à ce qu'il en eût assez et, s'y trouvant
plus à l'aise, reprît la position verticale, elle tenta de le
redresser, s'effraya car il avait les yeux blancs, encore
un petit coma catatonique ou simulacre, se dit-elle, à
tout hasard, un peu affolée, cria « Au secours », les
fenêtres se loquetèrent immédiatement, elle le
redressa, il retomba comme un culbuto, elle le traîna
jusqu'à sa voiture. Bon, incapable de conduire,
affaissé, démantibulé, front sur le volant. Les nerfs
vrillés, apitoyée et inquiète, sûre qu'il méritait ce
qu'elle venait de lui balancer mais tout de même, elle
arrêta un taxi dont le chauffeur passa par la vitre la
tête d'un type peu soucieux d'entrer dans une histoire
qui se terminerait au commissariat, à l'aube.

— Conduisez ce monsieur au 6, rue Murillo, dit-elle,
le halant comme une tonne de chiffons.

Le chauffeur considéra la loque, et démarra car son
épouse l'attendait et que ces deux-là, pas catholiques,
pensa-t-il avec raison, tant pis pour la course et puis ça
gerbe parfois sur les coussins, genre alcoolique ou
zingué, renouveler les coussins non merci, il fila donc.

Que faire de ce tas ? Quatre-vingt-dix pour cent de
dingues, pensa Maria, le traînant toujours tel un
combattant de 14 charriant le corps d'un blessé sur le
champ de bataille de Verdun. Elle aurait dû la boucler
pour éviter les conséquences, mais allez endiguer le
mascaret d'une colère noire. Cela pensé, cet exquis
professionnel des résurrections pourrait se rouler par
terre, bavoter, épileptique, ruer, mordre, etc., jusqu'à
cinq heures du matin, elle, le lendemain, serait pom-
pée, et lui, dispos. Une mauvaise fichue santé de fer. Oh
non, pas de pitié ! Pourtant elle s'immisçait déjà, cette
pitié, dans un lobe ventriculaire. Rebut de l'humanité,
triste histrion, mauvais comédien trébuchant sur ses
cothurnes, zut, le pantalon de Ghoraïeb traînait dans
le pissat des chiens du square, que faire donc, une

immense lassitude l'envahit, elle ne lui en voulait même plus de ses mises en garde, simili-suicides très ostentatoires, problèmes hépatiques et sordide tromperie au sujet du cancer, il traînait ses ourlets dans le pissat, animal nouveau-né auquel on met la truffe dans le produit de ses exactions pour lui apprendre, parangon des déshérités que personne n'attendait dans la vallée de Josaphat et dont nulle âme ne suivrait les funérailles. Sauf elle, psychopompe. Dur métier, car il s'alourdissait à plaisir, pesait le poids de son amour déshonorant, pesait corps et âme. Elle le traîna tout de même jusqu'à la rue de Maubeuge, où il passait davantage de taxis.

Aucune aide possible. Elle frissonna à la perspective d'une descente de Mme Bachelard en chemise de nuit et de la résurgence tardive d'une concierge espagnole, ces gens-là sont nocturnes. Le scandale, elle s'en fichait, mais pas Mme Bachelard, pour laquelle la chose eût revêtu un caractère excrémentiel. Passa un second taxi, elle avisa la mine hilare du chauffeur, décida de le séduire à tout prix et de lui filer dix sacs pour qu'il conduisît le tas jusqu'à ses nobles appartements. Comment n'y avait-elle pas songé avec le premier ! Elle laissa choir son fardeau qui s'effondra sur le capot d'une Volkswagen et héla Voiture de Providence, cher taxi son allié.

Sourire, froissement de billets, elle marmonna l'adresse, précisa que le client avait un léger malaise mais si bénin, qu'il faudrait seulement le hisser dans l'ascenseur jusqu'au second étage du 6, rue Murillo. Le type, noir jais, eut un sourire de dentier absolument éclatant à l'audition du frifri évocateur, saisit le billet et s'apprêtait à aider Maria à glisser le paquet informe à l'arrière, quand celui-ci, dans un sursaut, leur échappa, poussa un feulement, balança une praline au chauffeur, loupa la cible qui, ayant empoché les cent balles et jugeant la situation suspecte, si ce n'est périlleuse, démarra sur les chapeaux de roues, comme le premier. Elle eut alors une réaction panique, fonça vers sa porte cochère, l'ouvrit avec une impeccable maîtrise, se rua dans l'escalier, la porte se referma sur elle consciente d'avoir échappé à un massacre car cette resucée d'énergie du fou annonçait des choses fatales et qu'il s'en serait sûrement pris à elle une seconde plus tard, lorsqu'elle entendit un bruit sourd, un crissement de pneus, et aperçut derrière son huis le roulé-boulé du jeune garçon, lequel s'était jeté les bras en croix sous une voiture dont le conducteur l'évita de peu et imprima à sa tempe, de l'index, un mouvement rotatif indiquant son avis sur l'état mental du susdit qui s'était mis à cogner frénétiquement contre la porte cochère ; elle hésita, puis tira le loquet. Debout, vacillant, il lui tendait ses paumes salies, répétait son nom, implorait une mère, secoué de sanglots secs.

Elle le poussa dans l'escalier obscur jusqu'à son premier au-dessus de l'entresol, l'assit sur une marche, lui ordonna d'attendre, fila dans la salle de bains, trouva l'alcool à 90° et le mercurochrome, revint vers lui, lui en badigeonna les mains et le front — maintenant, va, dit-elle d'une voix changée, impersonnelle, sans haine mais sans tendresse. Il descendit lourdement l'escalier, elle se barricada, s'appuya sur sa porte les yeux clos, comme au cinéma, un vaste trou blanc dans la tête.

Comment oublierait-elle la vision ignoble : l'enfant aux paumes meurtries et sales, les lui montrant, les lui offrant, hurlant son nom dans la cage de l'escalier après une dérisoire tentative de reptation sous un taxi ? Comment, cette fois, pourrait-elle le revoir sans un irrémédiable dégoût ? Il se souvint de son regard d'effroi sidéré, de l'horreur sacrale qui avait agrandi ses yeux, d'une moue de répulsion incrédule des lèvres dédaigneuses, d'un froncement nasal devant l'immobilité de cette émétique charogne — lui, son bel et jeune amant de Tyr, Amine aux yeux d'un vert que brunissait la nuit, aux amples cheveux sombres écrêtés par le vent, celui qu'elle avait aimé, lors d'une ère, d'une vie antérieure — il se souvint de trois plis gaufrant son front de femme inquiète devant l'enfant malade, le gamin débile dont elle avait consciencieusement badigeonné les écorchures au mercurochrome, comme plaies de guerre on faisait mieux, il se souvint combien précis et dépersonnalisés furent ses gestes de mère hésitant à étrangler le bambin rougeâtre, larvaire et trépignant, puis le soignant avec une atavique efficacité, jouant le rôle d'une autre, de toutes les autres, mères et femmes.

Sonner à sa porte, à treize heures précises, moment du réveil du hibou. Sa grand-mère lui affirmerait qu'elle était déjà partie, il insisterait, jusqu'à ce qu'un fracas de bottes cavalières et martiales annonçât l'approche de Dulcinea, sous les armes, prête à aller déjeuner en ville et à le flanquer dehors séance tenante.

La femme et le pantin, trop simple. Lui, plus féminin qu'elle, et elle au fond si généreuse. Des causes différentes produisant les mêmes effets. L'aubade éternelle sous son balcon aux volubilis de fer, les rebuffades, les bouderies de la détentrice absolue du pouvoir, la volonté d'appréhender cette écume ductile, le désir dans sa pauvreté nue, lui offrir quoi, un no man's land de passion, dont elle n'avait que faire car elle ne le détestait même plus, l'aimait comme son prochain — pire des catastrophes —, le conduisait à sa perte plus sûrement qu'une pute garcière intéressée, car, toujours plus fugace, imprévisible, obscur objet, ceinturée de neuve, dévote, bonté. Lui, se rasant, se coupant, se trouvant laid et d'âme indigente, elle, se rimmelisant les cils jusqu'à la pointe, oubliant la scène de la veille, retroussant du doigt la crépine sombre frangeant ses prunelles pour la roidir, le plaignant;

Il l'appela le lendemain, pour l'informer qu'il ferait tout afin de mourir un peu plus tôt que prévu. Du moins, c'était l'idée. Il ne pouvait pas savoir qu'elle venait de faire poser un répondeur téléphonique. Par bonté, toujours, pour épargner les vieilles jambes de Mme Bachelard qui souvent cavalait vers l'appareil dans l'intention qu'on ne dérangeât pas le travail de sa petite-fille, et par mesure de sûreté, pour ne plus l'entendre, lui, condamné à l'audition de son imperturbable voix douce, un peu cassée par les cigarettes, dont les charmeuses modulations étaient réservées aux autres.

— Ah bon, fit-elle, quinze jours plus tard, lorsqu'il réitéra ce tonique message à l'adresse de la jeune fille qui avait malencontreusement décroché. Bigre, tu as la vie dure, Ghoraïeb. Ne quitte pas, je caille, je suis en chemise de corps Zimmerli et pieds nus, tu permets, j'enfile un pull et je me chausse.

Il permettait. Attente, toujours. Long cri d'angoisse à la Münch. Ne pas pouvoir bouger. Il permettait qu'elle le fît poireauter, frappé de l'interdit de remuer, excepté les orteils. Poireauta donc, l'imagina en chemise de corps Zimmerli, pieds nus sur son parquet à échardes. Crucifié par les échardes de son parquet, qu'elle préférait aux tapis d'Orient exception faite de l'hispano-mauresque qu'elle avait choisi elle-même pour marcher dessus rue de Verneuil, et qu'avaient embarqué Edmond Moïse et sa suite.

Indignité que de lui dédier sa mort — dont il n'avait pas encore trouvé la formule — au vu et au su du public, on ne dédie pas un exécrable bouquin à une personne de qualité. Il se révolta, un crampon je suis, assumons le noble statut de crampon.

— Fatiguée, susurra-t-elle d'une voix limbique. Accents rares, répercutés par un écho morne. Distante, gardée. Il se blâma immédiatement de son coup de fil intempestif. Voui, poursuivit-elle, parlant à un étranger, trop de gens et de travail, je n'en peux plus.

Cette voix de départ, hâtive, monocorde, atone, relevailles si cruelles du silence. Fatiguée de lui ou d'œuvres extérieures ? Sous contrat passionnel, point de fatigue, du moins le croit-on, une vitalité inlassable, quitte à craquer après, des effets de l'épuisement réel — aimer : se masturber en haut et en bas sans trêve permise jamais.

En d'autres temps, il se fût réjoui de sa fatigue, s'en fût servi, eût vaniteusement tenté de l'en guérir, soit en eût profité pour resserrer l'étau sur la proie affaiblie, et elle, efféminée par cette lassitude, aurait mis sur son épaule une tête qu'il lui aurait coupée, décollation immédiate et glorieuse. Mais cette fatigue-là ne le concernait pas. Il s'excusa bêtement de la déranger.

— Je pense que c'est une des dernières fois, énonça la douce amie, puisque tu vas — le mot est : crever.

Ce coup-là, élucubra Amine sans un chouia d'humour, elle se radicalisait, se rapprochait de son essence, devenait de moins en moins accessible aux compromissions et incapable de concessions qui eussent mis en péril son équilibre précieux et retrouvé. Il se consulta. Vite, une idée. Vérifier après, comme tout inventeur, celui de la chlopromazine par exemple, seulement lui n'avait pas inventé la chlopro ni l'hibernation artificielle dont pourtant il connaissait les effets, vite, $E = MC2$, la formule magique, le sésame, le nec plus ultra d'un esprit en roue libre depuis si longtemps, vite, un influx dépolarisant la membrane, vite, un vœu, que file une étoile, il resta muet — langue coupée de la gargouille. L'apanage de Maria demeurait la bouche d'or, dont ce soir-là elle se servait avec parcimonie, ne rien dépenser en faveur d'un homme qui ne le méritait pas. Avec raison, elle épargnait le phosphore, le réservait à d'autres usages, elle si prolixe. En une inconvenance suprême, la situation politique au Liban lui parut un recours plausible, et il se servit froidement des troubles *in situ* pour lui annoncer son départ avec Fouad direction Beyrouth. Quand ? dit-elle. Onomatopée indéchiffrable, ce quand. A la fin du mois répondit-il.

De crainte qu'elle lui demandât gentiment de ne pas oublier son gilet pare-balles et qu'elle lui assurât qu'elle prierait pour lui, il raccrocha.

Deuxième tentative
Du garde champêtre qui sauva Chateaubriand
« Le Couronnement de Poppée »
La gifle

Il fouilla l'appartement pour dénicher la carabine
rapatriée de la rue de Verneuil et cachée par Fouad de
même que les barbituriques, dont des mains anonymes
et bienveillantes ne laissaient chaque soir à sa portée,
sur la table de chevet, pas plus de deux comprimés. Les
mêmes mains avaient sans doute fermé à clé l'armoire
pharmaceutique. Tenu pour demi-fou, victime d'une
maladie honteuse car mentale, dont personne ne
devait rien savoir, Ghoraïeb junior filerait seul son
mauvais coton, et l'argent familial couvrirait cette tare
d'une chape pudique. En cas de drame, on (Fouad et
Agostina, ce *on* redoutable) recourrait aux services
discrets de Maximilien Richter, qui pour une fois serait
rémunéré et chargé de se taire, si, chez les Ghoraïeb et
autres familles, émigrées ou non, de la haute bourgeoisie — ce tenace fantôme — on élude presto les troubles
psychiques, les maladies vénériennes et la mort (celle-
ci étant qualifiée de disparition), trio inconvenant aux
yeux des sursitaires de la bonne société.

Il trouva la carabine après effraction d'un des tiroirs
du cabinet Renaissance, tout d'ébène et de marqueterie, pièce rare exposée dans l'entrée avant le forfait
d'Amine. Après, elle s'en fut chez le restaurateur, et, de
retour, fournit à Fouad un grief de plus contre sa
progéniture.

104

Peu préoccupé du destin d'un cabinet Renaissance, Amine enfouit l'arme sous son matelas, et avisa, sur son oreiller, un mot d'Agostina : « Ce soir, première du *Couronnement de Poppée* à l'Opéra. Viens si tu veux. Vingt heures, en haut du grand escalier. Puis bal chez les Mercado. *Black tie.* »

Il ricana. Ce spectacle, tout à fait approprié. Il irait en *black tie*, et smoking couleur de veuvage. En finir sur une belle soirée. Conférer quelque noblesse à un acte qui jusqu'alors en avait singulièrement manqué. Dernier sursaut d'infantilisme : et s'il semait, Petit Poucet, des mots d'amour sur le chemin de Maria ? Un sous sa porte cochère, qui fermait à vingt et une heures, s'y prendre avant, et un billet par marche, jusqu'à sa porte palière, parcours fléché.

Pris d'une frénésie pragmatique, il scribouilla dix *jetaime* sur des cartes de visite, fonça rue de Maubeuge, exécuta son plan, les disposa de façon qu'elles fussent visibles mais pas trop, quelle guigne si la concierge les ratiboisait au passage. Revint rue Murillo, se baigna, onction dernière, se changea, smoking, cravate noire requise, et se félicita de la bichromie funèbre que lui imposait le social.

Il l'aperçut sur les marches de l'Opéra. L'aurait reconnue entre mille porteuses de renard, le sien bleu comme son aura. Elle, dans une mandorle infrangible, chaperonnée par Tova Bogdanov, qu'il reconnut de suite et regretta de n'en être pas tombé amoureux (une comédienne, c'est mieux, ça se remplit de l'extérieur, tandis qu'un écrivain...). Edwige Yuan et un grisonnant style banquier Nucingen. Faillit prendre la tangente, car toutes ses démarches de poulaga et de mendigot échappaient à cette réalité : qu'elle fût là — le fin du fin en matière de persécution. Il la suivit sans qu'elle s'en aperçût, gravit derrière elle l'escalier au sommet duquel attendaient Fouad et sa belle-mère en crinoline de tulle et grand tralala, rêve de Libanais que d'accrocher à son bras cette poupée foraine. Déréalité absolue de tout ce vacarme. Observer Maria, gangrène de ses os.

Poignardé, il constata qu'elle venait de prendre le bras de Tova Bogdanov et lui chuchotait quelque chose à l'oreille.

Et si elle le trompait avec cette fille ? Depuis quand Tova était-elle rentrée de sa tournée ? Il ne flairait pas, autour de Maria, une présence masculine et les reliquats d'icelle, fragrance de parfum viril, empreinte de caresses fouailleuses, menton irrité, rien des séquelles d'un autre amour, rien qui fût trace de main d'homme si, au degré intolérable d'écorchement et de sensitivité auquel il était parvenu, il devenait médium par instants, savait que nul rôdeur, mais peut-être une rôdeuse... comment n'y avait-il pas pensé plus tôt ? une liaison homosexuelle ne laisse pas de traces, ne brise ni n'entame — elle aimait cette inconnue. Tout à son désarroi, il les perdit de vue, se vit cravaté par père et belle-mère, se trouva assis sur le fauteuil cramoisi, devant lui un mammamouchi à turban, aigrette et plume de geai noir-bleu, retentirent les premières mesures, d'ordinaire il s'endormait au concert ou à l'Opéra, ce soir-là, moins l'entracte, il disposait de trois heures et demie pour méditer avec bruit de fond. Le sort de Sénèque se déciderait sans lui.

Au foyer, il la revit, néréide en fourreau à sequins d'or (tiens, toujours la griffe Azzaro, elle avait racheté le même mais solaire), épaules nues si fragiles, telle qu'il la connut, radieuse, virevoltante mais si différente de ce que fut sa bien-aimée quotidienne, ne la désira que davantage, car, plongée dans son élément mondain, potins, strass, Opéra, elle n'en acquérait que plus de prix — oh saisir ce fulgore. La redécouvrant vêtue d'or, d'abîme et d'inaccessible, une pulsion de désir lui secoua les tripes — il désirait autant la quotidienne diurne aux chats, aux écritoires et aux grand-mères, aux boules Quiès et au pot de chambre éventuellement, qui lui échappait de par son aposto- lat : ce foutu merdier de vocation, que la sporadique nocturne aux parures et aux éclats de rire de gemmes froides, une autre, vous dis-je, n'était-ce pas suffisant de se vouer à une personne, celle-ci se métamorpho- sait, pas moyen de décristalliser, l'eût-il fait sur la première face de ce Janus, fût-il parvenu à trouver chiante l'intellectuelle des macérations, elle lui mon- trait son autre visage, celui de l'idole païenne, celui que lui renvoyaient les miroirs biseautés en milliers de bris scintillants — de cette autre jeune fille, celle des bals, des velours cramoisis, des lustres vénitiens, celle que révélaient, avec une férocité extrême, la nuit, la musique et le monde, il s'aperçut qu'il ne savait rien, sauf qu'elle provoquait la convergence des regards — à présent, elle bavardait langoureusement avec Tova, s'interrompait pour se pendre au cou d'un dinosaure décadent pédérastique et albinos qu'elle contemplait, extatique, se permettait des lècheries mondaines, des sourires triomphants, des roucoulades — martyrisé, il dut prendre appui sur ce qu'il trouva en guise de torchère à savoir une antiquité nobiliaire qui le corna- qua jusqu'à ce qu'il la licenciât impoliment.

Quelle prétention avait-il de la connaître! On ne connaît jamais personne. Surtout pas les gémelliennes à l'ascendant Cancer. Fatuité qu'il payait avec les intérêts. Il avait oublié dans ses calculs la séductrice de banquiers, la frivolante cousue de fils d'or, qui tout à l'heure serait en sous-vêtement Zimmerli pieds nus dans son gourbi aux murs salpêtrés. La pire des femmes, lui montrant ce soir justement tout ce à quoi il lui fallait renoncer. Pas de doute, elle voulait sciemment aggraver son mal par l'étalage de ce qui rendrait alléchante une bancroche : être convoitée par les autres. Hier, on se serait battu pour elle dans les fossés de Vincennes. Aujourd'hui, il aurait fallu ferrailler dans la meute.

Autour d'elle, quelques noblaillons, un danseur, un éditeur, des gens de robe, un metteur en scène, une héritière que sa robe rosâtre et son rictus idiot rendaient aussi attrayante qu'un bar froid sauce Aurore et sans sel, s'approchaient une vieille poularde à l'impératrice et une tête de veau, lui à quoi ressemblait-il ? A la Mort Rouge travestie du bal d'Edgar Poe, lui répondit à travers le miroir l'ancienne voix de Maria. Elle avait raison. Il faisait peur, Ghoraïeb. D'ailleurs, on l'évitait, malgré les tentatives de coalescence opérées par la famille en pleine désolation. Même plus sortable. Grognait à l'approche des étrangers. De peur qu'il ne les mordît, Fouad et Agostina le laissèrent tranquille, lui rappelant seulement le numéro de son siège.

Sénèque finit par calancher, rappels, ovations, bravo pour cette immonde mise en scène dans le genre néoclassique et pompier. Superbe, marmonna-t-il pour que les enthousiastes ne l'agressent pas, prêt à trouver superbe ce spectacle lamentable d'où Monteverdi ne sortait pas indemne.

Au vestiaire, collision. Il s'attendait qu'elle montrât une infime surprise, jouât le marivaudage indifférent ou l'ignorât, et se traita de logique arriéré, de mec obtus ou de mec tout court devant son ravissement. Là, blousé, en dehors du jeu, il subit le ravissement sans oser la moindre pensée déductive, renonça au théorème, à Euclide, à la règle de trois, cette fille déjouait toutes les règles y compris celle de trois, Hélène, à propos pardon du mauvais goût, n'entendait rien au maniement des hommes à côté de cette tricheuse, mensongère, sale bête, polymorphe, là, il dut s'avouer l'inanité de tous les plans qu'un à un elle éventait — mystère total que cette perle d'inconséquence. Il calait. Énigme insoluble que cette Hécate des carrefours, sur la terre pour la perdition des mâles. Pour la sienne propre, elle le regardait avec cillements émerveillés, prunelles d'astéroïdes, sourire des premiers jours, enchantée de te voir ici ce soir, un enchantement, certes. Vas-tu au bal des Mercado ? Dans ce cas, accompagne-moi donc ; je ne resterai qu'un instant, mais j'ai envie de larguer ces gens qui me les cassent, Tova et Yuan veulent rentrer, il y a bien un type tout disposé à me voiturer mais chiant au possible.

Quel espoir tératologique elle lui donnait. Justiciable de la peine capitale si c'était pour le lui reprendre. Un quart d'heure seul avec elle dans la voiture, bénédiction néanmoins, ils s'enfuirent, plantèrent là les autres redevenus *géneurs,* et Amine se vouant à tous les saints sans en oublier un seul, dans l'incertitude, mentionna ceux du vaudou dont, rue de Verneuil, une cuisinière antillaise lui apprit les noms si efficaces.

Elle parlait, la sirène dorée, se repoudrait, fignolait les arcs conjugués de ses lèvres d'un rouge fuchsia, parlait, indéchiffrable. Il s'efforça de percevoir les infra et ultra-sons.

Amine, disait-elle, j'ai tant de choses encore pour toi je sais j'ai vérifié, cette joie, te revoir, permets-moi de t'offrir le meilleur, oublions les étranges débilités amoureuses ce fatras ce mythe éculé, soyons frères, j'aime tes yeux, tes lèvres, ta respiration, j'ai oublié la rue de Verneuil, là, pulsion autodestructrice réveillée par toi innocent, sois un ami je te verrai trois fois par semaine nous irons chez Angelina boire des cafés brûlants nous partirons en voyage si tu veux je te

verrai sans obligation rien que par désir je mettrai ma
tête sur tes genoux sans peur de décollation, je te
donnerai mes regards sans crainte d'être énucléée, j'ai
compris je peux me passer de toi mais préférerais te
garder, t'attendrai au balcon comme Juliette ce sera
divin pitié plus de passion absurde, je ne veux plus te
voir dans le caniveau, je te veux libre et beau, accepte
ma confiance (pas possible, elle avait bu) tu seras mon
alter ego pourquoi s'interdire de se voir, j'ai donc
réfléchi, plaisir immense de te respirer et de t'écouter,
liens du passé également, pourquoi ce drame inique,
plus de cigarettes allumées et écrasées, d'allées et
venues zoologiques, de front perturbé taurin, de jalousies espagnoles, des sérénades toute la journée mais
plus d'inconvenances, j'irai avec toi où tu voudras,
mais pas de nominalisme, accepte mon sentiment
pluriel qui n'a pas de nom, je te dédierai mon prochain
livre ce sera édénique, tu épouseras une de tes collabo-
ratrices, brillant avenir dans l'archi, jamais nous ne
nous quitterons, fuguerons ensemble tous azimuts,
baiserons si ça nous plaît, selon la nuit et le moment,
plus aucune obligation ni rapports de force, imagine le
bonheur si simple et si riche, accepte mes sentiments
pour toi, j'en accepte le paradoxe et la pérennité, je ne
cherche plus, n'ai jamais cherché à les qualifier ce qui
les réduit infailliblement, Amine ne brisons rien pré-
servons l'essentiel le geyser de plaisir à se voir y
penser, dans l'intervalle rien que du luxe volé nous
irons à Marrakech ça canarde moins de ce côté-là
qu'au Liban.

Il ne desserra pas les dents, emplâtré d'une douleur
diffuse, gara la Jaguar quai d'Orsay, elle timide brusquement le regardait, il lui ouvrit la portière, muet,
elle descendit, reprit quelque aplomb sur le trottoir, ils
grimpèrent le second escalier festif, celui des Mercado
architectes brésiliens, à peine en haut elle fut happée

par le tourbillon de ses connaissances qui le rejeta dans un coin ce dont il ne se plaignit pas, préférant ruminer en paix ses pensées infanticides, il lui octroya donc les mondanités si tu crois ma belle que ça va finir comme ça, papote donc grise-toi de galanteries pendant que moi, navaja entre les épaules — comment les gens ne s'apercevaient-ils pas de la présence de cet être surréaliste traversant calmement l'enfilade majestueuse des salons la navaja plantée dans le dos, une giclée de sang dégoulinant du manche, eh bien non, à peine le regardaient-ils, il devait être transparent ou déjà de l'autre côté du miroir.

Sa haïssable tendresse. Quel camouflet. Il attendit que, repue de contacts humains, elle vînt le chercher. Partons, dit-il très sèchement. Offusquée de ce ton, elle haussa ses sourcils angéliques, mais accepta, ne voulant pas le contrarier. Pavée de bonnes intentions, soupira-t-il, en dedans. Marchons, dit-il, méchamment cette fois, et il lui empoigna le bras à la faire crier.

Sorcière juive, se dit-il sur le pont Alexandre-III. Ah, j'éveille ta curiosité. Animal à répertorier. A coincer entre deux pages.

Il hésita à la gifler. Hardiesse et impudence de cette fille qui lui offrait le meilleur d'elle-même. Culot de grenadier. Ah, le discours amoureux l'ennuyait mortellement. Ah, plus de ragnagna dans la voiture. Last waltz mon amour, proféra-t-il. Y a de la rebiffe dans l'air, vois-tu.

Mon amour. Fallait du cran pour expectorer le vocable si périmé si désuet, ça devait lui sembler exotique ce *mon amour,* à la garce qui partait en beauté et à reculons le regardant bien en face très courageuse lui donnant à voir les sequins et ses splendeurs du soir pour qu'il le regrettât sans doute davantage, qui osait lui proposer son amitié comment appeler autrement cet ersatz, pour lui, pire qu'un ersatz, une offense, oui il était paléolithique il n'appartenait pas à la race androgyne platonicienne ni aux hybrides de l'ère du Verseau, du sentiment pieux et irréductible à l'analyse qu'elle lui offrait il n'avait que foutre comment se servir de cet engin-là, une amitié marché de dupes, elle le volait.

— Finis de crâner, reine des putains, dit-il sobrement. Maintenant tu vas me suivre, une petite promenade sur les quais pour digérer.

Maria faiblit, et n'avait rien à digérer, étant à jeun depuis la veille. Accepta la marche supliciante à cause de ses quinze centimètres de talons dorés, sentit s'ouvrir du côté de son plexus solaire une béance alarmante. Il ne pigeait pas. Naïveté de sa part que d'espérer sa compréhension. Pourtant, elle voulait sincèrement une éternité de réparation, sans topique du présent ni d'avenir ni périmètre les circonscrivant, le don réciproque du vrai amour d'amitié, qu'il cessât de se suicider, qu'il sût qu'elle l'aimait au-delà des esbroufes idiotes du sexe et en dépit de ses noirs monologues, qu'elle l'aimait pour le meilleur non pour le pire, qu'il n'y avait aucune raison d'aimer quelqu'un pour le pire surtout si Scorpion ascendant Scorpion lune noire au zénith on court des dangers de souffrance et merde à la souffrance, que d'un amour égal et infini et sans nom elle l'aimerait jusqu'à sa mort et poserait sur ses paupières des lèvres de respect et de tolérance — que lui proposer de mieux que cette joie solaire ? Elle oubliait que le soleil, il ne supportait pas, seules les ténèbres, que la liberté, il ne la supportait pas plus, que seul un engagement... Il faisait plutôt frais, elle allait s'enrhumer.

— Qu'est-ce que tu veux, ma douceur ? Que j'admette tes relations avec les autres, de nouvelles affinités électives peut-être, ah ah, des hommes exquis te faisant la cour, tu me raconterais tout ça très bien dans les moindres détails y compris le nombre de pétales de roses Baccarat effeuillées sur ton paillasson et les bijoux offerts, tiens, pieux souvenir que cette montre à ton poignet, très gentil de l'avoir mise ce soir, pute, traînée (suivit le chapelet rituel et invariable des salissures) donc avec quel plaisir tu m'avouerais à moi ton grand ami tes curiosités pour l'ensemble du genre humain y compris les bonzes et les géologues, cela sous couvert de gemellité, eh bien ma petite je crois autant à l'astrologie qu'un marxiste, que veux-tu que je foute de tes bénédictions et de la tendresse que tu proclames avoir pour moi, pire des aveux que celui de cette atroce tendresse — me garder à tes basques, c'est ça, et prendre un maximum de plaisir, et que je le sache bien, et jouir de l'harmonie du moment et puis cavaler ailleurs chercher du nouveau voilà ce que tu veux ce qui t'arrange petite bête vaguement femelle, c'est un brevet de non-exclusivité de cette fameuse tendresse dont bénéficie par exemple Tova — ET TOVA? TU EN AS, DE LA TENDRESSE GRATIS POUR TOVA, HEIN?

— Évidemment, fit-elle, bravache, trébuchante car il la contraignait à une allure forcenée.

— Lesbienne! rugit-il sévissant dans l'infâme et avide d'anathèmes. Je t'ai toujours soupçonnée de ça. Tu n'aimes que les filles.

Pétrie d'affections séraphiques, impulsives, mutables, en face de la masse écrasante de ses besoins à lui. Son estime, par-dessus le marché, et l'expression de ses sentiments distingués. De la politesse, de la dignité, du prestige. Et lui qui jusque-là s'échinait à interpréter la conduite de cette fille, lui allant de déclaration en plaidoirie et de confession en exigence, et elle qui, silencieuse, lui permettait tout juste de lire dans ses mains, glyphes du Tarot, dans ses yeux assombris, marc de café, de juger de l'état de son âme à ses pâleurs, blanc d'œuf, à la transparence de ses prunelles, cristal ensoleillé... Or, il ne croyait qu'en la seule parole donnée, exigeant qu'on lui répercutât l'écho de son aveu total ou qu'on le disgraciât à jamais, sans civilité ni précautions, sans obligeance, sans subtiles formules — interpréter, il ne pouvait plus, exhaustion mentale. Garce, répéta-t-il, et à bout de discours, bobine dévidée, la gifla, et s'enfuit.

Elle s'aperçut que, comme au bal de la maharani où ils dansèrent ensemble pour la première fois, elle avait oublié son renard au vestiaire, et grelottait en lamé or sur le pont Alexandre-III. Elle pleura, si atteinte, si déçue, si meurtrie, vaincue cette fois, sanglota sur ses offrandes vaines, sur l'échec, incapable de rébellion, de rage, de ressentiment, d'aigreur, s'en prit à elle, pleura, sans force devant cette haine prodiguée, pleura sur ce gâchis de dons, si triste soudain et pour la première fois sans courage devant l'existence, si seule avec ce *don du rien* sur les bras, et personne pour comprendre, en Occident, sauf M. Duvignaud qui la soutiendrait peut-être d'un appui implicite.

En outre, gémit sourdement la messianique colombe, que vais-je faire avec ce scénario, sans le personnage principal sous mon balcon, que faire, tomber en panne sèche, et mes vingt briques ?

Cette tentative de cynisme, néanmoins sincère, fut de courte durée. Lui succédèrent des larmes de révolte, puis une mélancolie sèche et morne et sombre. Crime que cette envie de le câliner comme un frère amant cousin compagnon, crime non prévu par la loi, mais crime justiciable de torgnoles, à en croire la véhémente réaction de cet homme ; crime de trouver ennuyeuses les lècheries d'après dîner, la position horizontale qui ne vaut rien à la digestion, cause d'aérophagie, gargouillis et ballonnements aggravés par le monsieur qui se couche sur l'estomac de la dame, farfouille dans des endroits indiscrets et froisse le pli recta du pantalon neuf de flanelle, et crime que de trouver odieux les déshabillages et rhabillages pâteux et de rentrer chez soi si tard avec un lendemain redoutable. La scène d'adieux qu'ils venaient de jouer, elle la connaissait par cœur, *Boeing-Boeing* était une première mondiale à côté. Amine, dont les morts-renaissances n'avaient rien d'eschatologique, reparaîtrait sans doute, un jour. C'était une mouche grimpant sur un crayon mouillé qu'un enfant renverse pointe en bas, Sisyphe, le coryphée des Danaïdes. Il refuserait toujours la connivence. Buté, volontariste, sectaire, se voulant seul privilégié, il désirerait toujours, malgré leur foncière incompatibilité, la rendre heureuse, ce qui était, hélas, au-dessus des moyens de ce jeune homme. La foi, ce type vivait d'une autre foi qu'elle, une foi aveugle dans laquelle elle n'était pas impliquée. Elle se moucha, désolée de l'oubli du renard, et revint au bal des Mercado où elle marivauda d'une façon sinistre.

Elle somnolait en gambergeant à l'arrière du taxi qui la ramenait chez elle. Sa seule vengeance serait de le piéger dans un écrit (le scénario, prix de quelques gifles, d'une mâchoire luxée et d'un nez légèrement de traviole). Il serait définitivement et plus que jamais SA chose, SON œuvre, SA source et SA créature et SON Golem, et le fils de SA seule mémoire.

— Combien vous dois-je ? Donnez-moi une petite fiche.

Cette satanée boussole ne perdait pas le Septentrion, et si Ghoraïeb examinant l'embout de sa carabine avait su qu'elle n'oublierait ni son renard ni la fiche taxi remboursée par son éditeur, il aurait frémi sous l'outrage. Fiche taxi.

— Je lui prêterai même, songea-t-elle en s'appuyant à la rampe pour gravir ses deux étages car elle avait mal aux pieds, plus de génie qu'il n'en a.

Cela programmé, concluant cet épuisant combat dans lequel on ne savait plus qui était l'ange, et qui, Jacob, elle suivit à la lettre son rituel des nuits, pointe des pieds attention au tapis décloué pipi démaquillage verre d'eau somnifère mot sous la porte de sa grand-mère se glisser en pyjama dans les draps, découvrit hosannah leur fraîcheur râpeuse et fine, apprécia que la femme de ménage ibérique eût changé la literie, strangula ses cheveux en queue de rat grâce à un élastique, disposa sur la courtepointe un échantillonnage de nourritures intellectuelles aussi alléchantes qu'une rangée de puits d'amour Bourdaloue, à savoir *La Kabbale et sa symbolique* de G. G. Scholem, la *Civilité puérile et honnête* d'Érasme, le théâtre de Goethe collection Pléiade, élut ce dernier en raison du papier bulle si pelliculaire et doux au toucher comme un céladon, sur la table de chevet près du flacon de Balsamorhinol aux senteurs de résine, d'orange et d'école, scintillait perfidement la montre Van Cleef, résurgence des fêtes patriciennes que lui offrit le maronite.

Demain, explorer sa Tova de retour. Et, pourquoi pas, se permettre une liaison avec cette merveille ? Elle n'y aurait pas songé, de son propre chef, mais puisqu'il le lui suggérait... Ô ciel, qu'elle ne tombât pas amoureuse, celle-là.

*

A l'instant où elle introduisait dans sa narine gauche une goutte de Balsamorhinol, Amine Youssef pensait en faire autant avec une balle dans la mâchoire. Il fallait réussir du bout portant, des éclats d'os et du définitif. En principe avec les carabines chargées et la tempe pour cible, on ne se donnait aucune chance de réveil, sauf si on avait la frite de Chateaubriand qui appuya trois fois sur un fusil de chasse à l'embout collé contre sa voûte palatale qu'aucun plomb, mystérieusement, ne vint percuter, sur quoi le vicomte se découragea à la vue d'un garde champêtre qu'il dut bénir *sotto voce*.

Aucun espoir de garde champêtre, au milieu de la nuit, près du parc Monceau. Le téléphone sonna. Seul un initié à sa ligne personnelle, ou un agent de la providence se gourant de numéro, faisant office de garde champêtre... Il décrocha.

— Ah, mon vieux, geignit Maximilien, quelle sous-merde ce *Couronnement*. Pardon, mais je me suis tiré à l'entracte (ce qu'Amine avait complètement oublié) ne voulant pas voir Sénèque mourir dans ces conditions.

Ô Seneca. Lui aussi, oublié. Coïncidences que ce *Couronnement de Poppée* et fin de Sénèque le soir où. Il balbutia bonne nuit à Max, raccrocha, revint à la carabine et s'aperçut qu'elle n'était pas chargée.

Brûler les livres. Profiter de l'absence de la gendarmerie (chère aïeule qui le honnissait visiblement, vaporisait du Pur-Odor pour désinfecter après son passage, et quand il venait chercher sa petite-fille, lui demandait aigrement de ses nouvelles, le considérait en ex-régente qu'agace un roturier fraîchement anobli par la lettre inconsidérée d'un trop jeune roi). Espiègleries de l'adorable enfant : Mamine je planque ton dentier si tu ne retrouves pas ma boîte ming et mon wayang que tu as RANGÉS dans un des dix placards par pur désir de *tabula rasa* au détriment du Plaisir de mes Yeux, ne seraient-ils par hasard dans un des couffins destinés aux voyages longue distance des chats ? Gare à ta perruque au cas où un de mes manuscrits se trouverait sous le jeu de Monopoly, ou la caisse de jouets dont un Zano et quelques poupées folkloriques de nos provinces, dix briques d'acompte pour mon érotique indien, spécifiait la sale youtre, tu piges mémé, grognait inaudiblement l'exécrable, pour achever tout haut : comprends-moi, ma chérie, quand on se fait un devoir de ranger il faut savoir où, sinon ça s'appelle égarer. A toi d'avouer à mes éditeurs la perte, à cause de l'abus que tu fais du rangement, d'un érotique indien et, en guise d'explication, d'arguer de ton grand âge.

Ayant assisté à un certain nombre de ces scènes, tendres prises de bec prouvant un lien indéfectible entre deux générations de femmes, Amine connaissait les cachettes des œuvres, révélées imprudemment par Maria, phobique du feu à cause du souvenir de la bibliothèque d'Alexandrie et d'un incendie qu'elle alluma involontairement dans une maison dont un irresponsable lui avait jadis confié la garde, sur la Côte d'Azur, et dont il ne resta que cendres, y compris celles d'un Modigliani. En cas de feu, donc, garder son calme et filer avec les quatre manuscrits en chantier, le reste pouvait cramer, sorry, prendre aussi ma grand-mère sous le bras, les vieillards et les enfants (bouquins) d'abord, disait-elle, hantée par une vieille crainte d'autodafé.

Il résolut de forcer sa porte. Pour la défendre, plus de grand-mère, partie, celle-là, chez une de ses filles à la campagne, seule présence à redouter, Jeanne Bogdanov, encore une démente aux ongles écaillés ou pire sans trace de féminin vernis, qu'il faudrait circonvenir, droguer ou tabasser avant d'accéder à la pièce où travaillait Tiefenthaler et, en cas de moue méprisante, s'en prendre à l'âme de ses os, ses inadmissibles écrits.

Résolu à la pyromanie, il sonna. Jeanne lui ouvrit, il demanda audience et fut conduit (sans trop de difficulté, à son grand étonnement) dans l'antre de Maria à laquelle Mlle Bogdanov annonça la venue de l'étranger du ton neutre mais précautionneux d'un chambellan.

Spectacle insoutenable : les muscles raidis comme par une crise de tétanie — maladie des nerfs endémique de nos jours, dont déjà souffrait sa mère Fernande que trop affectèrent les exactions de Fouad — alors que les vitres tremblaient sous les coups de tonnerre d'un orage estival, que vacillait le plafonnier, qu'un des chats pissait par terre, l'infante se cramponnait à sa machine Underwood, et en dépit des éclairs en chapelets blêmes, serrait les dents avec cette violente expression de désir qu'il connaissait trop bien et qu'il ne lui suscitait plus, toussait dans la fumée bleue des cigarettes, flash strident de la foudre sur ses doigts maculés après probable tripotage des entrailles mécaniques de Vénérable Épave dont il jeta un premier modèle par la fenêtre espérant qu'on ne ferait plus ledit modèle, or il en restait un disponible chez le diabolique M. Léon qui s'empressa de le fournir à l'auteur maniaque incapable de taper sur une Affreuse Machine Moderne, autre flash sur la joue gauche de l'auteur, striée de ce damné et noirâtre exsudat de la dernière Underwood trouvable sur le marché, plus une même en province, les doigts de Tiefenthaler fracassaient le clavier quand autour d'elle cymbales du tonnerre mais apparemment l'inspirée tenait son filon et en bavait d'extase fallait que ça sorte sinon constriction du plexus et mort subite. Il se figea devant le profil de l'aimée, blêmi comme par la lumière tragique qui frappa le Sinaï, gravé au burin de la foudre pour l'éternité, le vacarme du chariot, profond comme un soc, lui laboura les tempes, elle ne le regardait pas, cliquetis, à la ligne, elle appuyait sur une petite pièce qui changeait le sens d'un ruban décoloré, avant le bas de la page il n'avait aucune chance qu'elle jetât sur lui un œil furibard de sorcière juive surprise à se branler sur son balai encré, le sexe noirci de carbone Korès et sous la pommette sémite, la balafre du démon — une vitre allait se briser, pas de doute — dans le silence du septième jour les morts se levèrent en Josaphat et Maria Tiefenthaler daigna ponctuer sa phrase, tourna vers Amine Youssef ses yeux de hibou blessés par le jour, se leva, marcha vers le candidat pyromane, à ses côtés le Garde des Sceaux, Jeanne qu'aimait Maria, Jeanne à laquelle elle servait le thé à cinq heures, Jeanne qui finissait aussi un livre, Jeanne remerciée d'accepter l'accueil de cette maison depuis le départ de Mme Bachelard, longue et blonde stryge avec laquelle Maria devait concocter des battues farouches sur le Harz, Jeanne aussi marchait sur l'ennemi, parole elles visaient les yeux de leurs griffes usées par les touches de leurs respectives mécaniques, la balafrée fit un pas de plus vers le contrevenant, grâce à des pieds hélas non entravés par la chaîne des prêtresses de Tanit, ni bandelettés à la chinoise, mais de pieds anguleux chaussés de ballerines avachies, foulant l'ombre d'Amine Youssef Ghoraïeb et les vêtements de sa honte.

Il recula épouvanté comme il est écrit dans l'œuvre de Gaston Leroux, battit en retraite, longea le vestibule à reculons, atteignit la porte sans être énucléé, et se cogna dans Grand-Mère-la-Terrible, trempée, porteuse de valises, qui lui jeta le regard des imprécations — elle aussi revenait du Harz, les brûler, toutes, il bouscula peu civilement Mme Bachelard de retour du sabbat, dégringola un étage, entendit Maria, d'une voix suave, manifester son souci à propos d'un éventuel refroidissement de sa grand-mère, s'enquérir de la qualité de son séjour auprès d'une de ses tantes, annoncer qu'elle courait lui faire un thé à la cannelle et chauffer ses chaussons sur le radiateur, c'en était trop, vaincu, jugeant idiot de mettre le feu au paillasson du premier au-dessus de l'entresol, il s'en fut sous le courroux de Dieu bleuissant la rue jusqu'à l'indigo.

Tragœdia (Le Chant du Bouc)

La veille, faute d'avoir allumé la lumière de l'entrée par respect pour le repos de ses voisins, elle n'avait pas vu les mots d'amour égrenés jusqu'à son paillasson, et la concierge, les découvrant au matin, les lui avait remis avec le courrier, glissés entre une invitation à un vernissage, deux lettres d'admirateurs anonymes mais non désintéressés au point de ne pas mentionner prénom et numéro de téléphone, et une missive de son percepteur la rappelant en urgence à ses devoirs de contribuable.

— Ce doit être pour vous, avait dit la concierge, à propos des billets doux — un peu gênée, cette brave femme, mais sûre de sa perspicacité : un, les six cartons sans enveloppe où elle lut indiscrètement *jetaime* menaient droit au premier au-dessus de l'entresol porte gauche, deux, les nonagénaires épouses d'assureurs occupant la majorité de l'immeuble avaient peu de chances qu'on leur fît encore des déclarations, trois, la grand-mère de l'écrivain non plus.

Ces *jetaime*, une saisie, collée à la porte. Tiefenthaler collecta les petits mots et les brûla soigneusement un à un. La poubelle aurait pris moins de temps, mais l'incinération s'imposait.

L'instant d'après, elle n'y pensait plus.

122

— Mon beau-fils dévient dé plous en plous ennouiyeux, oun monoument d'ennoui, dit Agostina, jé mé fais dou mourron. Il sé mine. Peut-être qu'oune autre fiancée...

— Ah non! coupa Fouad qui élevait rarement la voix. La dépression de mon fils, je m'en tape. Lis *Le Monde,* et parlons du Liban, où ça barde et où il faut que je retourne pour soutenir Gemayel. Si tu dois te faire du souci pour quelque chose, au moins que ce soit pour moi ou mon pays. Ou bien si les deux t'indiffèrent, va immédiatement chez Dior, emmène la tante Chirine aux vernissages, oui, elle est de retour, ne fais pas le nez, mais ne prononce plus le nom de mon fils. Déjà beau que je lui concède une chambre sous mon toit.

Agostina, en professionnelle, fit montre d'inquiétude à propos de ce voyage au Liban et le supplia d'y renoncer dans l'ignorance des dispositions notariales prises par le patriarche.

— J'attends que ça se calme un peu, et je pars, dit Fouad habilement calmé par ce frottis à l'encolure. Tu garderas le gamin. Fourre-le en clinique s'il exagère. Les jérémiades de ce crétin renvoyé par sa ravissante sont proprement obscènes quand, au Liban, on ne sait qui tire sur qui, et que notre maison risque de brûler avec dedans quelques millions de dollars en tableaux et raretés diverses que je vais rapatrier en métropole. Cette année 75, le début de la fin.

Max décida d'aller voir Maria Tiefenthaler, se promit d'éviter le plus possible les termes psychiatriques, devinant qu'il devait y en avoir d'autres plus adéquats, mais il les ignorait.

— Il ne s'agit pas de dépression, comme le croit son père, cet imbécile heureux, mais de psychose, dit-il à la jeune fille qui le reçut chez elle avec prudence : à vingt et une heures, harnachée pour sortir, belle comme Diane et son chœur de vierges blanches, ayant pris pour la nuit son costume d'Hécate la noire, mais semblable déesse.

— Allons bon ! fit-elle, narquoise, en accrochant au lobe de son oreille gauche une plume d'oiseau rouge. Vous savez, ce n'est un secret pour personne, sauf pour son papa ce con plein de fric, sur ce sujet je suis d'accord avec vous. Et alors ?

— Et alors, hier il a ramené une fille chez lui, l'a sautée, elle s'appelait Maria et voulait écrire, fixation, il a tenu le coup, m'a-t-il dit, jusqu'à quatre heures du matin après quoi il s'est mis à ne plus parler que de vous, un torrent verbal, à sortir les photos qu'il a de vous, à les montrer à cette pauvre fille qui a failli se foutre par la fenêtre car c'est dur d'être racolée pour un prénom — voilà où il en est. Il ne peut manger ou boire que dans la mesure où ce sont des choses que vous aimeriez. Et encore, après, il dégueule, la plupart du temps. Il ne peut plus distraire sa pensée de vous un seul instant. Évocation charmante, mais ça peut se terminer en hémiplégie. Écoutez, Maria, j'y perds mon latin. Ce n'est plus du ressort de la neurologie, et si c'est du ressort de la psychiatrie, mes brillants confrères vont l'achever. Un petit séjour en clinique et il est

124

cuit. Ils appelleront ça catatonie, maniaco-dépresse, ce qu'ils voudront. Il n'en sortira pas. Il y a peut-être des lésions localisées. Vos yeux, votre nez, votre bouche, causes de lésions.

— Vous venez me dire que je suis l'agent de sa folie, peut-être ? Vous ignorez ce que j'en ai bavé, moi, mon brave.

— J'imagine. Mais vous vous en êtes sortie. Je me fiche des classements de Freud, Lacan, Deleuze, et consorts. Amine crève d'autre chose, de terrible et d'inexplicable aux moliéresques d'Occident, je veux dire les toubibs. Si je vous disais qu'il envie le poulet que vous mangez, qu'il voudrait être à la place de ce gallinacé dans votre estomac, ça pourrait passer pour une galanterie. Le problème est qu'il SOUHAITE vraiment une métamorphose en cuisse de poulet, pardon, aile, vous n'aimez pas la cuisse, et une attaque dissolvante de vos sucs gastriques, qu'il me répète ce vœu pendant des heures, et...

— C'est à vous dégoûter du poulet, dit-elle implacable.

— Le soir, vous devenez effrayante, fit très justement Max. Quel pouvoir avez-vous donc pour être remontée si vite de l'enfer où il vous a flanquée ?... De l'existence de cet enfer, connaissant Amine, je ne doute pas.

— Mes pauvres pouvoirs de femelle, Maximilien. Nous sommes, toutes, fichées au centre de la planète, les pieds là où ça brûle, je le sens à mes orteils.

— Ça doit être pratique, l'hiver. Revenons à Amine. Il tremble, il s'agite, il a des suées, il ne dort plus, il perd ses cheveux, il délire, ah ça, finie la mélancolie aboulique, il s'énerve pour un rien, il ne touche plus terre, il a failli s'envoyer dans le crâne un plomb pour éléphant, d'accord il ne l'a pas fait mais c'est l'intention qui compte, il a roulé sous les bagnoles ça vous l'avez vu, il rêve incoerciblement tout haut, il s'arrête au milieu des carrefours et y reste planté dans l'espoir qu'un camion...

— Et il n'y a jamais de camion. Ce type est protégé.

— Laissez-moi finir et ne m'interrompez pas méchamment, Maria, j'essaie de sauver un homme qui croit profondément qu'à sa quinzième et grotesque réapparition, vous allez l'aimer à nouveau, et qui meurt doucement, il n'y a plus que moi pour le supporter. Alors voilà, fin du topo, pardon, j'espère ne pas vous avoir trop retardée...

— Vous savez très bien que je passerai encore des nuits blanches à vous écouter parler d'Amine Youssef Ghoraïeb, mais mon dîner est à vingt et une heures trente. Il vous reste cinq minutes.

— Maria, qui est le démon de la perversité, vous, ou lui ?

— Vous avez la nuit devant vous pour tenter de répondre.

Il pinça les lèvres, admiratif.

— Si je rencontre votre double quelque part, je change de trottoir. En attendant, je retire ma question. Amine veut partir au Liban. Il va se faire descendre. La place des Canons est plus dangereuse que celle de la Madeleine, même pour un type *protégé*. Je vous demande une seule chose : réfléchir avant de lui refuser quelques jours et quelques nuits, seule avec lui, où vous voudrez. Pardon d'être l'homme de paille. Ne prenez pas cette demande comme un chantage. Quelque part, Amine devient grandiose dans son expiation. Vous n'êtes pas médecin, vous êtes médium. Vous seule savez quel est son mal. Bonsoir. Ne me raccompagnez pas.

Sortie du confident. Seule sur la scène, elle se cogna aux meubles, dut s'allonger cinq minutes, puis appela un taxi pour aller chez Rose qui l'attendait.

Triant ses photos (elle refusait qu'il la photogra-
phiât, vol d'une part d'elle-même, mais il ne s'en était
pas privé, naguère, et se l'était immortalisée en douce
malgré ses crises de rage) il s'aperçut qu'il bandait, or,
de même que l'appétit, cette manifestation physiologique lui était refusée depuis triste lurette. Ne lui reste
qu'à bander cérébralement jusqu'au mentisme, mais
point d'érection, sauf en rêve. De cet assujettissement,
il se croyait libéré par la nécrose qui le gagnait,
membre après membre. Un servage de plus, un impôt
supplémentaire, dont, au contraire, la froide aimée
resquilleuse ne payait pas un liard, car aucun besoin
de l'homme. Intromission dégoûtante. Temps perdu à
fixer les plafonds. Ça s'endort, le serpent du bas des
reins, disait-elle. Sorcière qui dégradait sa santé à
distance. Baiser avec une autre : fiasco, voir la petite
qu'il ramena quelques jours auparavant, Maria II, qui
bafouillait ses Mémoires de hobereaude tarée et qui dut
subir, après un monumental bide au plumard, l'étalage des photos de Maria Ire, en buste, de profil, de face,
de dos, maigre, grosse, moyenne, et même un portrait
d'elle à trois ans, qu'il lui avait subtilisé, un jour que
rue de Maubeuge elle l'autorisa à mettre le nez dans
son album de famille où il eut le privilège de la voir à
quatre pattes sur une peau de bête, le cul nu, en bas

127

âge. Condamné à elle et à perpétuité, il bandait, à la vue des photos où elle avait un peu plus de trois ans.

Il appela dix fois dans la journée, et Mme Bachelard lui signifia successivement que Maria venait de descendre, sans espoir de remontée, puisqu'elle n'était pas rentrée, impossible qu'elle ne fût pas là à l'heure du thé, il le savait, réitéra son coup de téléphone à dix-sept, dix-huit et dix-neuf heures, là Mme Bachelard excédée, les mollets courbatus à force de cavaler dans le couloir, lui dit tout de go que sa petite-fille appartenait au lignage de ceux qui descendent acheter des cigarettes et ne remontent jamais. Il renonça, usa du subterfuge qu'il espérait non éventé, téléphona chez Rose — qui, se préoccupant des choses d'amour, lui manifestait plus de clémence que les autres membres du zénana, tomba sur la fille d'icelle qui, une fois de plus naïve procuratrice du destin, lui révéla qu'on attendait Maria pour dîner et que le poulet tournait sur la broche. Il bénit ce poulet, assurance de la venue de Dulcinéa, cher poulet il le voyait ce poulet mordorant et exsudant sa graisse, depuis combien de temps tourne le poulet ? une demi-heure. Elle n'allait donc pas tarder. Il viendrait au café, chose à laquelle il s'accoutumait. Faute de partager ses repas, lui restaient le café et les cigarettes.

La savoir si près. Quelques arrondissements à traverser, par Saint-Lazare, cinq minutes de voiture. Infranchissable espace-temps. Une fois sur place, ne pas manquer de toc et faire du léger.

*

— Délicieux, ce poulet, disait Maria la bouche pleine d'une peau caramélisée huileuse enrobant un blanc ferme et sec, j'ai comme le pressentiment qu'il va se passer quelque chose d'inattendu ce soir...

— Et ça ne te déplaît pas, au fond, soupira Rose.

— Oh oh! MAIS À QUI CELA DÉPLAIRAIT-IL D'ÊTRE AIMÉE COMME ÇA? Au point des baffes sur le pont Alexandre-III, des chèques en blanc, des suicides loupés bien entendu, des chantages minables — au point de rendre l'autre FOU? Allons, allons. Quand on a suscité ça, poursuivit-elle, bravache, on joue avec, on observe, on prend des notes, on se sent extrêmement gratifié, on feint l'ennui, en fait un puits de curiosité se creuse à l'intérieur, Rose...

Elle posa ses couverts sur son assiette, changea de ton, et d'une voix incertaine :

— Il ne disparaîtra jamais. Il doit être immortel. Je le foutrais cent fois à la porte qu'il continuerait l'aubade. Très performant, l'amoureux. Et moi, Seigneur... Le revoir m'aimant, tremblant, exigeant, sadique, immonde, quémandeur, obsédé me trouble infiniment, me suffoque, me ravit, puis, après une heure d'écoute de ses litanies, je m'emmerde, je dépéris, je bâille, j'asphyxie, je voudrais être ailleurs, je me demande ce que je fous là — et puis, une réplique, tiens, il a trouvé un quatrième acte, et je cède et j'écoute à nouveau et domptée et ligotée par les mille maillons de son discours de fou je oh je — je reste, Rose. Ou plutôt je pars, pour qu'il ne voie pas combien j'ai envie de rester.

Songeuse, fourchette en l'air, ingénue :

— Au final, il est très fort, Rose. D'une force inconsciente, qui me séduit, qui me fait peur, et dont il ignore complètement l'étendue, cet imbécile, ajouta-t-elle d'une voix enjôlée qui déconcerta Rose Bourdel-Lepeuple au point que cette dernière manqua s'étrangler avec un os de poulet, fila dans la salle de bains, en ressortit saine et sauve mais de plus en plus persuadée

129

que le Levantin avait, sur tout ce qu'il approchait, une influence négative, voire mortelle, et qu'en conséquence elle ferait bien, au cas où il débarquerait, de planquer toutes ses fleurs en pots. Maria, hélas, resterait à découvert, elle ne voudrait pas accepter de rejoindre les géraniums dans le buen retiro. Damn it. Il se pouvait bien que, sous des airs qui n'étaient que vaguement blagueurs, en tout cas qui cessèrent de l'être rapidement, Maria eût été affreusement sincère, l'instant d'auparavant, si devant le Libanais, elle jouait toujours le cynisme — et, d'ailleurs, prenait sans nul doute plaisir à ce jeu et se prenait tout court à ce jeu. La peste soit des duplices enfants de Mercure.

Dans l'ascenseur montant jusqu'à l'étage Bourdel-Lepeuple, coincé entre les tétons d'une ample maritorne, il sentait l'approche d'une nausée à cause du parfum de la dame, jamais Maria ne sentait autre chose que l'*Eau de la Reine de Hongrie* et il ne supportait plus que cette *Eau*, le reste le faisait gerber, oh qu'il ne gerbe pas dans l'ascenseur, Maria Maria, jamais une exhalaison trop forte, cette dame fleurait un mélange de purin et de Guerlain, Maria imperfectible sans sueur à l'aisselle ainsi sont ces princesses de marbre, oh qu'il débande par pitié, par chance l'érection se produisait sous son imper donc pas de méprise du côté de la maritorne, il soupira, on arrivait au sixième, là-haut était cette vipère, ce chameau, ce choléra, cette merveilleuse, sa mort qui sentait l'odeur d'un temple et d'une discrète eau hongroise, il poussa la porte, encore béni de n'avoir pas été coincé deux minutes de plus avec la grosse dame sinon malaise, et piètre figure devant la jeune fille qui devait sucer les os de son poulet avec bienséance, cette jeune fille, sa mort loufoque, adolescente et farceuse, il sonna.

— Un tilleul-menthe ? un whisky ? un café ?

Cette manie des gens de vous forcer à l'ingurgitation dès que vous mettez les pieds chez eux. Certes un tilleul-menthe, pourvu que Bourdel-Lepeuple se repliât dans la cuisine et le laissât seul avec l'incorruptible qui n'avait pas bronché d'un pouce à son entrée, le cul arrimé sur sa chaise, torpillant sa quarantième blonde avec alibi de fume-cigarette, et à travers les volutes le regardant comme un ptérodactyle posé là sur le fauteuil, étrange oiseau en vérité. Ébouillanter le récipient, y immerger les sachets de ces plantes qui confèrent à l'eau un goût émétique (or, à ce propos, l'effet du boire herbé qui lia Tristan à Iseut, et réciproquement, les veinards, dura trois ans, encore deux et il n'aurait plus rien à fiche de Dulcinéa tétant son fume-cigarette avec cynisme) lui semblait demander plus de temps que la préparation d'un cocktail servi illico avec glaçons et eau gazeuse. Un tilleul-menthe merci. Il était prêt à tout, même à la décoction brûlante et fadasse. Repli de Rose. Pourvu qu'elle ne trouvât pas dans la minute les sachets. Que ça infuse. Si ça pouvait infuser. En diligente maîtresse de maison, elle devrait veiller à ce que ça infusât. Éventuellement, Rose pourrait aussi aller pisser, inespéré. Là-dessus, il se trouva tout bête, séparé de Maria par une longue table, des bougies, ce chameau dînait aux bougies tout comme au temps des candélabres rue de Verneuil — sur la nappe un plat recelant la carcasse du poulet, qu'elle dépeça sans doute de ses doigts, heureux poulet, et deux pots vides de yaourts maigres. Des yaourts maigres et du Mogadon, elles en broutaient toutes, même combat. Sveltesse et sommeil. Ô femmes d'Alger nourries de loukoums attendant, insomniaques, qu'apparût le seigneur qui n'avait qu'à choisir, tandis que ces louves androphobes veillaient à leur diététique pour elles-mêmes, chacun sait que rondeur sied à la main de l'homme, mais minceur indispensable au narcissisme de ces animaux-là. Comment retourner la situation ? Parler, en tout cas, avant que Bourdel-Lepeuple ne sévisse avec son inévitable tisane.

Il respira par le bas des poumons selon la doctrine yogi, se leva et vint s'asseoir près de Maria, ce qui n'avait l'air de rien mais demandait une énergie incroyable et s'entendit articuler :

— Amour. Pardon pour la gifle.

Il l'étreignit, bousculant la carcasse du poulet, et valdingua la moutarde à l'estragon qui macula sa manche ; la boustifaille se vengeait avec malignité, et elle recula effrayée. Considéra perplexe l'apôtre du vertige, le fou qui s'imposait tant et tant d'épreuves, infiniment troublée par ce masochisme inventif, se surprit à avoir l'envie brûlante et équivoque de racheter les péchés et les errements d'Amine qui sous passion présentait des symptômes de génie. Il le savait, ce pourquoi il entretenait l'état. La voyait-il vraiment, démaquillée, l'œil chauve, le cheveu plat, les racines fâcheusement sombres faute de temps pour le coiffeur, voyait-il ses lèvres fendillées de gerçures, ses ongles au vernis écaillé, abîmés par la frappe quotidienne sur la machine à rêve, que voyait-il ? Elle méditait sur ce chaos et cette âme monstrueuse qui lui ponctionnait la sienne. Près d'elle, un homme qui pour elle désirait mourir ou contre elle si l'on veut. Tragœdia, chant du bouc. Chantait donc le bouc. Pauvre bouc, tout à son simulacre. Par goût du théâtre, du flirt avec la mort, de l'excès, du voyage en terres étrangères, parce qu'elle était surprise (comment croyait-il encore à la réciprocité d'un sentiment fantomatique, comment s'accrochait-il encore à cette épave ?), elle ne le renvoya pas sur un fauteuil, patienta, pendant que lui, à des lieues d'elle, vaticinait, logique, câlin, euclidien, péripatéticien de la galanterie, metteur en scène de son scénario où seul, lui, parlait. Il finirait par en crever. Même un ministre ne tiendrait pas le coup, ni un avocat. Dans sa perdition, il faisait les choses en grand, Ghoraïeb. Cela dit, elle avait compilé assez d'éléments pour son scénario, plus besoin du modèle, récréation et congé pour Saskia. Cela pensé, elle se fit la remarque que si Tristan et Iseut, s'aimant, ne perdaient pas une occasion de se séparer, Amine et elle se détestant n'en perdaient pas une de se retrouver.

Revint Rose porteuse de tisane avec une grâce de canéphore. Il but cette saloperie si vite qu'il se brûla la langue jusqu'à desquamation. Demain, il perdrait de petites peaux blanches, pourvu que ça attende, car même le baiser qu'il escomptait, dût-il l'assommer avant, risquait de perdre de sa saveur en vertu de l'insensibilisation de ses papilles incendiées par cette boisson de valétudinaire — si ce baiser était le dernier qu'il lui volât, il en voudrait férocement à Bourdel-Lepeuple de cette tisane qui en aurait corrompu le goût. Son anesthésie des papilles ne l'empêcha pas d'agir lingualement et oralement pour changer, profitant de la bonne éducation de Rose qui s'en fut border sa fille à propos, lui permettant les siens.

— Chérie, cet été, le Pacifique Sud, Tahiti, Moorea (trou de mémoire, nom des autres archipels, il aurait dû consulter l'atlas, faute grave s'il plaçait les Tuamotu au lieu des Gambier, ce parangon de culture, cette hétaïre normalienne le lui reprocherait et pan).

Il regretta de ne pas avoir cristallisé sur une de ces shampooineuses qui de nos jours sont calées en psychanalyse mais non en géographie, plaça au hasard les

Tuamotu, les Gambier, les Marquises, les dissémina dans le bleu Pacifique de façon qu'elles fussent le plus attrayantes possible, devant son mutisme fonça sur l'île de Pâques, puis dériva vers l'Amérique du Sud, Cordillère des Andes, Chili, arriva tout essoufflé au Paraguay, regretta sa mention du Chili car politiquement elle n'aimerait pas, aucun Chili mon amour communions dans une haine du Chili remarquez qu'ils s'étaient bien tapé l'Iran ou la Perse achéménide sans problème de conscience à l'époque du nirvâna ils baisaient dans une chambre de caravansérail se souciaient peu des exécutions sommaires mais à l'époque inféodés à la même bastille rouge, ils vivaient hors du temps, non-lieu partout, aujourd'hui, vigilance, se soucier du moindre détail ah oui couplet sur le Liban ne pas oublier ça bardait là-bas menace d'y aller pour fusillade genre fin de Marius sur les barricades ça prendrait peut-être, le Liban, tout à l'heure, voyons d'abord les vahinés et perles du lagon — voyage de jeune cadre, d'une banalité atterrante, mais si cher, impraticable sans lui, aucun charter n'y allait, ce qu'il souligna, au hasard.

— Pour toi, c'est Tova, dit Rose armée du téléphone.
Elle qui lèvres loquetées comme Papageno, elle qui indifférente, amusée immobile, lui renvoyait l'image spéculaire d'un piètre barde, elle fille d'Akhenaton moins le bide enflé, elle couronnée du lever héliaque, elle pardonnant, ressuscitée devant le pilleur nécrophile, elle (pour elle seule, il acceptait le lagon car ne supportait pas les Tropiques, seul avantage de l'île, l'enfermement), elle brusquement s'animait, susurrait des mots tendres au téléphone, il faiblit, c'était donc ça, elle aimait Tova, il le savait déjà, il vérifia cruelle-

ment cette prémonition, elle invitait sous son nez ce graillon, par l'intermédiaire anonyme mais complice des P.T.T., à un cocktail.

— A huit heures dans les salons du George V (...) bien sûr, du soir, absurde conne (indubitable aveu de sentiment dans sa bouche) viens en jean en tirailleur sénégalais ou en tailleur tu es divine n'importe comment.

Au spectre du Commandeur, à Bourdel-Lepeuple et ses amants ambassadeurs, à la Chinetoque, aux rabbiniques, aux poètes crottés, à la gitane, s'ajoutait décidément cette revenante, moins une et elle proposerait à Tova le voyage à Tahiti en charter — là annihilé il n'aurait plus de recours, elle raccrocha.

Revint énigmatique et frivole, lissa une mèche en virgule sur le front d'Amine, lui dédia le sourire équivoque des créatures botticelliennes et ce geste de prêtresse, cette main voletante posée sur ses cheveux, s'attardant — *Allez mon fils vous serez pardonné*. Le pire. Elle lui pardonnait le meurtre de l'Underwood, le viol de psyché, l'incendie de son manuscrit et de sa garde-robe, les intolérables dîners de naguère où, ivre d'angoisse, elle voulait appeler au secours, se précipiter sur tout être humain vicinal, quand abolie et réduite elle ne trouvait plus rien à dire. Lui pardonnait pourvu qu'il sortît de chez Rose car pour des raisons d'hygiène elle n'entendait pas se coucher tard.

Il obtint la permission de la raccompagner. Rose les vit partir d'un œil inquiet, il subodora le coup de téléphone du lendemain, « *alors comment cela s'est-il passé* ». Temps béni où les femmes rivalisaient pour garder leur amant. Aujourd'hui s'entraidaient pour évincer l'indésirable. Concoctaient des mixtures nocives au mâle. Perdu d'avance, il lui ouvrit la portière avec des manières de larbin.

Comment la convaincre de ce voyage ? L'emmener

au bout du monde, pour la démythifier loin de ses semblables, sur l'anneau corallien.

L'évocation des îles ne provoquant aucune réaction chez sa taciturne interlocutrice, il embraya sur une autre destination.

— A moins, Maria, que tu ne préfères la montagne auquel cas Gstaad, le chalet de mon père, ou Chemiran, dans les hauteurs de Téhéran, la maison est superbe, il y a une piscine gardée par de vieux lions de pierre, on déjeune dehors au printemps...

Il s'aperçut qu'il avait fait l'impasse sur le Maroc. Trou noir. Que les Tuamotu, c'était pour l'été, où elle se donnait un mois de vacances comme les péquins, qu'avant l'été se situait la saison vernale, perdrait-il la tête ? Si peu si peu. Aliéné indigent, prêt à se briser à force de tension nerveuse, il se pourrait qu'au bout du rouleau, quelque chose en lui effectivement se cassât, que le cœur s'arrêtât, outré de fatigue, broyé par la machine infernale. Néanmoins, il se prépara à un tour de piste au sujet du Maroc, qu'elle prévint par ces mots :

— Je ne peux pas quitter Paris avant le dernier acte et l'exodos de ma tragédie grecque. Ça risque de me prendre quelques mois. Soleil, lions, lagons, le reste est littérature.

Il grilla quelques feux rouges, stoppa pile avant l'emboutissement dans un camion de yaourts, elle râla fermement et menaça de sauter en marche, en mémoire de Camus et de Jean-René Huguenin. Après cette tentative de suicide en commun, il partagea son mutisme, seule chose qui, pensa-t-il, leur restait à faire ensemble.

Fou chassé de l'enceinte des villes, au Moyen Age, ou lépreux aux mains écailleuses, pensait-elle en l'observant discrètement pendant qu'il conduisait sa voiture comme une épave, autrefois on t'aurait enfermé dans la Tour aux Fous ou livré aux fleuves rhénans sur les barques qui dérivaient avec tes semblables les fous, te voilà rongé, la langue saburrale, mais reconnaissons-le, aujourd'hui tu as l'immense charme mortel de la folie, tes pensées buissonnent et crépitent je les vois et les entends, elles te calcinent le crâne, tu ressembles à un olivier tordu et noir après un incendie, chacun de nous a poussé un rouage de la mécanique perverse, et je ne supporte pas l'idée que tu fasses le mariole sur les barricades au Liban, je ne peux pas être la troisième des Parques celle qui crac coupe le fil, celle en noir, Atropos. Mais je ne veux pas non plus sombrer avec toi, tu me crois beaucoup plus forte que je ne le suis, tu ne vois pas que je me contrains à la garcerie, et que j'y arrive, heureusement, sinon je serais déjà perdue — bon, le voilà qui m'entreprend sur le Maroc. Eh bien j'irai écrire la Grèce au Maroc, Delacroix y avait justement vu l'antique Hellade, à moins qu'on ne se plante, à cette allure, avant Richelieu-Drouot.

Il ralentit et chercha où garer la Jaguar. De place, point. Or il comptait s'encastrer quelque part et palabrer encore un coup dans la voiture. Guigne symbolique, car la rue de Maubeuge à deux heures du matin était vide en général sauf pour lui ce soir-là. Il tourna autour du pâté de maisons avec anxiété.

Sans doute agacée par la manœuvre, elle tapotait son sac de cuir, l'ouvrait pour y chercher, déjà, ses clés, agonie que ce rituel farfouillage, ce soir elle rentrerait, bien sûr, dans sa tanière, il jeta obliquement un regard dans le sac, en devina le contenu horrifique : les secrets, les fards, les poisons, les lettres, les lunettes, les cigarillos à la menthe, les adresses griffonnées, le passeport, la saccharine, des miettes de tabac et un chewing-gum d'adolescente, elle sortit le trousseau des clés qui, très ostensiblement, lui défendaient sa maison. Il admira ses ongles, que la laque bijoutait de grenats qui semblaient ne pas lui appartenir, pierres serties au bout de ses longs doigts, il désira aveuglément ses mains griffues, aux parties cornées si caressantes autrefois — à son si bel amour, comment, l'instant précédant la sortie de cet attirail Fichet, avait-il pu encore, empoigné par son démon nocturne, vouloir du mal.

Faute de place, il gara son absurde voiture en double file devant les boîtes à ordures puantes car grève tenace des boueux.

— Allume les feux de détresse.

Il crut qu'elle se payait sa tronche, mais non, simple mesure de prudence exigée par celle qui ne passa jamais son permis de conduire pour cause de trouille, assumait sa singularité de piéton et abominait les bagnoles ce qui donnait l'air malin au sieur Amine, avec les somptueuses siennes, quand la seule passagère qui lui importât était si peu sensible à la superbe des carrosseries et aux avantages divers des véhicules à moteur.

Il alluma lesdits feux, et émit quelques borborygmes touchant de près le pays où s'illustra Liautey, pendant que phantasmant sur un possible accident elle calculait la vitesse des taxis filant à toute blinde vers les Grands-Boulevards.

Il se vit autorisé à la suivre jusqu'à son palier. Suspect. Il obéit néanmoins, tant pis si un taxi pulvérisait la Jaguar entre-temps, plantonner devant sa porte quelques instants valait bien cette bagatelle.

Elle inséra dûment et rituellement sa clé dans la serrure, et il se crut relégué aux fonctions des cerbères qui, à New York, gardent chaque étage, en raison des tentatives quotidiennes d'agression. Elle ouvrit, avança d'un pas dans le couloir, lui fit signe d'entrer en silence, prit ses mains de vassal lépreux dans les siennes, embrassa ses doigts dans un élan, offertoire et oblation, habileté instinctive, hommage subtil à sa folie, preuve prestigieuse d'amnistie, de lointaine abnégation, puis délibérément, l'embrassa, mêla sa propre salive de guarana, de sucre et de perles vinaigrées à demi dissoutes, à celle, plutôt fétide, d'un jeune homme à tendance hépatique, n'accorda pas d'importance à ce détail, l'embrassa les yeux clos avec la véhémence qu'elle mit à cracher, des siècles auparavant, dans une vasque de marbre les glaviots spermatiques du cobra royal, soit du fils de Fouad. Il vit tourner sous ses paupières la valse de phosphènes connue des priseurs d'amylnitrite, crut que par ce geste d'obscure adoration, seule vengeance de la jeune fille solitaire poursuivant sa lente marche épique aux murs de la villa Lemmi, elle le déliait, savant prologue à cette ère du Verseau qu'elle incarnait si bien. Le crut d'autant plus profondément qu'elle le repoussa vers les lumières froides de l'escalier, dont il dégringola quelques marches à grand bruit de bottes, jouant les mousquetaires désespérés. Se retourna à la cinquième marche, comme ça se fait, aux limbes.

L'énigme, toute menue et droite, grandie comme perchée sur une invisible stalle, devant le pas de sa porte, le regardait, et lui dit d'une voix enjouée qu'elle attendait le billet pour Marrakech.

Cette fois, il débeula l'escalier sans oser se retourner ; de peur d'un démenti, guetta le bruit de fermeture d'une porte, l'entendit, conclut que la chienne mâtinée de hyène aux oreilles de chacal avait fait durer le plaisir jusqu'au moment où elle le graciait, le condamnait à vivre, c'était le plus âpre, le plus déraisonnable des dons, lourd et beau comme le poids de la terre qu'il porta sur sa nuque en déambulant, et en parlant tout haut jusqu'au point du jour.

Le matin du départ, une explosion d'acné le défigura, châtiment d'une trop grande avidité nerveuse à vouloir saisir de nouveau et pour toujours son feu follet. Acceptant sa condition d'épouse de marin et de femelle avant les règles, il camoufla les pustules sous un fond de teint emprunté à sa belle-doche, et se promit de ne pas se gratter d'une façon babouine malgré les démangeaisons — il s'agissait d'éviter le naturel, puisqu'il comptait, au sens mathématique, parler d'amour.

*

Fouad revint très abattu de Beyrouth. Le climat devenait de plus en plus insurrectionnel, il y avait des barricades de pierres et de pneus enflammés dans les rues désertes où se perdaient les balles, un silence de ville morte troué par les rafales des mitraillettes, vingt-trois refroidis et trente blessés la première semaine de mars, les gauchos contre les flics, puis décès de Marouf Saad qui avait dirigé une manifestation en faveur des pêcheurs de Saïda protestant contre l'octroi d'une licence à la société de pêche « Protéine »,

140

cette histoire de poissons donna lieu à une nouvelle flambée, tout étant bon pour que ça flambe, gémissait Fouad, qu'est-ce que la société « Protéine » a à voir avec la politique de ce pays, où c'est la grève générale bien entendu, les Orientaux adorent la guerre et la grève, abhorrent la paix et le boulot, on sait ça pour être né là-bas, dans ce bazar de merde! tant que la droite nationaliste et chrétienne n'aura pas ratiboisé les progressistes qui sont contre l'État, ce sera le foutoir, imaginez, Agostina, que Joumblatt a sauvé le gouvernement dont Rachid Sohl le leader cela au vu et au su des résistants palestiniens qui ne bougent pas d'un poil, et que ce Joumblatt se retrouve à présent du côté de l'autorité! Incompréhensible. En tout cas, Rachid Sohl ne peut que démissionner. Reste à savoir ce que vont magouiller Joumblatt et Frangié en pleine crise ministérielle. Le pays est malade. L'oncle Camille envisage de s'installer à Beyrouth pour diriger une phalange. Les phalangistes et les Palestiniens, maudits soient-ils, vont se cogner dessus, la Syrie va intervenir, derechef Israël, seul un gouvernement militaire éviterait le pire, nous sommes au bord de la guerre civile si ce n'est déjà dedans... Dans tout ça, où est encore passé mon fils le maniaque ? Honte sur moi, père de ce fils ! Un Libanais que les affrontements confessionnels de son pays avec leur terrible arrière-plan d'importance mondiale affectent si peu qu'il emmène, ce fils, une danseuse, pardon, un écrivain, et toujours le même, dans un pays arabe, ce fils qui, au lieu de s'informer des développements de la situation à Beyrouth, ne se préoccupe que de son nombril accolé à celui d'une freluquette, brrrmm...

Telle la Syrie un peu plus tard, Agostina joua la carte de l'apaisement, pas le moment d'activer le feu entre le père et le fils, assura qu'elle prierait à Saint-Gervais, son église favorite, pour la réconciliation des chrétiens

et des musulmans si le reste des manigances scientifi-
quement politiques lui échappait un peu (ce en quoi
elle ne perdait pas grand-chose, car en son for intérieur
Fouad jugeait qu'il y avait là un emboîtement d'États
dans l'État du genre poupée russe, et que c'était
inextricable, qu'avec l'armée au pouvoir on ne serait
pas fauché, que Beyrouth *delenda est* et qu'il s'agissait
de sauver les meubles, et la magnifique collection
d'armes, de tapis, de ciboires, de vases et de miniatures
indiennes qui ornait sa chrétienne demeure). Quant à
son fils, eh bien, modula l'Italienne — Amine, après
une très longue fâcherie, a remis ça avec Mlle Tiefenthaler d'où second voyage prénuptial, pourquoi ne pas
laisser ces enfants se bécoter, ça détourne au moins
Amine de son idée... cette idée... mais non, Fouad, il ne
se désintéresse pas du Liban... son idée, donc, de
s'enrôler dans les phalanges pour se faire descendre
par un franc-tireur palestinien, jordanien, libyen, irakien, ou autre, ce qui ferait une belle jambe au
gouvernement libanais, et beaucoup de peine, au fond,
à son père, conclut-elle dans un trémolo. Oh ça, grogna
Fouad, aucun risque qu'il aille se faire trouer la peau
là-bas. Mon fils est un trouillard sans aucun sens
patriotique. Pardon, Agostina, mais s'il a des couilles,
il s'en sert pour combler sa fiancée sur le plumard d'un
palace, et encore, à quinze ans il m'avait confié, mon
fils chéri, qu'il souffrait d'éjaculation précoce: Brillant
sujet. Enfin, espérons que la patrie (et ces Druzes
panarabistes qui se disent patriotes!) ne sombre pas,
que la maison d'Achrafieh reste en place, qu'il n'éja-
cule pas précocement un môme dans le buffet de la
demi-juive, et qu'il obtienne une mention au concours
des Beaux-Arts. Demain, j'ai mes émirs. Dites à Aziz de
préparer un gigot très cuit, ils l'aiment très cuit, plus
que moi encore, du carbonisé, un méchoui. Non,
Agostina, je ne souffre pas de mes contradictions. Le

142

boulot, c'est le boulot. Remarquez que ceux-là, ils feraient mieux de raquer pour qu'on les débarrasse de leur pétrole, car du Caire à Téhéran ça va chier vous pouvez m'en croire. Quant à nous, ici, on pourra renoncer aux lave-vaisselle, télé après dix heures, bagnoles et tout le fourbi mondain, bref, à la civilisation dans son ensemble.

Il abordait les pipelines en Alaska et les gisements pétrolifères au Mexique, quand il s'avisa que son épouse ronflotait sur le divan. Ah les femmes ! se dit le trivial patriarche. Sans queue ni tête, vraiment.

Les oranges amères de Marrakech

Dans les souks de Marrakech, elle se baladait à un mètre de lui, pas moyen de rattraper ce farfadet déambulant entre les échoppes, il ne voyait d'elle que l'exubérance de ses cheveux, lâchés sur ses épaules grêles, un coude pointu et chamoisé par le soleil, rattrapant son cabas tressé, mais ne le serrant pas contre le thorax à la manière de tant de touristes paniqués par les voleurs à la tire, dont la jeune kleptomane qui le précédait n'avait pas la moindre trouille, car même confrérie. Il ahanait et suait, la perdait, envisageait phobiquement qu'elle se fît enlever, la retrouvait, furibard, rencontrait son regard indulgent et tentait de retenir cette nomade (« belle comme la gazelle », hurlaient les gosses qui lui cavalaient après pour la regarder, *plaisir des yeux*, et non pour l'arnaquer sur le prix d'une peau de bique) d'une maigreur pénitentiaire, Maria moqueuse, qui tournait vers lui une face biffée de deux rides d'érudition sur la partie frontale, Maria qui à trente berges aurait toujours l'air précoce et les doigts piqués de tétanie, Maria aux yeux de chouette, emblème de sa très chère déesse Athéna, Maria cuirassée d'airain et de hâle, tavelée d'éphélides après une somnolence au bord de la piscine de la Mamounia, à l'heure de midi. Où était-elle encore passée ? Il s'affolait comme une duègne ayant paumé les infantes et les ménines de Castille. Cherchait dans les bigarrures des souks, sous les claies tigrant la lumière, ce derviche susceptible de disparitions magiques, la jeune fille au sourire cannibale et meurtri qu'il aimait et qu'il craignait tant de perdre. Où diable le jean collé aux fesses légèrement disjointes par l'ascèse, et le tee-shirt blanc sous lequel, malgré le facettage aigu de la maigreur, pointaient les seins de cette gourgandine à la savate traînante mais preste. Inutile de préciser que, dans les souks où, nue sous la cotonnade, elle arborait ces deux boucliers busqués, le malheureux, qui n'avait pas résolu sa fixation à ce sujet, vivait un enfer car tout le Maghreb se devait d'être rivé au balancement agressif des susdits seins ! Pas de doute, il s'agissait d'un enlèvement au sérail, il avait bel et bien perdu sa trace, or une calèche les attendait déjà à la porte du souk juif, pour les ramener à l'hôtel.

Pendant qu'il marronnait, elle débattait avec un vendeur de peaux de caméléons séchés et de chauves-souris pulvérisées des vertus de telles panacées, avec lesquelles on doit se frotter vigoureusement dans un but d'exorcisme ; il finit par la découvrir, palabrant au seuil de cette caverne que gardaient des racines de mandragore, approuvant gravement du chef — Amine, fit-elle, je viens de faire quelques emplettes, entre autres de la chauve-souris pilée, ça peut servir, les gens sont si méchants, on n'est jamais à l'abri. Ce soir, je me frictionne de chauve-souris, ça va sentir bon. Mais ne m'arrache pas le bras, le type de la calèche (inexplicable bouffée d'émerveillement dans l'œil et rigolade sous cape) attendra... Dites, ça, c'est bien pour les lèvres ?

Sur l'acquiescement du mercantile sorcier, elle frotta son doigt humecté de salive au rebord d'une coupe de terre rouge, s'en farda les lèvres et regarda gentiment, de ses yeux au blanc bleuâtre comme ceux des tziganes, le jeune homme éperdu, penaud, qui ne savait plus de quel trésor rouillé acheter la petite fille dont le sourire sanguin s'ouvrait sur des canines de martre, et une denture éclaircie par son hâle négroïde.

Dépaysement, commenta Amine le Piteux dans la calèche qui s'éloignait des souks à l'odeur de fiente et de poivre pour trotter, longeant les murailles des palais et tombeaux saadiens, jusqu'à la Mamounia. Elle le considéra d'un air somnolent, pauvre type touristique qui jamais ne comprit les vadrouilles et le repaysement dans l'éden gracié encore, pour un bref moment, des terres africaines. Un type très occidental, au fond, malgré sa gueule mauresque — des soupirs, à présent. Ce Boabdil II en poussait énormément depuis qu'il ne la gouvernait plus, s'il lui épargnait le discours pompeux des amants acharnés à entretenir leur mal, discours que Maria, crispée aujourd'hui, mais n'en montrant rien, sur la tendresse ambiguë qu'elle gardait pour lui, aurait reçu d'un éclat de rire radieux et navré.

Il la savoura un peu, dans la calèche — sa tête indolente livrée au vent du soir, ses yeux assombris de grisou dit khôl khâjal, ses membres de grillon repliés, toute sombre et rétrécie, face de poix comme *La Lune en le Palais du Temps* d'un ancien poème de Perse.

Il savait de façon chaque jour plus évidente que ce voyage n'était qu'une mesure dilatoire, ne mènerait à rien et que, sauf efficience des pouvoirs du *haram* (appeler ce soir sa mère qui menaçait de clamser, le cœur mon fils, c'est le cœur, et le choc en retour qui est allé droit à cet organe, j'ai été trop loin pour ton bonheur et ta délivrance mon fils, j'ai abusé de la science des pentacles et ce n'est que justice...), loin des flicards amoureux et des éditeurs dont la compagnie et les services avaient également cessé de l'intéresser, l'horripilante enfant railleuse, alanguie à l'autre bout de la calèche, cette peste grande âme et grand cœur s'en irait bientôt seule du côté de Java Central, aux îles des aras et des derniers dragons, non avec lui vers l'archipel des Gambier — elle qui, à lui qui la voulait corps et âme, aux autres qui en voulaient monnayer l'intellect, ne rendrait ni gorge, ni corps, ni cœur, ni âme, que dalle, sauf sous peu les hommages d'un auteur absent de Paris.

Dans les jardins sombres de la Mamounia, il lui tenait l'épaule à la lui déboîter de peur qu'il ne la perdît encore, et voletaient dans le silence feutré, outre de membraneuses chauves-souris dont elle rapportait des ailes pilées, quelques démoniaques idées inspirées par Shaitan ou Iblis, le même, prince des Djinns. Voyager, quel leurre. A nouveau, il ne sentait rien, ne voyait rien, ne faisait que se déplacer d'un lieu à l'autre, par, pour et à travers elle, qu'importait donc le nom des villes...

— On respire, avança-t-il, touchant le fond de l'ignominie.

— Le chèvrefeuille, concéda-t-elle hâtant le pas. Ciel plus qu'une heure avant le dîner ne pas gâcher ça, motus SVP tribut à la splendeur de ce jardin d'aigues-marines, oh bouclez-la vous gâcheur de silence, violeur de la provisoire paix d'une nuit coranique. Elle lui accordait son chèvrefeuille, mais supportait plus difficilement l'amplitude accrue de sa respiration (à cause du bon air, sans doute). *Cave, cave, Deus videt*, chuutt poumons trompetteurs, que seules se lèvent les oraisons du soir... Dix coups de fouet pour paganisme, Amine Youssef.

Dans la chambre (vue sur la piscine, terrasse idéale pour éplucher les oranges d'Orient, croquer les lèvres aimées et alterner avec les grains vineux du chasselas marocain, cela en contemplant le théâtral jardin du palais endormi) elle se rua sur son cahier auquel elle avait envie de parler de la mort et des sorts, sur ce, après une absence chiottarde due à l'ingestion de keuftés, il se pencha sur son épaule et lui demanda comment elle allait. De l'obscène stupidité, l'amoureux talonné par l'angoisse devient le champion, outrage le bon sens, raisonne comme un coffre, badaude malhabilement, se transforme en Auguste et en emplâtré, ainsi de notre héros. Elle répondit Bien merci, pensa l'assommer pour cette question abstruse, appliqua des mains crochues sur sa feuille pour la préserver, réflexe pavlovien acquis depuis les méfaits du Sire le More — chez elle ses papiers ne couraient de dangers qu'en raison des folâtreries félines, mais les chats, au pire, s'asseyaient sur un chapitre, ou une page blanche, dont il s'agissait de les écarter avec une douceur diplomatique, soit d'écrire autour comme Céline. Elle reprit sa phrase.

Il aurait désiré que ce soir-là, pour dîner au restaurant marocain de l'hôtel, elle daignât se récurer et se polir les ongles dont le vernis se salpêtrait. Il contempla les ongles, impuissant. Elle ne vernirait pas, écrirait. Il ne retrouverait pas le temps — regret infantile et masculin d'un paradis qui, en fait, n'avait pas été si vert que ça — où à Beyrouth par exemple, pendant qu'elle calligraphiait, en silence, il se passait déjà sous son front d'amant cabochard des choses innommables. Déjà, velléité de la tuer, quand elle lui offrait son profil tanagréen, dérobé par la grand-voile

148

de ses cheveux qu'elle changeait de bord en allant à la page, qui fouettait son autre épaule, et tombait en taille-vent dru sur le vélin, bleu de signes qu'elle masquait aussi d'une patte courbe, en lycéenne méfiante des voisines plagiaires. Or au lycée, elle filait ses dissertes contre monnaie sonnante, Miss Tiefenthaler, élève distraite, coincée entre la fenêtre et le radiateur, ou les échangeait contre le devoir de maths car là, zéro pointé. Un tantinet plus adulte (?) elle redoutait à présent la main basse d'un amant sur sa feuille quadrillée, cela, sous prétexte futile de succions, toujours hors de propos et toujours quémandées au moment exact de l'Inspiration, ce phénomène non identifié, insulte à ceux pour qui il s'agit de l'entrée de l'air dans les poumons, bien que cette stase divine soit qualifiée par l'audacieux Pierre Larousse « d'état de l'âme directement influencée par une puissance surnaturelle ». Carrément. Donc, à Beyrouth, dans la chambre du Vendôme, Amine, furax, réduit à ce brassage physiologique d'oxygène, et à la lecture de *L'Orient-le-Jour*, reniflait, bâillait, toussait, invoquait sa mère qui jamais ne l'avait déserté ni livré ainsi à lui-même — sachant qu'il était dangereux — ne comprenait plus les cheveux brise-bise sur le papier, le mutisme de celle qui prononça quelques instants plus tôt des mots d'allégeance qu'on ne reprend pas, or se parjurant elle couchait sur son cahier, d'une précise écriture cunéiforme, un grand pan d'inconnu, pendant que lui bandait rien qu'à voir sa féerique pieds nus divaguant ailleurs hors de contrôle et à des kilomètres de son rivage. Lui, naufragé, bandait fermement et, à bout de stoïcisme, finissait par la sortir de sa transe, néanmoins en ce temps révolu d'un Liban en paix et de leurs fiançailles, elle acceptait, lui donnait un baiser rétif, une caresse ennuyée mais compatissante, semblait approuver les exigences de la latinité masculine,

149

cessait de l'intimider par son hiératisme de scribe que n'avaient pas modifié, pendant ses quelques heures de travail assidu, les éructations, hoquets, et éternuements ostentatoires et raclements de gorge de son amant, revenait sur terre, à lui et non à elle, se laissait culbuter sur un lit, puis, hagarde comme après un évanouissement, se lustrait, se rimmelisait, se pollinisait en son honneur et pour aller dîner près de la mer — en ce temps perdu, elle refermait son manuscrit à vingt heures trente alors qu'elle aurait jouissivement éjaculé des mots jusqu'à minuit. Lors, il ne se cachait pas qu'il la maudissait d'écrire, et lui faisait déjà expier cette fuite par moult perturbations, questionnaires oiseux, palabres à propos des coups de soleil et du choix d'une cravate. La pauvre faisait courageusement mine de s'intéresser à ces choses, le conseillait en matière de cravate et renonçait à l'envoyer sur les fleurs, car elle l'aimait, jadis.

— Cinq minutes encore, Amine, j'arrive...
Culot des culots. Après une brève douche, Maria Tiefenthaler, sobrement et uniquement vêtue d'un slip string de teinte saumon, au lieu de se préparer, revenait à son fichu cahier, imposant à Amine Youssef une tentation des plus grossières, alors que celui-ci l'attendait, habillé et poncé, après les vingt minutes nécessaires pour domestiquer ses cheveux et calmer ses rougeurs, si, bizarrement les Méditerranéens cloquent, pèlent et supportent mal les ardeurs de Phébus — ainsi disait narquoisement sa rieuse bien-aimée, sa rieuse au sang de serpent, exhibant à l'heure qu'il était (celle de descendre dîner) une anatomie nymphique, une peau caramélisée et, comble de la juvénile provocation, des seins à la courbe mise en évidence par la

trace lactée d'un maillot dont, au Maroc, il vaut mieux ne pas quitter le haut, sous peine de lapidation, si l'on se trouve dans la vallée du Dra, ou d'expulsion polie de la piscine, dans un hôtel cinq étoiles. Il crispa les masseters et garda un reste d'honneur.

*

Il n'avait plus faim, et reluquait ce mirage : sa bien-aimée, au restaurant de la Mamounia, suçant les cartilages d'un pigeon aux olives et citrons, arrachant de ses doigts brunis quelques lambeaux de chair délicate, puis, ne faisant pas plus de quartier d'un poulet aux amandes, raclant, avec l'indécence d'une sensuelle gourmette que comblaient les denses nourri-tures orientales, la sauce grasse du tajine. A présent, redevenue linéaire, elle pouvait impunément s'empif-frer de gras citronné ou amandé, car, secret des dieux et anomalie d'un métabolisme carburant comme une chaudière, elle brûlait tout ce qu'elle avait avalé, à la seule condition de ne pas sucrer son thé à la menthe, cette ogresse plus efflanquée qu'un chien sauvage. Elle était, ce soir-là, vêtue d'une altière djellaba noire soutachée d'argent qu'elle avait marchandée la veille dans les souks et fini par emporter gratis, en sus d'un plateau de cuivre, et c'était tout juste, avait chuinté Amine, si les types du souk ne lui auraient pas filé l'ensemble de leur stock vestimentaire, pour ses beaux yeux — ici, il me faut préciser que Maria tenait pour des raisons énigmatiques à payer elle-même cette noire vesture de prêtresse, et qu'Amine se vit poussé de par la fourberie complice de sa douce et du vendeur à l'achat d'un tapis berbère du coût de dix mille francs, qui valut à la jeune fille, par-dessus le marché, les dons

151

susdits. Résultat de cette habile stratégie, un tapis absurde sur les bras, et, sur le dos de Maria, ce vêtement califal noué d'un gland d'or entre les seins, solennel comme une robe d'avocate ou une des gandouras d'Abd el-Rahman III. Tenue effrayante. Dehors, la lune roulait des flots de vif-argent dans la piscine, où il eut envie de s'immerger.

Maria qui, depuis sa libération, vivait avec l'éternelle, la gargantuesque faim aux tripes des sous-alimentés, aurait bien roté de satisfaction si elle avait su comment, et lui vanta inutilement la carcasse du pigeon, à laquelle restaient accrochés quelques délicieux morceaux à ronger.

— Choc en retour, Amine Youssef. On dirait que vous boudez ces tajines. Sans doute votre maman en fait-elle de meilleures.

(Elle lui trouvait, soudain, un visage ingrat, de la couleur des bronzes chinois patinés, c'est-à-dire fâcheusement olivâtre, le gars devait souffrir d'une inguérissable obstruction du canal cholédoque.)

(Quoi, elle savait ? Elle avait une tête de gnostique éclairée, la garce et du broyat de chauve-souris sous les semelles. Elle savait, donc, que Mme Benkamou avait enterré, au fond de son jardinet, le voult fait à son image et un cœur d'oiseau percé et pour le couscous d'amour nécessaire à un Retour d'Affection, demandé à son fils, lors de sa dernière visite, la main desséchée d'un homme occis de mort violente, requête qui le fit hennir de terreur, et juger de plus en plus dangereuse cette goule qui refusait de lui révéler l'endroit où furent enfouis le viscère en question et la dagyde de cire... Misérables pratiques, qu'il aurait dû défendre à une mère obscurantiste et malheureusement née dans ce pays de sorciers où il venait de commettre l'erreur d'espérer un petit mieux en y emmenant sa chérie, la pire des magiciennes.)

152

Ce soir-là, elle écrivit sur la terrasse, en buvant force thé à la menthe sans sucre. Il finit par s'endormir en détestant cette robe noire qui la rendait fatale et hors d'atteinte. Pourquoi avait-elle accepté ce voyage ? Le mur du son les séparait, et, décidément, il ne comprenait rien à cette fille auprès de qui Scapin était un franc bonhomme.

Ne la verrait-il plus, une fois rentrée en France, celle qui, au bord d'une piscine d'un bleu dur, croquait le savoureux triangle d'une pastilla entre les feuilles de laquelle aucune sorcière n'avait fourré de datte préalablement mollie dans sa partie intime, celle qui donc se vengeait des poisons d'une première pastilla en déchirant à belles dents le feuilletage sucré d'une seconde, un peu moins dorée que sa peau... En position de singe accroupi, jouant des mandibules et de ses alertes prunelles, elle salivait sur les petits os du pigeon sous la couverte sèche de ce gâteau dont elle ne laisserait pas une miette — si, une miette pour un chat fugace, venu lui frôler le genou. Pour Amine, pas une miette, pas un regard. Autour d'elle, le danger. Des tripotées d'huiles du coin, de ministres et de vizirs, sans compter les touristes, qui mataient la juvénile grignotant son goûter, puis, repue, égoïstement préoccupée d'une anatomie à rôtir avec précaution, au prix d'une huile ou d'une crème différente pour chaque partie du corps charmant, et lui émasculé supportant ça, la fille qu'il aimait, à peu près nue devant les autres et sous ses yeux baisant avec Amon-Râ, jambes disjointes pour que se patinât la face interne des cuisses, dépravation, grognait l'obsédé qui se gardait du soleil à cause de son foie déficient et préférait voir à Dulcinéa un teint de

154

pierre-de-lune ou de concombre que cet engobe fauve qui l'habillait de décence, ok, mais comment endurer ses tortillages de croupe quand elle dénouait le haut de son bikini en vue d'un bronzage dorsal uniforme, puis, catastrophe majeure, quand elle se repliait comme un papillon gracieux afin de se cuire le plexus, là, fatalitas, le soutien de cette gorge exquise bâillait, dégringolait, il fallait qu'elle le domptât et l'arrimât de nouveau à son buste, et en quelques secondes le maître nageur, le garçon apportant du thé vert, ou un acteur de cinéma à l'anatomie polyclétéenne avaient eu le loisir de voir un ou deux seins nacrés dont l'aréole d'un rose bruni jaillissait même parfois hors du fameux soutien — autre torture, Mlle Tiefenthaler arborait consciencieusement des maillots string, quelques centimètres de coton et deux ficelles relâchant souvent leur attention, or la porteuse de string, en un jeu de jambes miellées, adoptait souvent la position yogi de l' « Adepte » ou Siddhahasana, et Amine *perinde ac cadaver* subissait la vue d'un infime duvet châtaigne, friselant à la lisière du slip qui bâillait grâce au laxisme du cordonnet le retenant à l'escarpement des hanches brunes. Puis, changeant de posture, Mlle Tiefenthaler prenait une ample inspiration décontractante, et les convives de pierre, autour de cette piscine, pouvaient admirer la perfection des longues arcades osseuses de côtes dont elle vérifiait d'un doigt l'adéquate saillie, tandis que lui, sanglé, érigé, entravé de désir, cloquait au soleil, ne digérait pas la pastilla, se brûlait avec le thé, trouait les matelas des mégots mal éteints de ses Gitanes, vanné de passion, tendu comme la corde d'un arc, ô Dieu des maronites, ô Cocteau elle était « plus ingénieuse que les bourreaux d'Asie, plus fourbe que le cœur, plus désinvolte qu'une main qui triche, plus fatale que les astres, plus attentive que le serpent qui humecte sa proie de salive », la sphinge

155

bouclée au bord de l'eau tressant les lourds varechs de ses cheveux dédiés à Yemanja du Bénin, et on appelait ça des vacances, et les voyeurs disaient : quel joli couple — oui, couple pénal.

Et il l'avait suppliée de venir au Maroc, et elle avait accepté de si incompréhensible façon, celle qui se tannait tranquillement dans la lumière fouailleuse lutinant le bout de ses seins, voire introduisant un linga brûlant entre ses cuisses... Cette fornication avec le soleil, une prodigieuse amoralité, mais toutes les mêmes, soudain femelles aplaties, ouvertes, offertes à ce dieu igné, conquises, jamais plus femelles que sous l'intolérable zénith, et de se vaseliner, de s'enduire de lait de coco, d'huile d'olive ou à traire les vaches, de diverses mayonnaises destinées à une pénétration orgiastique plus profonde, car, possédées somnolentes, au vu et au su de leurs mâles, elles jouissent, se prennent un orgasme d'acier, les yeux clos, les membres écartelés — les siens plus que ceux des autres, elle qui à cette minute exhibait sa plastique, un idéal squelette à la colonne où on discernait à devenir fou la déviation d'une émouvante scoliose, les os menus comme ceux des pigeons dont on farcit la pastilla, parmi les vingt-sept vertèbres d'un grêle arc dorsal celles du sacrum, du coccyx, les apophyses transverses, supérieures, inférieures et épineuses — à la vue de ce revers scoliotique d'une médaille bronzée, il s'étranglait de rage jalouse et courait, après le bain, chercher un peignoir blanc pour dérober aux autres la charpente divine de son impudique, cent quatre-vingt-dix-huit os ainsi dénudés sous un derme diaphane comme pelure d'oignon, il ne s'agissait pas que l'acteur de cinéma tombât raide dingue du sac d'ossements, défaillît devant ses clavicules pointues à lui donner l'air d'un dinosaure nouveau-né, ni ne s'éprît de la finesse de son articulation scapulo-humérale, du tranchant de son os iliaque, ou de la ligne âpre de son fémur. La chaleur, par-dessus le marché, évaporait les deux sous de chair d'une telle famélique, dont ne restait qu'une splendide épure de misère, qu'elle ne devait pas à des excès sexuels, que non que non, mais à la consomption volontaire — et plus question d'employer la persuasion pour la traiter à l'huile de foie de morue, au miel d'acacia ni aux bouillies céréalières; un triangle de pastilla à quatre heures comme les gosses, et le soir un tajine sur lequel, en revanche, elle sévissait avec grande fringale. Il occultait donc les cent quatre-vingt-dix huit os de son amour sous un peignoir-éponge, tentative vouée à l'échec, car elle s'en défaisait en grognant, et lui intimait l'ordre — ou plutôt lui donnait la seule permission — d'étaler de l'huile fleurant la tiaré polynésienne sur son dos de vahiné cachesexique prenant, à force de bains de lumière, la teinte du bois de Macassar. Le père Tantale pouvait se féliciter de son sort. De la gnognote, comparé à celui d'un certain fils de Tyr.

Voyage absurde pendant lequel il ne la toucha pas. Apprit de sa bouche innocente qu'elle entretenait des relations espiègles avec un nouveau mec, qui l'escortait dans le monde. Voulut la tuer et la prévint de même qu'il vitriolerait Tova Bogdanov qu'elle voyait trop. Supporta son sommeil de droguée, incapable, cette fois, d'un viol physique. S'avisa du changement. Une sorte de respect l'emportait sur l'avide hostilité d'une passion. Nul besoin d'épée entre eux pour qu'il ne se jetât pas sur elle comme un dément. Certes, les séparaient l'écriture, les somnifères, ce pays étranger où cette transmigratoire avait déjà vécu, il croyait le continent africain vierge pour elle, eh bien non, ce pays la reconnaissait et la protégeait autant que l'impérialisme de la dictée qui la fracassait net devant la table d'une chambre d'hôtel dont lui, pendant le temps qu'elle poétisait, vidait le frigidaire d'alcools variés, pillait la corbeille de fruits, avalait cent grains de raisin sans cracher les pépins, recensait cent chevaliers servants possibles pour elle, un par grain de muscat, préméditait cent homicides, déraillait avec un grand bruit de train fou, restait hébété, sur le lit, contemplant, de Maria, la nuque que n'avait pas hâlée le soleil et que dénudait une crinière blondie et jugulée en queue de cheval encore emperlée d'eau, les omoplates tendues de velours foncé par une bronzette lascive, étourdiment prolongée sur un matelas, sous les palmes et le grand ciel bleu islamique. Ce voyage n'aurait pas été parfaitement inutile au sens où il put profiter de la vue de ses omoplates, *plaisir des yeux* selon l'idiome local, chiffonner tendrement quelques slips de bain humides, et surprendre son abandon dans la calèche où elle avait été si belle. Mais, en retrait, à des éons et des éons de lui, pour qui elle n'avait qu'amabilité, pas l'ombre d'un sadisme conscient, sauf peut-être quand elle lui joua le tour du tapis à une brique pour emballer une djellaba gratis, de fait, elle ne lui devait pas ce vêtement, elle ne lui devait rien, l'Orient pour elle se montra toujours gratuit, elle pouvait s'y barrer peinarde, jamais n'y crèverait de faim, sans parler de l'Extrême, sa matrice, le plasma moussonneux où elle clapotait béatement et vers lequel peut-être bientôt elle repartirait, loin de cet homme dont la vie n'était qu'une succession de nausées, d'écoulements lacrymaux et séminaux — comme, bien qu'il se gardât de le lui dire, il la comprenait.

*

— Première, coupez.
Attroupement autour d'une équipe de cinéastes tour-

nant un film dans les jardins de l'hôtel. Maria, jouant de ses coudes affûtés, se glissa au premier rang. Béate. Elle adorait les supercheries du cinoche.

Il la surprit en flagrant délit de convoitise adultérine, si jusqu'à sa mort il s'estimait son époux. Il y avait, portée sur un pavois, munie d'un chasse-mouches, une princesse naine, un monstre pailleté, jambes repliées sous elle ou tronçonnées, une Dinarzade de harem aux magnifiques yeux de jade clair que fusillaient le soleil et les spots. Il sut, à son immobilité, à l'entrebâillement de ses lèvres, à une expression violemment assoiffée, qu'une émotion bouleversait aux larmes Maria, voyeuse impénitente. Résumée à un faisceau nerveux, elle vibrait d'un désir de guépard ramassé en boule, croupion frétillant, avant de sauter sur une antilope. Il ne s'étonna pas de lui voir sortir son carnet de route, sur lequel elle griffonna ce que lui suggérait la scène.

— Caméra ça tourne on reprend (puis, idem, en arabe). Attention Moteur Clap Cinquième — des Plans je veux des Plans sur elle, de gros Plans, hurlait un Marocain en tutu juché sur une haquenée balsane.

Les esclaves hissèrent le pavois, un Arabe en smoking éclata de rire, et le nez de Maria suivit l'ascension de la naine scintillante aux yeux absents, ombrés de cils lourds, qui, figée, boudeuse, avalait sa salive, chassait les mouches et, cause du trouble, ressemblait à Tova Bogdanov. Il l'arracha à ce spectacle sous le juste prétexte qu'ils allaient rater leur vol et, là, il tenait vraiment à quitter ce Maghreb qu'il jugeait si funeste à sa cause.

*

Dans l'avion, elle ouvrit son agenda et lui annonça qu'elle ferait retraite jusqu'au 25 juin, pour terminer son livre. En l'honneur de ce point final, un émir druze, récemment acquis à sa cause (il ravagea un de ses derniers boutons d'acné), allait donner un dîner au Plaza, où elle souhaitait vivement sa présence. Que de largesses ! Il viendrait, éminence très grise, mais (reprenant la partition) si ce 25 juin, elle lui donnait un espoir que tout pût recommencer entre eux comme aux origines et non sous forme d'escapade touristique qui (disait-il) ne menait à rien... à rien ? Mener ? Pourquoi un chemin ? *La pierre, c'est le chemin*, dit-elle, citant le Paracelse d'une nouvelle de Borgès qui traitait de la résurrection alchimique d'une rose. Et puis, l'immanente beauté du Maroc ne lui avait-elle pas suffi ? La Koutoubia excisée d'ombre sur le ciel si clair, la nuit ? La menthe poivrant le thé d'ambre dans les sempiternels verres fleuris ? Les crépuscules roses sur les remparts d'argile ? Il grogna. Si plus d'espoir, s'interdire de se rencontrer au fond de l'impasse. Elle soupira que les hommes voulaient toujours aller quelque part, que la hâte est le fait du Démon, et que... Devant l'évidente misère d'Amine, se tut, puis lui promit de réfléchir — pour avoir la paix — et, astuce, d'arborer la robe de Bethléem, celle de leur premier dîner, si, au terme de cette cogitation, elle concluait qu'un recommencement était possible entre eux et que donc il aurait permission d'ôter cette emblématique robe après le dîner au Plaza. Paroles dont elle se repentit aussitôt. Qu'avait-elle bu, trop de thé à la menthe, cette convention allait obnubiler l'esprit malade de celui qu'elle suppliciait, sans trop s'en apercevoir, comme on supplicie inévitablement ceux qu'on aime de miséricorde, et qui, soumis, passifs, bringuebalés en tous sens, continuent de vous aimer incoerciblement, drainés par une force d'ordre magique, ceux qui vous récitent des prières dont, les sachant par cœur, ils ne comprennent plus mot, ceux qu'on a le tort mystérieux de ne pas répudier et par là, d'anéantir. Ceux qui réclament un dû de souffrance qu'on accorde par charité pouponnière et horriblement amicale. Ceux dont en vain celle ou celui qui n'aime plus cherche la complicité et l'affection, pourvu que ce sentiment reste convenablement lointain et d'une totale innocuité. Impardonnable démarche. Elle ne mettrait pas cette robe rouge, lui éviterait cette épée de Damoclès : un sort suspendu à la couleur d'une robe.

Malgré les souhaits secrets d'Amine, l'avion n'explosa pas en vol et se posa à Roissy, nom qui n'évoquait plus pour Maria qu'un souvenir littéraire et non un ancien départ doré vers le Liban.

Bien entendu, il acceptait ce dîner au Plaza, en l'exécrable compagnie de cette Tova aux yeux d'huître et d'un druze védantiste. Avait-il une seule fois récusé la plus élusive de ses convocations ? Mais il se pouvait, pensa Amine, que ce fût la dernière, car, mâle, il avait le sens de l'histoire, si elle, femelle, n'entendait rien que le grondement continu de la planète tournant sur elle-même, et ne déciderait donc d'aucune fin, trouvant idiot d'en créer une de toutes pièces, elle qui vivait si crûment, se pigmentait au soleil, puis desquamerait, puis saignerait chaque vingt-huitième jour si ses règles daignaient se manifester à nouveau, poursuivrait l'écriture de ses lentes mélopées courbes, refuserait toujours les plans tirés sur de fallacieuses comètes — Maria, étroite confluence de fleuves clairs et limoneux, abhorrait les sacrifices impliqués par tout choix, et le gaspillage d'énergie due à toute décision, il le savait fort bien. A lui, heureux porteur de phallus, de créer l'événement. Elle, ensuite, accommoderait. Il envia terriblement les femmes.

... Comme de la longue aiguille
avec laquelle on encloue
l'ombre des vivants...

Congé jusqu'au 25 juin. Extrêmement décavé, il jugea le moment propice pour rendre visite à Madame sa mère, qui, dans son sept-pièces de l'avenue Émile-Deschanel, se sédentarisait d'autant plus que la paralysie gagnait du terrain, que bientôt il lui faudrait, outre son infirmière, une chaise roulante pour l'aider dans ses déplacements. Mais dans la tête, Fernande Benkamou cavalcadait énormément, disons qu'elle déménageait sans trêve.

Il apprit par l'infirmière suisse qui l'introduisit que Madame avait eu récemment un malaise, on crut à une embolie, mais non, les nerfs du cœur s'étaient, selon Mme Benkamou, noués comme une couronne de lierre autour du palpitant qui commençait à se fatiguer de battre toujours à la même cadence, travail fort barbant que celui du muscle cardiaque, reconnaissons-le. Ce n'est pas pour rien qu'on en a fait le siège des passions qui sont une vraie chienlit et du chiendent à arracher, sic l'affreuse Mlle Tiefenthaler, à propos de ce problème crucial.

— Toujours avec cette viziresse des djinns, mon fils ? se soucia cette mère aux abois devant le teint verdichon et les cratères creusés par l'acné dans les joues d'Amine. Qui dirait que tu reviens du Maroc !

Pourtant on mange des choses délicieuses, là-bas, la pastilla par exemple... Et te voilà si maigre, mon fils ! et cette maladie de peau !...

Il pria sa mère de ne plus employer le mot « pastilla », pour lui faire plaisir et gonfler facticement ses joues, se permit un petit grignotage anxieux de baklavas du genre à étouffer l'imam le plus gueulard, ce qui réjouit sa mère qui confectionnait elle-même ces matefaim, si elle ne pouvait plus, comme dans sa prime jeunesse, malaxer sa propre pâte lunaire, aux vertus magiques et polyvalentes, un truc très efficace en tout cas, vu que sans pâte lunaire elle ne serait pas l'exépouse de Fouad, déshabillée, lavée, poncée par une infirmière suisse, très à l'aise dans un petit Trianon, dont elle pouvait faire le tour en une journée pour de chaque fenêtre suivre les phases du soleil, noble occupation — MAIS À L'HOSTAU.

L'infirmière genevoise jugea que si la mère d'Amine grisonnait, comptait ses pas, et s'avachissait à une vitesse grand V, le fils malgré ses vingt-huit ans avait quelque chose de déjà chenu, de décrépit, dû à son regard terne et aux rides précoces ravinant sa face vert-de-grisée. Mince, se dit l'Helvète en posant sur la table le plateau du thé et les douceurs (spécialités d'Afrique du Nord qui provoquèrent dans l'estomac d'Amine un ressac nauséeux) entre la gâteuse et l'autre qui m'a l'air tout à fait dans le potage, le beau tableau ! et elle s'éclipsa, sur ordre de Mme Benkamou d'aller chercher des babouches pour son fils, malgré les protestations de ce dernier, jurant qu'il n'était pas revenu à la nage puis à pied du Maroc, et que... bon, il serait dans ses petites babouches, et accepta d'enfiler ces plates savates de cuir sous l'œil comblé de maman. L'antre des sortilèges ressemblait, soupira-t-il, toujours autant au musée Nissim de Camondo, bientôt on mettrait des cordes de velours rouge devant les merveilles d'ébénisterie et les tableaux de Vigée-Lebrun.

Mme Benkamou perdait toute notion du temps, ce qui épargnait au moins un souci à son fils auquel elle ne pouvait reprocher l'espacement de ses visites, croyant toujours l'avoir reçu la veille — un premier janvier, quand s'annonçait le mois d'avril. Mais là, le changement physique d'Amine lui fit croire qu'elle ne l'avait pas vu depuis dix ans, elle repéra un fil argenté dans sa chevelure à l'envol un peu moins romantique — jamais il n'eut ce crin flasque, plutôt gras — et s'indigna, son fils déjà blanchissant devait donc l'avoir abandonnée depuis une éternité, à moins que ce ne fût l'influence heureuse de la d'jounna, la sorcière, qui l'ait ainsi abîmé.

— Elle ne m'aime plus, et je l'aime trop, voilà, c'est une histoire simple, maman, dit-il, maintenant puis-je avoir un café turc à la place de ce thé vert dont j'ai ma claque ? AH NON AH NON (ayant surpris un éclair dans l'œil de sa mère), tu ne liras RIEN DU TOUT dans le marc (un vice, que cette lecture du marc, chez les femelles), sinon, je refuse de boire.

A la pensée que son fils pérît de soif, elle se leva avec difficulté, et béquilla jusqu'à la cuisine, car point n'était question qu'une Helvète fît du café turc.

La lenteur de la préparation permit à Amine une sieste, dont il fut éveillé par l'âcre senteur d'un café à ragaillardir une troupe de Bachi-Bouzouks.

— Je le savais, dit maman Benkamou revenue avec le breuvage. La viziresse est plus redoutable que le Chitane maudit. De surcroît, elle est juive. Elle fait sûrement dans le kabbalistique ET la magie arabe. Toutes les traditions se ressemblent.

— Ça, je l'ai vue cracher dans son mouchoir des hosties de morve, maman ! Trêve de plaisanterie, je voudrais enfin savoir — nous sommes entre obscurantistes, n'est-ce pas? — où tu as planqué le cœur d'oiseau si gentiment lardé d'épingles qui en théorie devait me l'amener cuite, puis m'en dégoûter, si je me souviens exactement de tes dires à propos de ce viscère?

— Mmmm, fit maman Benkamou, l'air coupable, reluquant avec désespoir les géographies tentantes tracées par le marc dans la tasse de son fils — bah, elle verrait ça après son départ, mais quel dommage tout de même... Ah, dans le jardin, mon fils, mais où précisément, je ne sais plus. Es-tu sûr qu'elle ne nourrit pas de crapauds? Veille-t-elle très tard?

— Où est cette ignoble diablerie, maman, et la dagyde, j'allais oublier la dagyde!

— Aucune idée. M'as-tu rapporté une main de supplicié pour rouler la semoule du couscous d'amour? demanda sereinement Fernande Benkamou.

— ?

— Mais au Maroc, mon fils, on en trouve partout, quand il y a un roi, il y a des supplices, tu aurais dû penser à la main... Bois ton café, ça va refroidir. Avait-elle des allures bizarres, là-bas?

— Certes, maman, *vous avez dit bizarre*, ricana-t-il.

— Elle a certainement combattu sur le même terrain, s'exclama Mme Benkamou sans saisir l'allusion à une célèbre réplique, et approcher quelqu'un qui fait de fréquentes sorties en astral, vois-tu, mon fils. As-tu eu des rapports avec une autre femme, depuis ton retour?

Il la regarda, effaré, cette fois ce fut lui qui ne saisit pas, tant la chose lui semblait énorme, puis il émit un petit *non* sec et sévère.

— Nouement d'aiguillette! Ces juifs kabbalistes sont très forts. Elle doit porter sur elle un sceau de

Salomon — que la pointe s'en inverse et lui tranche la gorge !

— Ne te fais pas de mouron à propos de ce sceau, elle en avait un, effectivement, mais elle l'a paumé peu après le début de l'idylle, maman. Cela dit, au Maroc, je ne l'ai pas connue bibliquement une seule fois.

— Pourquoi mon fils ? Vous ne dormiez pas dans la même chambre ? Elle te claquait la porte au nez ?

— Niet. Nous dormions dans la même chambre. J'étais paralysé. J'ignore pourquoi elle m'était aussi tabou, mais c'est ainsi.

— C'est ainsi — eh bien, ce n'est pas une femme, mon fils, mais une manifestation du Plérome ou de Shaitan.

— En tout cas, le Plérome est dans une forme fantastique, et bronzé comme un batelier du Nil, fit Amine, un peu vasouillant dès qu'employait le langage des gnostiques une mère dont la raison avait craqué à force de larder des cœurs dans un but exécratoire.

— Récitait-elle le Psaume 72, *Quoniam Bonus Israël Deus,* matin midi et soir ?

— Le matin, et le midi, elle pionçait, puis se dorait de l'épigastre à l'hypogastre jusqu'à cinq heures, maman, avant notre promenade en calèche. Non, elle ne parlait pas latin. Elle était exorcisée, vois-tu. Exorcisée de moi. Complètement. Il a suffi pour ça des actions de grâces qu'elle rend aux belles choses du monde, et à elle-même pour commencer.

Mme Benkamou s'en irait du cœur, ce viscère qu'elle employait si étrangement, et de la force duquel sien elle abusait, car elle buvait aussi du café turc en quantité inconsidérée. Mais là, même une troisième tasse ne parvint pas à la remonter.

— Qu'a-t-elle rapporté de Marrakech ? n'oublie rien.

— Une chauve-souris pilée et une robe noire.

— Noire ! noire comme les perles des femmes de

167

Goulimine! mugit Mme Benkamou qui n'avait pas entendu le début de cette réponse. Ursula! Ursula mon petit (à la Genevoise), mettez de l'encens et de l'ambre dans le brûle-parfum, sinon nous serons tous incommodés d'ici peu. Mon fils, elle doit se livrer à des pratiques impures, telles que forniquer avec un chien le jour de ses menstrues, évidemment, tu n'as pas eu la bonne, l'excellente idée d'en recueillir une goutte sur son linge?... Fils imprévoyant! (Il soupira qu'elle n'avait plus de règles, ce que n'entendit pas non plus sa mère.) Elle doit aussi se laver avec son urine et évoquer le Démon derrière un fagot de résineux allumé! Je vois du sang, mon fils, beaucoup de sang... Pas de tarots ni de marc aujourd'hui, trop dangereux... Laisse-moi, à présent, il faut que je travaille sur cette femme qui t'a renvoyé un tel choc en retour, et malheur sur moi qui ai mésestimé ses pouvoirs. As-tu une photo d'elle?

Il en trouva une dans son porte-cartes, la lui tendit — il n'était plus alors le jeune Scorpion prêt à récolter impunément (et tout en les moquant) le fruit des manigances de sa mère et des djinns, mais rien qu'un pauvre hère tout contusionné, qui demanda expressément à Mme Benkamou de ne pas faire de mal à Maria Tiefenthaler, et la permission de dormir sur le canapé du salon, car il n'avait pas l'énergie de rentrer rue Murillo où l'attendaient des questionneurs immergés dans le rationnel, auxquels il préférait les élucubrations de cette vieille dame de Pique, qui savait que l'amour est sorcier ou n'est pas. Il n'y avait que la Maghrébine fêlée pour piger la situation. Laquelle Maghrébine donna ordre à la Genevoise de préparer le meilleur lit de la meilleure chambre pour son fils unique et meilleur des fils, ce qui fut fait helvétiquement, et presto.

Tomba la nuit.

Pendant que Mme Benkamou travaillait sa pâte lunaire, faite de musc, de mastic, de benjoin blanc et de coriandre, en prononçant avec conviction :

« De même que j'ai descendu la lune dans de l'eau qui coule, de même je veux que cette pâte fasse couler le sang de cette femme comme coule l'eau dans une rivière, sans que rien puisse l'arrêter... »

Donc, pendant que (si évident était le sortilège : un fils amaigri, assidu à dépérir, verdi comme fiel de lézard...) Mme Benkamou tentait avec l'aide du djinn Moadhib le Doreur de provoquer chez une quarteronne juive ce que les médecins qualifient de dysménorrhée, jusqu'à ce qu'elle en crevât de fatigue, cela en toute ignorance du caractère rebelle des menstrues de la jeune fille, lesquelles se pointant une fois toutes les décennies, auraient exigé, si Mme Benkamou avait été au fait de la chose, une action particulièrement soutenue sur les esprits convoqués.

Pendant que Mlle Tiefenthaler très enrhumée levait son pur visage pour distiller dans ses narines quelques gouttes de Balsamorhinol au parfum d'orange amère, avant de relire un passage d'Isaac B. Singer où il était question d'un certain Joel Yabloner qui traduisit une partie du Zohar en yiddish — au moment où, si on l'eût interviewée à propos d'Éros, sereine, se félicitant de la douceur de son oreiller et de la dureté de son matelas, la jeune fille aurait peut-être répondu d'une voix brumeuse de barbituromane : « Éros ? Bah, rien qu'un demi-dieu ! » A l'instant où, pleine de clémence envers le maniaque querelleur son amant, elle imprimait à l'oreiller le poids léger de sa tête et éteignait les feux pour que, dans son sommeil paradoxal, en naquissent d'autres sur les sommets enneigés du Cithéron.

169

A ce même moment, au fond de sa honte et du jardinet, devant le rez-de-chaussée silencieux de l'avenue Émile-Deschanel, Amine Youssef, garçon frôlant parfois le génie, au mental industrieux, se prétendant jusque-là agnostique, retournait et sarclait frénétiquement le terreau des minces plates-bandes, pour mettre la main sur une poupée de cire ou un cœur lardé qui devaient s'être amalgamés à la glèbe depuis un bail, mais, forcené, défrichait et saccageait les plantations de sa mère cette magesse de pissotière maghrébine (postillonnait-il), cela en vain, bien entendu. Exténué, il s'appuya sur le râteau du jardinier, et renonça à toute haute idée de l'homme. A peine sorti des cavernes, en vérité, ce palencéphalique bipède, réduit à croire aux envoûtements, à cette mascarade magique de femmes, à attendre la fin d'un livre écrit par son aimée et la soirée du 25 juin pour voir de quelle fatidique couleur serait la voile de la nef portant Iseut vers Tristan valétudinaire.

Au matin, Ursula découvrit Amine prostré sur le canapé d'un salon encore ténébreux, et Madame, dans sa chambre, terriblement immobile sur une chaise, devant sa table à ouvrage sur laquelle elle avait dû malaxer de l'alun, du clou de girofle et du poivre (dont on retrouva les traces) en se plaignant selon toute probabilité (seuls les djinns en furent témoins) de ne pas disposer d'une cervelle de hyène pour l'obtention d'un mélange véritablement détonant. La cire d'une bougie noire s'était consumée, de même la vie de Madame, rupture anévrismale, tumeur d'une artère percée comme de la longue aiguille avec laquelle on encloue l'ombre des vivants.

Au matin, Maria Tiefenthaler s'éveilla, huit heures, impensable décalage horaire, elle s'agita, sortant d'un cauchemar dont elle s'irrita d'avoir oublié le souvenir, et dut reprendre un barbiturique.

Quelques jours après la mort de sa mère, le 13 avril exactement, Amine se sentit dégrisé, coupé du monde, se demanda quelle incroyable force de destruction l'avait ainsi poussé à se tordre, épileptique, sur le carreau ou la chaussée, jusqu'à ce jour où soudain rien ne lui importait plus que de s'aboucher sur un ailleurs, autre chose, une autre folie, celle, par exemple, d'une poudrière où ça tirait de vraies balles. Or ce 13 avril 1975, à Beyrouth, un autobus palestinien fut mitraillé lors de sa traversée d'un quartier chrétien, il y eut vingt-sept morts destinés à en engendrer des milliers. C'était le début de la guerre civile.

Fouad• proclama que, dès qu'il aurait réglé ses Affaires Importantes avec les Arabes, il foncerait au Liban pour refroidir pas mal de leurs coreligionnaires. Agostina ululait, trouvait inacceptable qu'il y ait des Arabes avec lesquels on fît du commerce et une autre race d'Arabes qui était à génocider, et retenait son époux par les basques de sa robe de chambre ottomane. Si Fouad, après ce jour d'avril, se garda bien, malgré ses menaces, de quitter la rue Murillo, l'idée germa dans la tête d'Amine que, si là-bas on mitraillait à l'aveuglette, ici sa cervelle n'était plus que broyat, donc qu'il n'avait rien à perdre en partant au Liban, où il retrouverait un chaos temporel qui cautionnerait (ou

172

annulerait) le sien. Sur un charnier, il serait un type parfaitement à l'aise. Charnier pour charnier, il préférait celui d'une guerre saccageant le pays de son enfance aux montagnes érémitiques d'où était descendu, pour se battre, l'oncle Camille. Il lui tardait de retrouver ce vieux cèdre boiteux. Fouad le vit avec surprise dévorer *L'Orient-le-Jour* et ne plus rater l'heure des informations. Que son fils fût passé de la mélancolie à la manie pour une inconstante qui lui coûta des sommes impensables et le réduisit à la plus complète sujétion — ainsi était formulée la version patriarcale de l'affaire —, il le déplorait, mais lut dans des ouvrages de psycho format poche qu'on pouvait considérer ces excès, propres au tempérament nerveux, comme les deux faces d'un même mal. M. Ghoraïeb se dit qu'il venait de tout piger, et ferma le dossier. Taré il est, taré il restera, confia-t-il à son épouse qui ne pouvait guère lui opposer d'arguments en faveur d'Amine, au su des millions dépensés à tort pour l'achat de la mousmée juive.

Mais à présent, le rejeton manifestait des symptômes de volition héroïque. Il s'était également redressé de quelques centimètres, depuis le décès de Fernande et cette histoire de bus fatal, et on sentait dans l'air des bourrasques nouvelles. Fouad avala sa salive avec difficulté quand Agostina lui dit avoir vu son fils (ce pantin désossé, ce sans couilles et sans tripes, ce malade du foie et de la tête, ce crachat que la charmante Mlle Tiefenthaler écrasait sous sa semelle, et qui lui coûta...) recenser les armes disponibles dans l'appartement, et lui certifia (il avait toute confiance dans la lucidité d'Agostina, sauf le jour maudit où, cette belle qualité s'estompant, elle mit son fils sur les brisées du bas-bleu croqueur de diamants) qu'Amine n'avait pas l'air de vouloir s'en servir pour trucider, comme à l'ordinaire, son ex-fiancée ou un des amants

173

de celle-ci, mais de foutre le camp avec, au pays de ses ancêtres. Qu'aient poussé à cet efféminé des couilles plus volumineuses que celles de son père, et qu'il s'en allât faire le coup de feu au nom du Dieu des maronites, lui parut incrédible. Néanmoins, il fallait reconnaître que son fils avait changé. L'âme neuve, l'œil d'un vert hardi et comme décapé, Amine Youssef, peu à peu, se mettait à ressembler au jeune prince qu'il fut, quand il troublait le front des gamines, place des Canons.

Défi au mythe et aux lois du genre

Le 25 juin 1975, à vingt heures trente, elle cercla son poignet de la montre aux lapis pharaoniques qu'elle se louait d'avoir gardée et en ajusta le fermoir qui écorchait toujours ses veines au revers du poignet. Ce soir, elle l'arborerait pour lui plaire, et lui donner un signe de reconnaissance, et lui signifier la paix. *Pax tecum*. Peindrait ses lèvres d'un aplat lustré, deux accolades chasseresses, Dior *Sanguine*, qu'il aimait. Ils se retrouveraient inchangés au parvis des fêtes de l'été parisien. Ils auraient l'un pour l'autre des amabilités de lutteurs japonais avant la première prise, par un hasard concerté, envie de pisser au même instant, se cogneraient devant les toilettes, dans celles des dames, elle rectifierait le rouge *Sanguine*, dans celles des messieurs, il ferait de même avec le nœud de son smoking, lui pauvre amour dont elle suivit la dégringolade d'un œil si intéressé. Qu'elle poussa dans le gouffre — chacun son tour, bel ami — et se pencha au bord pour voir comment ça roulait et si au fond, ça suscitait un plouf ou un bruit mat.

Elle eut un soupir charriant des mois d'hypnose, de guérilla, d'embuscades, de tendresses hostiles, d'homophagie, d'échanges de calices contenant les pires poisons, et chercha dans la penderie sa robe rouge. Il fallait, ce soir, qu'elle la portât. Autant demander aux

175

fleurs de ne pas croître vers le soleil et à la terre de changer son écliptique, qu'à elle de mettre une autre robe que celle que tissèrent les Moires et qu'elle acquit pour trois sous en Israël. Or, point d'oripeaux sang-de-bœuf.

— Mamine, sais-tu où est la robe de Bethléem?

— Au pressing, répondit Mme Bachelard qui fourbissait l'argenterie pour le thé du lendemain avec sa copine Mme Blanche qui fêtait sa quatre-vingt-cinquième année, dont beaucoup de fois quatre saisons sans homme, l'heureuse dame, veuve à trente ans.

Au pressing, la robe fanal, la voile que devait gréer la nef porteuse d'Iseut rentrant à Tintagel et qui, par la faute de Caherdin, lequel ordonna de l'abattre à cause d'une tempête, hâta la mort de Tristan. A vrai dire, elle n'en tira pas de telles conséquences, trépigna de rage, se rasséréna à la vue de sa djellaba noire (quelle méchante joie de pickpocket elle eut à le voir banquer une somme folle pour un tapis, achat bien cruel puisqu'ils ne le fouleraient pas ensemble, et dont elle lui vanta le bleu saphir et la taille *ad hoc* pour SA chambre, dans l'appartement paternel, avant de se saisir de la robe noire, si gracieusement offerte par l'établissement dit « Porte du Sahara »!). Après tout, ce vêtement signifiait une dernière connivence, évoquait un souvenir précaire, conflictuel, d'intimité, elle l'endossa et, dans tout ce noir austère, se trouva iphigénique.

Il choisissait les boutons de manchettes de son smoking — le même qu'il avait porté le soir du bal chez les Rajpoutes. L'œil-de-tigre irait très bien. Aurait-elle seulement le temps de voir la teinte et la matière de ces petites choses-là? Douteux, car tout se passerait très vite — plus vite qu'elle, la madrée, ne le pensait. Risque ultime : voir Maria Tiefenthaler, à vingt et une heures quinze, dans le jardin léché du Plaza, et ne pas faiblir. Affronter l'indifférence de son regard de verre, et la légèreté fluante de son désaveu, après deux mois d'éloignement. Oh ! qu'elle lui donne tout ça, et par ses agiles manières de signifier qu'il ne lui était plus rien, soit, un brave sigisbée à sa disposition, qu'elle lui rende sa liberté. Qu'il pleuve le jour du départ pour ne pas regretter le soleil du Sud, stupide souhait de touriste. Qu'elle soit des pieds à la tête tramée de caprices bien aériens et bien révoltants, qu'il parte sans trop de peine au Liban flinguer les Druzes, les Joumblatti, qu'il devienne un faux héros auquel les maronites dresseraient un piédestal, s'il en revenait indemne. Guerroyer aux côtés de tonton Camille, lui parler sous les roquettes d'un auteur d'ascendance bessarabienne, romantisme généreusement absurde mais au diable la pruderie, la litote et la constipation du cœur. Éventuellement, crever pour deux causes ubuesques : une patrie qu'il ne connaissait pas, et une passion qui ne pouvait être autre chose qu'impossible, si elle méritait bien son nom. Démarche très propre néanmoins à mon fichu signe plutonique de mort et de résurrection, ça je sais, dit-il au garçon rajeuni, d'une beauté luciférine, en smok et en pied devant le miroir qui le reflétait sans dégoût.

*

Il se tenait très droit, au seuil du jardin.

Le sourire de Maria découvrit des gencives pâles et resta accroché, idiot, au-dessus de la décence et des chairs peu calcifiées. A ce dîner bleu, dans le joli patio

177

gourmé du Plaza, planquée derrière les fleurs et les sempiternelles bougies, elle n'attendait que lui, et dès qu'elle le vit, s'éclaira à tel point que les voisins crurent à un lever héliaque.

Ils se ressemblaient tant, les séraphins fangeux, ivrognes plantés au même carrefour, celui de Thèbes, tour à tour jouant le rôle de la sphinge ou du voyageur, semblablement gangrenés d'orgueil, forcenés aux ailes de cire tant de fois fondues lors des envols, tant de fois recommençant. Êtres de fatalité. Elle se leva afin d'aller vers lui et comme pour ouvrir un bal avec Amine son amour, digne tel le Seigneur de Tillai, devant qui elle ployait sans rompre, pour qui flambaient les autres torchères de ses joues, se cabraient ses reins et pleuvrait encore son sang, alla, prête à danser avec Çiva Natarâdjâ sur le sol de Chidambaram ou du Plaza-Athénée, alla du pas des statues en marche vers celui dont elle admirait si fort la déraison, alla paumes ouvertes, sans baguette magique, nigaude sublime, démunie, si mince dans sa robe noire, alla le rejoindre pour qu'il lui fît l'amour ou un baisemain, pour lui murmurer à l'insu des autres *mon enfant mon amant mon détestable archange,* je suis ta sœur, ta maîtresse, ton double noir et ton double doré, ton mauvais sort ton épreuve et ton salut sans doute, pauvre fou de Bassan mazouté qu'avons-nous fait de nous-mêmes.

Il vit la robe noire, glissée dedans, la garcé calibrée au moule pour d'implacables jeux — non ma sainte capable de lénifier tous les lions alentour, à ces jeux-là je ne jouerai plus, je connais tes tours de magicienne, tes dérobades et réapparitions impromptues de singesse bouddhique, ô ma vénérable Impératrice de Chine dernière du titre car après plus aucune femme n'aimerai et ne traiterai en impératrice, tiens, près de toi et la Bogdanov, un faciès oriental, peut-être l'émir druze, il ne perd rien pour attendre ton émir druze lui aussi transmigratoire — presque gai, il la salua, la pria de l'excuser, il ne pouvait rester mais tenait à lui dire adieu, claqua des talons à la manière gestapiste, et s'en fut, la remerciant en silence de n'avoir pas mis sa robe rouge ce soir-là.

Sa beauté androgyne étant particulièrement funeste ce même soir, nombre de donzelles se retournèrent sur le passage du sombre jeune homme qui leur procurait un frisson émoustillé voire un émoi humectant leur ravissant slip de satin. Ce sombre jeune homme s'en allait à la guerre, sentait déjà la poudre, avait sur le visage un reflet d'incendie, dans ses cheveux une fine poussière et quelques bouts de cervelle, à sa ceinture un flingue certainement à moins que ce ne fût dans sa poche, l'ensemble à faire défaillir les princesses, imbéciles pâmées.

Une méprise, se répéta Maria accablée, je l'appellerai demain ou tard dans la nuit. Il a repéré l'émir à ma gauche. Tristesse, le voilà jaloux de l'émir. Quelle extravagance ! Il n'a rien vu. Pourtant ce soir j'étais douce au toucher comme un vêtement de Kacilindi et mes lèvres fruits de la bimba[1] pour les lui donner. Amine puni comme moi, héros battu, devant les portes du ciel où tu n'entreras jamais. Au moins on aurait pu faire le pied-de-grue ensemble, en engueulant saint Pierre. Je ne voulais plus, Amine, de vos processions larvaires, de vos pèlerinages misérables vers moi l'absente. Nous sommes deux adolescents monstrueux, jamais la passion de Roméo et de Juliette n'aurait résisté au traitement que nous avons infligé à la nôtre — je vous aime et c'est affreusement douloureux, vous

1. Le Lalitavistara.

ne me comprenez pas plus qu'un pamphlet en yiddish, mais entre nous lien de secte, singulière empoignade, trésor maléfique gardé par nos chimères, mais trésor véritable, on me dit que votre mère est morte et vous devez souffrir, derrière vous table rase brûlis plus rien, dans quelques heures, au milieu de la nuit, je vous appellerai... Glorieuses sont les couronnes de vos genoux, mon aimé.

*

Le téléphone sonna dans la chambre d'Amine, rue Murillo, mais personne ne répondit. Il avait émigré dans un hôtel du Marais pour y passer la nuit et décaniller au matin à l'insu des valeureux chrétiens de sa famille et à l'abri de leurs louanges inquiètes au sujet de son sens de la patrie, il n'y avait pas moins patriote que lui et c'était pour le moins la plus fausse des situations. Le personnel du Parc Royal vit arriver un type en smoking — dans sa terreur de réveiller la maisonnée, il avait filé sans s'être changé, avec ses valises, dans lesquelles : un treillis, un survêtement de gymnastique, des slips, une brosse à dents et un browning — charriant son barda et demandant d'un ton déterminé qu'on le secouât à sept heures du matin. Ce petit hôtel hébergeant des êtres de transit et une bohème plutôt échevelée, nul ne s'étonna. De disponible, il ne restait plus qu'une alcôve sous les toits, il trouva ça idéal, regarder le ciel pendant une nuit où il ne fermerait pas l'œil car il n'avait pas trop d'une huitaine d'heures pour parfaire sa prise de conscience.

A la reine qui coucha avec son fou

Cette piaule ressemblait au cagibi de l'Esmeralda, mais son occupant n'avait plus grand-chose de commun avec celui qui agonisa dans cet hôtel d'où on pouvait évaluer la hauteur des tours de Notre-Dame, rapport à une éventuelle précipitation. Dans la poche de son treillis, un billet aller simple Paris-Beyrouth, décollage le lendemain matin à neuf heures. Sans somnifères, il se donna une dernière nuit à vivre en compagnie de cette fille avec laquelle il but le boire amoureux jusqu'à décervèlement, Stella Marie, Marie la juive. Un vent frivolant qu'il mit dans un sac où il n'eut plus la force de siffler, un vent qu'il voulut faire tomber jusqu'à ce que règne la bonace — soit la mort.

Il venait de la revoir, non sous sa forme de vent, mais de courtisane écrivaillonne, et se demandait comment, à cause d'un nez parfait, de trois paillettes entre les seins, d'un rire tintant comme le bris d'une flûte de champagne, d'une inclassable ingénuité, elle avait pu gommer le monde et le mener, lui, aux confins de la folie... Puis se souvint impartialement qu'au début de cette étrange maladie, les premiers symptômes lui en semblaient salvateurs, peu lui importait alors que le monde fût occulté par cette virtuose du coup de gomme, puisque avant la maladie d'amour, CINIS ET NIHIL, cendres et rien, il n'y avait rien, de ce monde,

181

qui lui parût digne d'attention. Néanmoins, ce parcours d'un labyrinthe aux parois gravées de signes, entre lesquelles il avait crapauté un an, lui sembla une déraison si grande que l'amour éprouvé pour cette fille s'y perdait, englouti. A présent il n'avait plus besoin d'elle, l'extra-lucide, pour lui raconter ce qu'il ne voyait pas. Il voyait fort bien. Fini du contre-jour. Même la nuit était d'une irrécusable lumière.

Or ceux qui, depuis les débats initiaux, non moins passionnés et insanes car il s'agissait de Dieu donc en principe d'amour et de quelque chose d'indiscutable, n'avaient pas résolu leur conflit imbécile à propos de la nature une ou duelle du Christ, s'égorgeaient aujourd'hui en son mince pays et perpétraient, par-delà la mer, une autre iniquité.

Restait à savoir ce qui comptait davantage devant le cosmos, les vaticinations de Joumblatt et de la gauche libanaise pro-arabe, les représailles des chrétiens, de si bons chrétiens, les coups de boutoir des Palestiniens, la mort violente d'un peuple, provoquée par des schismes millénaires, des querelles de clocher et la balbutiante paranoïa des hommes dès qu'ils sentent le poids d'un flingue sur leur cuisse, ce chaos-là, ou celui qu'avait instauré, en huis clos, un type jusqu'alors sans foi et bourré de lois, dans sa propre vie et celle d'un écrivain à la prose bouleversée, entrelaçant ses phrases sonores comme des mantras, un poète quoi, affronté à un sentiment pour lequel il n'était pas fait, effaré par les sermons ratiocineurs de ce type qui, en vertu de ce concept d'amour, ou de l'idée qu'il en avait, jugeait que le poète en face lui devait allégeance et don total de lui-même, pendant que des hommes, partout, assassinaient des hommes. Estourbi, il envia l'oncle maronite qui se faisait trouer la peau à Beyrouth, défendait le quartier d'Achrafieh (à lui tout seul sans doute, le curé herculéen) tandis que son neveu peaufinait une

182

succession de suicides loupés sous les fenêtres d'une petite fille qui n'en pouvait mais, et depuis belle lurette montrait devant ces outrances une face tout aussi interloquée que celle qu'Amine, cette nuit-là, tournait vers le profond ciel d'été.

Elle, maintenant. Qu'elle ne finisse pas brûlée vive dans un asile d'aliénés comme la Zelda Fitzgerald ! Elle, amazone erratique qui aurait dû exhiber un sein brûlé de Lybienne pour qu'on sût d'emblée à qui on s'adressait — eh non, la paire tenait ferme, haut arrimée à la vergue de ce mât balancé par les flots, fleuves de sang, de pus, de mercure, de glaires, d'or, la frêle embarcation ne faisait pas le détail pourvu qu'elle fût charriée au gré d'un flux sombre ou laiteux tels le Rio Negro ou l'Amazone, il lui fallait toujours être emportée par le courant, une sacrée insubmersible, toujours cinglant vers Tarsis et Ophir et non le lit d'un homme, seul port où elle ne devait pas s'ancrer, seul port dangereux, plus dangereux que les tempêtes, port dont le calme la pourrissait, la vermiculait, en dégradait la voile et en ruinait la coque...

Or, à lui d'être — d'avoir été — le débris que le cœur de la vague aurait rejeté d'un hoquet, l'épave, du latin expavidus, effrayé, dont personne n'aurait revendiqué l'appartenance — voilà ce qu'il en coûtait de s'attaquer à une sorcière pire qu'au Maroc ou en Thessalie où elles sont fameuses, une strige dont le regard pouvait brûler le tronc d'un chêne et dont la plume cramait le papier. Chère maman, vous pouviez toujours vous aligner. Vous en avez peut-être clamsé par ailleurs. Il est évident que quelqu'un d'aussi gentil que Mlle Tiefenthaler n'aurait pas voulu ça. Pas la faute de Mlle Tiefenthaler si elle a quelques dons parmi lesquels celui de renvoyer les sorts, et celui, moins fatal aux pauvres magistes, de déjouer les pièges avec une agilité que même les chats...

Maria, ma mie au sourire ébréché, dit-il à la constellation du Capricorne, ma mie aux yeux ciliés comme le pourtour d'une paramécie et à la lourde feuillée de cheveux couleur d'automne, Maria, ton art de danseuse hindoue à exprimer toute la gamme des sentiments — sauf l'amour, sur la fin — grâce au va-et-vient de tes prunelles et aux écarquillements de tes mains... Je suis maintenant une part de toi, le bulbe d'un de tes cheveux, un cil de tes cils, un coude de tes neurones, une papille de ta langue, or, je l'ai constaté *de visu*, tu as tragiquement pâli, ma belle, quand, auréolé de la gloire factice de ceux qui partent, je suis entré dans ce jardin. Nul n'échappe à cette dialectique infantile, je m'en vais et donc redeviens désirable. Même toi ma sublime, reine qui as couché avec ton fou, tu en subis la règle. Félone, louvoyeuse, je vous aimais tant. Il t'a suffi de me voir en partance, et ton cœur oisela, comme disaient si gracieusement les trouvères, et tu te transformas en lancer de colombes, et pourtant tu portais le signe noir, et c'est tant mieux — je pars et je reste en toi au plus profond. Un jour, on va calancher, chacun son jour, chacun son heure — après ça, je ne désire plus qu'on nous couse dans le même cuir de cerf : tu tiens trop à ton indépendance. Si je reviens, je saurai si tu es morte ou vive, fût-ce dans vingt ans — à des kilomètres, je reconnaîtrai le froissement amical de tes jupons d'été ou le ferraillement ennemi de tes bottes d'hiver. Tu as donné à mon existence un bien étrange sacrement, jeune fille — ou est-ce purement un peu de sacralité ? Tu as réuni Éros et Antéros, le jour et la nuit, la haine et l'amour, le feu et l'eau sans que l'eau éteigne le feu, je trouverai de par le monde des bribes de toi accrochées aux patères des montagnes, ton haleine camphrée car si fraîche mêlée au vent des sommets du Chouf, les ongles de tes orteils, aux coquillages des grèves de Tyr, et nul autre que moi ne les ramassera.

Là-bas, le ciel n'est pas émasculé et ses colères sont la mort des hommes et les hommes bandent pour la mort et tombent transpercés de mille sexes de plomb. Grâce à toi je pars. Grâce à toi mon sourire, couture défaite, est devenu une échancrure vive. Bien sûr, je pourrais, au lieu de haranguer cette constellation indifférente, te laisser une lettre. Je suis un peu saoul, j'ai bu du cognac avant de m'enfuir et de me planquer ici. Il y a peut-être un voisin que mon discours empêche de dormir. Tant pis, soyons implacable, je préfère la gratuité, une de tes leçons, et il fallait juste que je te parle.

Je dois dire, ma belle, que je t'ai bien maculée de substances magiques, bien saucée de mes déjections germinatives et quand tu étais la vierge du sacrifice, sur ta peau ces choses organiques se métamorphosaient en vêtements de nébuleuses et Jésus t'aurait prise pour Marie-Madeleine sans une hésitation. D'accord, rue de Verneuil, c'était Bicêtre, les dingues, mais l'amour fol. Voir avec quel entêtement tu vécus, mon âme, nos messes rouges, nos belligérances, et les lendemains où on s'aimait tendrement, souffrant chacun des blessures de l'autre. A ma charge, nos baisers de morgue, à ma charge, un envoûtement, et à charge de revanche, car il y a, tatoué à notre front, le même signe, or j'accepte à présent le surnaturel dont tu es l'émanation, et il me serait si doux de te revoir, ma chienne, dans une autre vie où nous serions complices, tenus au secret comme les fomentateurs de complots qui ont sur les mains le sang d'un roi assassiné.

N'en déplaise à ta médiumnité, je doute que tu saches où j'en suis. Tu sais que je te parle, tu écoutes, et tu ne dormiras pas de la nuit. Tu as repris tes billes et

185

tes pouvoirs, tu marches sur les eaux, tu chamanises jusqu'à la cime des arbres, tu oublies peu à peu le cachot, notre réduit d'amour, tes réveils plombés, et s'éloigne le souvenir d'atroces fiançailles, car tu es formidablement douée pour le bonheur, toi, paquet de glandes et barre phosphorescente irradiant jusqu'à éclairage *a giorno* de la plus sombre nuit — tu as la chance de pleurer dans les gares à la lecture d'un roman qui te suffoque de joie, moi sans toi je suffoquais de malheur, les livres étaient faits de lettres mortes et tout m'indifférait, il ne me restait plus qu'à me branler dans quelques-unes de tes robes en parfait pervers toxico du sentiment. Mon garçon manqué, si joliment manqué, mes bijoux ne cisaillent plus ton cou et tes poignets, tu les as vendus excepté la montre que j'ai entrevue ce soir, mais tu as toujours besoin de savoir l'heure, animal pressé. Lourdés, les bijoux du fils de Pluton, et les kilos que j'aimais tant car je possédais plus de toi — au fond, si je te préférais ronde, ça n'était pas tant pour te voir disgraciée, ma thèse reste plaidable. Je me souviens que tu cultivais la formule d'Hermès Trismégiste (ou des Orphiques ? pardon pour mon inculture) : « Ce qui est en haut est comme ce qui est en bas » — ainsi, pour mieux t'élever ensuite, tu acceptas une sorte de mort clinique ou de vie au ras du sol, sous le régime intransigeant de ma cour d'amour. J'ai mis longtemps à comprendre ta démarche et vers quelle colline menait le chemin de ta passion. Merci de m'avoir initié à tant de choses. J'ai également appris à dire merci.

Ma mère est morte qui, en chemise dans la rue, parlait aux réverbères et aux esprits, bleuissait des extrémités et, effet du choc en retour, s'ankylosait progressivement, jusqu'à ce que son lierre lui étouffât le cœur. Je n'aurai donc pas de pleureuse, et je peux partir serein au Liban. Vois-tu, je suis aussi patriote qu'un tzigane, et si je reviens avec le scalp de Kamal Joumblatt, on me réserve un sort de faux héros absolument épatant. De ces émeutes, de cette guérilla si orientale des Druzes, des Arabes, des panarabes, et des chrétiens armés made in USA, je me tamponne, ma tendre Dolorosa. Simplement, je ne peux plus tolérer le souvenir de mon image dans tes yeux que n'effleurait presque pas le dédain, mais une attentive pitié, avant qu'ils ne me soient tout à fait hostiles, et je ne veux pas risquer non plus de redevenir fou à cause de ces yeux changés qui tout à l'heure témoignaient du retour ébloui d'un sortilège. Je veux oublier ma position si virile, celle d'un Rousseau réclamant ses fessées, devant toi qui magnanime me refusais ma honte et te contentais de me répéter NON à l'instar des dames de la Cortezia. Ta sujétion d'hier doit te sembler vaguement voluptueuse, *a posteriori*, car le maître se révéla d'essence inférieure à la tienne. C'est qu'il faut être souveraine pour accepter les ordres d'un amant qui fut si méchant et si pervers, c'est qu'il faut savoir que la comédie n'aura qu'un temps et que, remontée sur le trône, on chassera hors du palais cet obscur cadet d'une maison féale.

Va, je te délie, bohémienne, toi qui ne sais que danser et dont les pas écrivent sur les sables, va nyctalope, burlesque tragédienne, repars aux îles des poivriers et des aras, vers les wayang-kulit et les diseurs de fables, le merveilleux monde tournera encore devant toi comme les fleurs figées dans les sulfures et tu le regarderas de tes prunelles droguées, très confortablement installée sur Véga de la Lyre, va vers tes voyances et tes patho ou hagiographes dont ce cousin Edmond, un brave gars après tout, dire ta superbe, hautaine et insolente maladie de médium, dire tes écorchements, tes vérités, tes révélations, va, au moment des pluies, tu seras dans l'Arche. Moi, je reste. Partir au front, ma façon de rester. Tente d'oublier le bouffon qui mon amour te tringlait sur la plage de Jounieh en ce pays où mon oncle Camille doit aujourd'hui donner beaucoup d'extrêmes-onctions. Un mec, l'oncle Camille. Il vaut bien ton émir druze. Tu les vaux bien, croyante. Tu n'auras plus de ridicule maître chanteur, d'obsédé vindicatif, à tes trousses. Jamais plus ton regard de romanichelle, prudent, suspicieux, effarouché, rapide, sur moi, gadjo, ainsi les gitans appellent-ils les étrangers à leur race. Je suis gadjo pour la nomade que tu es, et goy pour la yiddish que tu es, et étranger à tes terres d'errance. Je t'aime. Hier, le sort rêvé aurait été de continuer ce monologue jusqu'à épuisement mortel. Je te sacrifie cette onanistique volupté avec d'autant moins de peine que le temps en est révolu. Merde, tu es contagieuse, je m'aperçois que pour parler aux étoiles j'ai employé tes mots, bientôt je saignerai à ta place — si ne faire qu'un c'est cela, tu m'as dévoré à la façon des mantes.

Le jour va se lever. *Bless you darling.* L'anglais véhicule davantage de pudeur et je t'en dois un peu, moi l'exhibitionniste forcené. *Bless you,* ce qui fait très noble. Comble de noblesse, cette lettre restera écrite au fronton de la nuit et aux murs d'une chambre d'hôtel, d'une main invisible comme celle qui inscrivit *Mane, thecel, pharès* à ceux du palais de Balthazar quand Cyrus entrait dans Babylone, et tu ne liras jamais ma prose verbale de soûlard. *Bless you,* et ma signature sera griffée demain sous tes yeux, car il se pourrait, sorcière, que bousculée par quelques ondes télépathiques tu ne les aies pas fermés jusqu'à l'aube. Je signe donc, et nul ne déchiffrera, dans les lunules de tes cernes, mon nom. Amine Youssef Ghoraïeb, celui qui voulait brûler tes livres.

II

LA GUERRE

« Desdémone. — Ô bon Iago,
Que dois-je faire pour reconquérir mon seigneur ?
Mon bon ami, allez le trouver ; car, par la lumière du ciel,
Je ne sais comment j'ai perdu son cœur. [...]
... Mon amour l'approuve tant
Que même sa rudesse, ses rebuffades, ses colères —
Dégrafe-moi, je t'en prie — pour moi ont en elles grâces et charmes. »

SHAKESPEARE, *Othello*, acte IV, scène II

L'émail du vieil Orient se fendillait, depuis le voyage des amants en Phénicie et en Perse, soit Liban et Iran. Amine, dans l'avion qui l'emmenait à Beyrouth, sentit lui éclore des bouffées de souvenirs, anarchiquement jetés comme des fleurs sauvages, c'était Maria à Chiraz, dans la lumière fléchant les sequins de cuivre rose aux tempes des nomades Qasgaï, Maria pèlerinant au tombeau de Saadi, la même, toute petite, flottant dans le grand bleu marin de la mosquée du Shah à Ispahan, écoutant le muezzin et ses litanies récurrentes, ou plantée devant la coupole de la mosquée Lotfollah, ogive aux kashis blonds où le soleil pose au crépuscule une sobre tache d'or.

   A Beyrouth, des hommes en armes encerclaient l'aéroport.

Les reclus d'Achrafieh

Amine Youssef, notre correspondant très particulier au Liban, débarqua en plein dans le merdier. Ça canardait de partout, le quartier chrétien était bouclé, aux carrefours, des phalangistes — voici donc mes affiliés, conjectura-t-il, les types d'extrême droite aux côtés desquels je vais castagner. Drôle de chose. C'est là mon brave, dit-il, avec une décontraction grand siècle, au chauffeur de taxi qu'il paya en dollars une somme astronomique car le gars ne manquait pas de cran pour l'avoir amené jusqu'à Achrafieh.

Dans la maison, n'habitait plus que le gardien, terrorisé, rivé à sa radio, à son crucifix et à son chapelet ; ce vieux bougre natif du Hermel lui apprit que Yasser Arafat venait de donner l'ordre aux feddayin de riposter dans les zones chaudes en cas d'attaque, or au-dessus du crâne de Yasser Arafat en plein palabre avec ses lieutenants, avaient sifflé deux roquettes, quelques jours auparavant. Un incident significatif, sic, les communiqués de presse. Amine eut d'emblée l'impression que tout ne signifiait qu'une tension grimpant jusqu'à la déflagration orgiastique et le bouquet final. Le gouvernement militaire, gangrené, s'affaissait dans la débâcle. Un certain Moussad Sadr, imam chiite, avait commencé sa grève de la faim dans une mosquée, « jusqu'au règlement de la crise et la formation du gouvernement ». Lequel ?

L'anorexie volontaire de l'imam pourrait se prolonger jusqu'à ce que son estomac atteignît la dimension d'un petit pois sans que rien ne se réglât, mais il y avait autour de la mosquée deux mille personnes qui soutenaient le moral du reclus, prêts à lui filer en douce une petite soupe aux herbes molokiah, qui accompagne agréablement une cuisse de poulet, pour qu'il supportât plus longtemps sa grève stomacale. En Orient, c'est comme ça, pensa Amine, avec un obscur soulagement.

— A propos, Rachid, je mangerai bien quelque chose tout en écoutant vos informations, qui sont de première, ajouta-t-il.

Le vieux leva les bras au ciel. Rien à becqueter dans la maison. Plutôt que de mettre le nez dehors, il se sustentait de riz depuis trois jours, d'ailleurs les souks le marché et tous les commerces étaient fermés, et M. Amine n'allait pas baguenauder dans les rues où il y avait des combats, cinquante morts et deux cents blessés dans la journée d'hier, M. Amine devrait se résoudre à jeûner, finis le miracle libanais et le pain bien doré du quotidien.

— J'ai toujours su, Rachid, que c'était un miracle de merde, ou un mirage, dit le fils du maître de céans, mais je vais vous rapporter des provisions, moi, on ne va pas crever ici comme des rats, tout de même.

— Si vous croyez trouver UN SEUL marchand de quatre-saisons ou UN SEUL café ouvert, vous vous mettez le doigt dans l'œil, monsieur Ghoraïeb, dit le gardien avec simplicité, tout le monde se planque, enfin je ne peux pas vous ligoter, tenez, prenez une mitraillette, il y en a trois dans le salon. Moi, je dors à côté des armes, depuis ces derniers jours.

— J'ai emporté mon browning, ça doit être suffisant pour aller chercher des yaourts, non ?

— Vous êtes fou, monsieur, remarquez, votre oncle aussi, quand il n'est pas à l'hôpital pour les derniers sacrements, on le trouve sur les barricades, malgré sa jambe... Je l'attends ce soir comme tous les soirs. Il s'est installé ici.

Amine exulta, laissa un mot pour le cher tonton et descendit dans la ville déserte y exercer le dur métier de piéton, malgré les avis menaçants de Rachid et le communiqué officiel de Radio-Beyrouth conseillant aux populations de rester chez elles.

L'ancienne Beyritus en avait pris un coup. Plus de rallye-poursuites entre les bagnoles américaines bleu lavande ou fuchsia, de préférence dans les sens interdits. On n'en était pas à la première catastrophe, Beyritus fut rasée en 531 par un séisme avant d'être assiégée par Baudouin Ier au temps des Croisades, ensuite par Saladin, puis prise par les Mamelouks, mais Amine crut, à voir cette ville fumante, noircie, salpêtrée, écroulée, plastiquée, que l'ensemble de ces fléaux y compris les Mamelouks lui étaient passés dessus en quelques jours. Pas un magasin ouvert, merde. Il n'avait aucune cause à défendre, donc pas de grève de la faim, ou bien au nom de Mlle Tiefenthaler qui l'avait envoyé là, mais personne ne l'encouragerait faute de connaître Mlle Tiefenthaler. Il croisa quelques patrouilles militaires, quelques rats et deux chats. Bredouille, remonta à Achrafieh, où il trouva l'oncle Camille, qui venait de convoyer les cadavres vers leurs cimetières. Plus efficace mais aussi plus pacifiste qu'une phratrie de Tigres (ceux de Chamoun, un autre Camille) et toutes les milices de Béchir Gémayel, l'oncle ramassait les blessés sur son dos, les conduisait en ambulance pour les remettre aux mains séraphiques des nonnes infirmières qui les soignaient dans les caves des hôpitaux, parmi les abîmés, il ne faisait pas le détail et embarquait aussi bien des petits Arabes — des gosses orphelins mon neveu, tout juste circoncis, alors pourvu que mes soigneuses n'y regardent pas de si près, je les leur refile, au point où nous en sommes, même l'archevêque Ignace n'y verrait pas d'inconvénient, ici c'est la pure zizanie mon neveu, mais quelle joie de te voir, voilà dix ans que je ne t'ai pas bassiné avec l'histoire du crâne de saint Maroun ! Mais que viens-tu foutre à Beyrouth, toi neveu agnostique et sans patrie ?

L'oncle était splendide, croulait sous le poids d'une caisse de provisions. A peine l'eut-il posée par terre que, touché à en claquer du cœur par la tendresse comme par un soudain tir de mortier, rajeuni par cet élément incontrôlé : l'émotion, Amine vola dans les bras du descendant de ceux qui hébergèrent Abraham. Tout près, tonnerre des armes lourdes. Ils ouvrirent une bouteille de vin et débondèrent leur cœur, et l'oncle raconta comment, entre deux échauffourées, il opérait des descentes dans la rue Hamra, la rue élyséenne de Beyrouth où on trouvait encore, pourvu qu'on fût assez téméraire, de quoi manger. La rue Hamra, dit l'oncle, je ne lui donne pas trois jours pour être fichue elle aussi, alors j'ai razzié de quoi tenir un siège, ça tombe bien. Le moins qu'on puisse dire, c'est qu'on ne t'attendait pas. J'espère que tu aimes la charcuterie, car il n'y a que ça au menu, ces mahométans n'en consomment pas et il reste seulement de la cochonnaille dans les épiceries. Bon, tu aimes ça, profitons-en, mon neveu, paroissien imprévu, un coup de rosé et goûte-moi ce saucisson béni selon la tradition apostolique d'Antioche, maintenant tu vas m'avouer la raison de ta venue dans une si jolie ville de plage, hein ?

— O.K. Alors, on va simplifier. C'est à cause d'une femme, mon oncle, fit Amine en s'écorchant les babines sur le saucisson rance et dur, qui lui parut excellent. Primo donc, à cause d'une jeune fille, plus exactement. Elle fut ma fiancée et je l'ai aimée de travers, jusqu'à la rendre folle et me rendre fou, il ne me restait plus qu'à rejoindre ce merdier de guerre pour oublier celui de ma cervelle. Cette ville me convient parfaitement. J'avais peur que tu ne te sois retranché dans tes montagnes, me voilà rassuré. Parce que mes petits copains maronites du quartier ici présent, je suppose qu'ils se terrent, ou qu'ils se sont fait flinguer, ou que je n'ai rien de commun avec eux. Cette guerre, je m'en fous, tonton, pas de méprise. J'ai, secundo, une envie, véritablement folle comme le reste, d'aller buter Joumblatt, le Druze, pour la seule raison que ma fiancée aimait les Druzes qui parlent si bien de métaphysique.

— Aha! fit l'oncle, qui venait de dénicher une tomate et la coupait en rondelles, hélas pas d'assaisonnement, l'oncle regrettait avec amertume les salades de taboulé au blé concassé, pleines de vinaigre. Oh ça, Joumblatt, il y passera, ce prix Lénine de la paix, mais j'aimerais mieux que ça ne soit pas toi qui le flingues, un penseur, Joumblatt, un seigneur et un type près du peuple, vois-tu, qui suit une mission dictée par l'Au-delà. S'il n'y avait que lui, on trouverait un compromis historique, malheureusement il y a cette Ligue arabe et ce monde musulman qui le talonne, et les Palestiniens, faut bien admettre que ces gens-là, on les a foutus dehors, sans scrupules. A propos de dehors, le soleil brille, et avant le couvre-feu, il y a des femmes qui se dorent sur les plages, parce que c'est l'été, et le week-end. Sans blague, mon neveu. Mange ta tomate. Nous avons des oranges pour le dessert. RACHID! Figurez-vous que j'ai trouvé du café!

L'oncle se frotta les mains, car sans café, vie impossible. Le père Rachid, enthousiasmé, faillit baiser ces mains-là : trois jours sans son breuvage, et le pauvre se sentait lui aussi la matière grise toute mollette. On allait se faire un sacré café, du turc, de l'épais, du velours, et ouvrir les fenêtres pour que rentre le soleil éclatant, et fermer les yeux sur les traces de balles au mur du salon, les tentures déchirées, la poussière, et les housses recouvrant bourgeoisement et funèbrement les meubles.

— Cette fois, je crois que Fouad ne viendra plus, dit Amine, narquois. Il lit *Le Monde* et *L'Orient-le-Jour*, lui qui n'est pas fou — ça suffit pour sa gouverne. Il tient à sa peau, chacun ses faiblesses. (Il venait, sans s'en apercevoir, d'employer une formule de Maria.) Inutile de te dire que j'ai filé en juif. Pardon, en suisse, c'est une idée fixe, la fiancée était à moitié juive et seule, cette moitié émergeait.

— Ciel, je crois que je n'ai pas fini d'entendre parler de ta fiancée, fit l'oncle, résigné. Quant à ton père, c'est un chiassard, je l'ai toujours su. D'autre part, beaucoup de compagnies vont suspendre les vols. Air India et Cyprus Airways l'ont annoncé à la radio ce matin. Ensuite, ce sera Air France et KLM. Nous sommes sur un radeau. Et le président Frangié n'en finit pas de s'entretenir avec le Premier ministre qui essaie en vain de former un cabinet, preuve d'optimisme en cette période agitée que de vouloir former un cabinet avec des messieurs baratineurs, la vérité, c'est que, quand on leur demande sur qui ils tirent, les types des barricades répondent : « Ceux d'en face. »

L'oncle sirota son café, Amine, en verve, lui parla inéluctablement de Maria, et ils s'apprêtèrent à tenir le siège de la baraque pendant le week-end qui s'annonçait chaud aussi bien à Achrafieh qu'aux quartiers de Ras El-Nabeth ou d'Al-Inglizi. Cent cargos marnaient dans le port en attente de déchargement, et la radio nasillait en arabe, français et anglais : « Restez où vous êtes, des obus de tout calibre fauchent les passants au hasard. » Amine dégusta son café puis, devant la fenêtre ouverte, humant la poudre, le jasmin et les odeurs levantines d'un soir d'été, se mit torse nu, malgré les gémissements de Rachid, à l'instar de la radio qui venait d'avertir qu'on mitraillait à l'aveuglette tous les immeubles.

— Qu'est-ce que ça me fout, répliqua Amine, demain tonton c'est donc dimanche et depuis bien longtemps je n'ai plus de dimanche ni de trêve d'aucune sorte.

— Et moi, dit l'oncle, je me demande si le nonce va célébrer ou non la messe pontificale, demain matin, devant une assemblée diplomatique, en l'honneur de l'anniversaire du pape. J'avoue que ce détail me tracasse beaucoup, pour le reste, prends l'air, mon neveu, avant le coucher du soleil, l'apocalypse et la fin des haricots, ma foi je ne te trouve pas si mal, pour un fils unique et sans Dieu. Comment va ta mère ? Elle ne donne plus de nouvelles...

— Pardi, elle est morte.

Et il allongea les jambes, posa ses pieds nus sur le rebord de la fenêtre et s'étira dans l'or rougeoyant d'un crayeux crépuscule de poussière.

*

Guilleret, l'oncle. Il venait de se laver, de se raser, de faire sa prière du matin, de chasser le regret de ne plus célébrer sa messe à Zghorta, de commander au gardien un petit déjeuner qu'il prendrait avec son neveu, ce neveu auquel il avait beaucoup pensé pendant la nuit.

La survenue de ce neveu lui semblait irréelle. Le seul membre de la famille Ghoraïeb qu'il aimât vraiment, auquel, quand il était enfant, il fit découvrir monts et vallées de ce pays... Le seul sans-Dieu, l'héritier sybarite, l'indolent et sceptique Amine, avait quitté, pour d'obscures raisons, une ville en paix, pour le rejoindre dans une ville en guerre — selon, et cela tenait du miracle, la promesse que lui fit, jadis, cet encore imberbe et énigmatique garçon, de venir combattre à ses côtés, si ça bardait vraiment.

— Or nous en étions là, et nous allons en savoir plus, rumina le prêtre, et nous allons de toute manière nous sustenter, pendant que nous le pouvons encore.

Et il se faisait une joie de manger des œufs frits avec son neveu, devant le balcon florentin, dans la lumière provisoirement sereine d'un jour dominical où le Liban attendait un gouvernement de réconciliation nationale, et ignorait si le précité gouvernement tiendrait jusqu'à lundi, vu le caractère fugace des hommes au pouvoir, ces temps derniers. Foutoir, marmotta l'oncle, boitillant jusqu'à la table où Rachid venait de disposer café, œufs frits, pain grillé, et une exceptionnelle confiture de roses.

Aujourd'hui, trêve pour tout le monde, le dimanche Dieu lui-même se sentit recru, et au lieu de parler de cette guerre, il profiterait de la présence d'un neveu qu'il ne croyait plus jamais revoir, et qu'il avait l'audacieux projet d'évangéliser le plus rapidement possible, car il entendait déjà siffler la roquette qui ne se contenterait pas de prélever son mollet et son pied droits, mais viserait sa tonsure — un bon café en attendant, une cigarette anglaise, une discussion élevée avec le neveu aux yeux verts qui si inopinément et imprudemment lui tombait dans les bras. Confesser le beau neveu. Là-dessous, histoire de femme, il le lui avait bien prédit naguère — une aryenne blanche et diaphane comme le sont les fées... A lui, grand marieur de la vallée de la Kadisha, de déceler sur le faciès buriné mais délicat presque trop délicat du neveu, les stigmates de la païenne passion. Il s'impatientait, que fichait donc ce singulier neveu ?

Icelui apparut, maigre, le front haut sous les boucles ulysséennes, malgré leur couleur d'écorce brune n'évoquant pas celle de l'hyacinthe attribuée à la toison du héros homérique. Évidente réussite du Seigneur que ce pâtre-là, avec l'âge ayant pris une physionomie presque sémite, et la vue du profil ciselé, du petit nez parfait, des longs yeux aux cils de fille réveillèrent chez l'oncle ses anciennes inquiétudes au sujet de la facilité qu'aurait son neveu, enfant aussi superbe que dut l'être le roi David, de glisser sur le chemin pentu de la pédérastie. Or, il semblait que s'il avait glissé, c'était aux genoux d'une jeune fille, loué soit le Seigneur ! De cet étrange garçon, chu dans un pays à feu et à sang, traînant la nostalgie d'un visage de jeune fille, l'oncle lui-même ne se cachait pas qu'il s'embéguinait très fort, un peu plus fort que ne le permet la morale chrétienne.

Amine eut une toux matinale de fumeur, puis un sourire charmant, l'oncle remarqua l'empreinte du drap froissant encore la longue joue brune à la seigneuriale pommette, et oublia la morale chrétienne. Sans doute le dialogue avec le juvénile athée était-il la dernière surprise que lui réservait le destin. Il se leva, embrassa la joue froissée et le menton bleu d'un piquetage de barbe, et embrassa la surprise dans la clarté du matin et se réjouit en son cœur de la création du monde même si tout autour ruines et terreur et bordel d'une guerre orientale puant la muqueuse lourde du jasmin, la putréfaction, l'odeur noire, volatile, prégnante des crémations et incendies de toutes sortes, feux rageurs au-dessus desquels le jour indifférent qui vit d'autres carnages, succédait, placide, à la nuit incendiée.

— B'jour, mon oncle, dit Amine, s'ébrouant, avisant le plateau et, crevant la dalle, s'attablant illico. Flûte, une guêpe dans le miel. Du miel de la vallée ?

— Exact. Il y en a trente pots dans la cave. L'électricité a sauté, cette nuit. On tiendra le coup grâce aux lampes à pétrole et au miel, très fortifiant. Aujourd'hui, je ne descends pas en ville. Les piles de la radio marchent encore, mais j'ai raté les informations, à propos de la messe pontificale. L'armée est dans la rue, ainsi que pas mal de groupes mystérieux, masqués, qui règlent leurs comptes en famille. A propos, je vais te montrer les munitions que j'entrepose ici.

— J'ai seulement mon browning, avec lequel j'ai failli jouer à la roulette russe, mais, prudent ton neveu, prudent, il aurait tiré à la mâchoire, et de cette façon risqué que la balle lui ressortît par le nez — je suis un lâche, tonton.

— Allons allons, fit le curé de Zghorta. Parle-moi un peu de la raison d'un acte que la morale chrétienne réprouve, mais moi pas forcément.

— Une raison plus armée qu'une phalange de vos miliciens. Attends que je te la montre, cette raison.

Il dévora sa tartine, hurlupa son café, fouilla dans la poche de son blouson, en sortit trois photos, se sentit extraordinairement grossier et plein de santé comme un légionnaire ou un GI bandant devant une photo de Marilyn ou une vamp de calendrier, déjà, dans ce magma de guerre civile, il perdait son identité, douloureux matricule, l'inquiétude et la gabegie régnant autour, dans la rue, et non plus sous son crâne, les choses lui apparaissaient tout à fait lointaines, innocentes, relatives, et fort simples. Tout à l'heure, à l'oncle de lui montrer sa panoplie défensive, mais pas avant qu'il ne lui ait exhibé, avec un machisme puéril qui l'enchantait lui-même, les photos de sa fiancée. Il était fier de cette fiancée. Fier de cette... ? Et s'il la trouvait soudain hideuse, sur papier glacé ? Et s'il s'était trompé ? Il eut la trouille, vérifia.

Maria Tiefenthaler, en calligraphie ronde ou maigre, restait la bien-aimée, digne qu'on la montrât à un curé dont l'âme un soupçon paillarde se réjouirait que son neveu eût éprouvé des joies sensuelles avec une telle femme, VOILÀ, dit-il, magnifiquement idiot, et il tendit les clichés à l'oncle.

L'oncle oublia de mordre dans sa tartine, l'œil rivé à la première photo, puis approcha la tartine de ses lèvres, allait engloutir une bouchée sur laquelle s'était posée une guêpe estivale, et en cas d'ingurgitation de l'insecte, aurait probablement trouvé une mort indigne d'un moine guerrier, si Amine n'avait sauvé la vie de la guêpe et celle de son oncle d'un revers de main, ravi que Maria provoquât involontairement, où qu'elle passât, des remous.

— Humph, fit le curé. Dans la fleur de ses années, cette petite. Pas très aryenne, hein ?

— Vaguement roumaine, mais elle ment tout le temps. En principe, un grand-père de Bessarabie. De quoi se trouer la mâchoire en cas de désaffection, non ? Là, c'est à Marrakech, là, rue de Verneuil, Paris, entre les deux, légère différence de poids, un peu accordéon la fiancée, mais quand elle rétrécit, par bonheur, elle ne plisse pas.

— Hon-hon, fit l'oncle, le rictus distordu vers le bas, oscillant du chef, Gloire et Splendeur de Dieu, la jolie fille ! Vois-tu, je la préfère maigre et dorée que grasse et blanche. Le visage de sainte Catherine de Sienne, une vraie relique.

(Maria, les exactes et pures passions du langage, la parole éperdue volant au-dessus de ses massacres profonds, vitrifiée dans son geste d'écrivain, comme

202

saisie par la foudre qui frappant le sable crée la fulgurite, un trois-quarts à bossages recta tels ceux d'un palais de Florence, Maria fascinée regardant Amine, le gouffre, Maria et ses stupéfactions, dans les grands moments de désarroi du corps où, naïf, l'homme croit que se lèvent les voiles alors qu'il pénètre dans le sanctuaire le plus secret dont jamais celle qu'il croit soumettre ne lui dira rien, ni le nom de l'autel ni le nom du Dieu pour lequel seul s'ouvrent ses yeux de croyante, Maria levain non plus amer mais ensoleillé du souvenir, Maria qu'il avait absurdement caressée comme un projet, à laquelle il avait voué le silence ou la loquèle de l'adoration, or le premier l'ennuyait et la seconde l'épuisait, Maria à laquelle il avait rendu un culte semblable à celui des baalistes pour les animaux d'or, paganisme mercantile, or elle voulait du sacré et du gratuit... *Gloire et Splendeur de Dieu, la jolie fille,* répéta, songeur, Amine, comme si les paroles de son oncle avaient abruptement simplifié le problème.)

— Chouette fiancée, pas, mon oncle ? Hélas, je crois qu'elle éprouve sa plus grande jouissance, dans la vie, au moment où cessent ses douleurs du fondement, car elle a des hémorroïdes. En vérité, elle me l'a souvent juré, et sur ces questions, loin de mentir, elle est d'une franchise atroce — rien n'égale l'instant où les sphincters se referment gentiment et cessent de battre comme un cœur placé *in the bottom.* Quand elle disait ça, je l'enviais. Au point de désirer connaître ce paradis, après la crise du séant.

— Voilà une curieuse jeune fille ! dit l'oncle. Aucune de mes ouailles de la Kadisha ne m'a jamais confessé une chose de ce genre. De toute évidence, tu l'aimes, rival de ses hémorroïdes. Tu l'aimes profondément.

Oh, jusqu'en ces profondeurs, mon oncle, se retint-il de formuler afin de ne pas passer pour scatologiquement dingue, j'aime ces petites varices de rubis qui apparaissent, d'ordinaire, autour de l'anus des cavaliers et des personnes constipées.

— N'est-ce pas la chose la plus importante du monde, oncle Camille, que les yeux et les seins de cette femme, fille, enfant ? N'est-ce pas au moins aussi important que la guerre ?

Futilité, son sexe agrippeur comme une main de ouistiti — dont elle avait aussi la curiosité vorace et la promptitude à engloutir des poignées de Connaissances ou de douceurs confites, sa boulimique mentale qui, incarcérée, craqua sur le halva avant de revenir aux encyclopédies qu'elle dévorait de même —, ses seins vanillés à l'aréole cacao, ses genoux fléchés de désir, quand chaviraient ses prunelles de faon, s'ouvraient ses lèvres de petite voleuse de pommes acides, pomme d'Ève mastiquée hardiment en clignant de l'œil au jardin retrouvé... Tout ça tenait le coup devant l'Éternel, devant Joumblatt prix Lénine de la paix, devant les politicards impuissants ici comme ailleurs, devant l'enfer civil, devant le brûlis d'une cité, devant les dockers en grève, devant tous ces rats planqués à court de provendes, craignant que les balles ne soient pas perdues pour tout le monde, survivant volets clos au contraire de ceux de sa maison.

L'une d'elles, convoquée sans doute, alla se ficher dans le mur du salon. L'oncle et le neveu échangèrent des regards songeurs, ne refermèrent pas la fenêtre, achevèrent leur petit déjeuner, et Amine, conforté par la balle joueuse, reprit son muet soliloque.

Futilité, Maria dans son ensemble, devant des gens qui tiraient sur les inconnus en face, flinguaient ceux de leur parti, devant le hasard, les délibérations des notables, ces godelureaux pinailleurs ridicules, les officiels de la Défense (optimistes, ce matin-là, arguant — sic — d'une évolution vers la détente !), futilité, cette

204

fille, sa vie et son œuvre, quand tout le monde faisait le coup de feu sur tout le monde, devant les cent cinquante morts des derniers jours, devant la conférence qui, en cet après-midi d'un beau dimanche, réunissait le président du Conseil désigné et celui de la République, devant les Palestiniens d'Arafat, le Front du Refus, les Phalanges, les musulmans, les gauchisants, tout ça y allant gaiement du flingue ou de l'obus de mortier, soyons sérieux, devant ce pays proie du conflit entre Yahvé d'Israël et Mahomet de La Mecque, n'existait qu'une jeune fille, et des tirs partaient à présent du quartier de la Quarantaine, bidonville de banlieue, et dans les rues on marchait sur du verre pilé à cause du dynamitage des banques et les ordures exhalaient leur puanteur au soleil et le nonce finalement annula sa messe pontificale, et les Palestiniens de Khadafi refusaient toute tentative de paix avec Israël, paix à laquelle les Palestiniens se montraient favorables et ils avaient chacun camp et troupes et bientôt se tireraient dessus eux aussi, la jolie guerre mon oncle, et cette jeune fille, ma guerre civile, je mourus cent fois en un jour pour elle, j'étais à feu et à sang, je tentais des accalmies et je continuais à canarder au hasard exactement comme dans les rues de Beyrouth aujourd'hui, j'étais à la fois l'homme armé, le milicien, le flic, et un misérable, anarchique pays...

— Moi seul, oncle Camille, reprit-il tout à trac sur un mode triomphal, lui ai secoué le bide jusqu'à ce qu'elle ait envie de saigner chaque mois comme toutes les femmes, pardon, oncle Camille. C'est venu, je parle du sang, puis c'est reparti. Effectivement, une bizarre jeune fille, aussi croyante que vous, et quelque peu juive, pardon oncle Camille. Merci. (Il reprit les photos.)

— J'entends quelque chose bouger dans le jardin,

dit le curé, qui claudiqua jusqu'à la fenêtre, et sortit un revolver Smith and Wesson calibre 38.

Une salve crépita, non loin. Des fumées montèrent au-dessus de la ville. Entre les plates-bandes défon-cées, fila un chat, mordillant un lambeau qui, prudes gens, devait être quelque peu humain. L'oncle baissa son revolver, Amine se souvint combien Maria aimait ces bêtes, les mêmes qu'il lui avoua, par provocation, avoir tuées jouissivement et en grande quantité, naguère. Il enjamba la croisée, sauta dans le jardin, se mit à la poursuite de l'animal et, déconcerté par la brutalité de ce sentiment à l'égard du matou, ramena ce dernier qui, en se faisant prier, avait fini par lâcher sa charogne, grattait furieusement son poil mité et son oreille en berne. L'oncle, admiratif, se dit qu'il connaissait peu de gens prisant assez les animaux pour risquer leur peau humaine à cause de celle d'un chat galeux.

Amine confia le matou à Rachid, et suivit son oncle en vue du recensement des munitions.

Plus tard, malgré le couvre-feu, des fumerolles volca-niques brasilleraient encore au-dessus de la ville — rien de plus traître qu'un couvre-feu libanais, fit l'oncle. Rien de plus traître que la magnanimité d'une femme, fit Amine, quant à la sauvegarde de l'homme qui l'aime encore. C'est aussi, cette magnanimité, une sorte de couvre-feu oriental. Un des plus sûrs moyens d'être descendu. L'oncle se retourna, lui jeta un regard suspicieux et navré, et dit que les bâtardes juives devaient être décidément plus compliquées que les braves filles de Zghorta, oui, et que son neveu n'aurait pas dû se démolir comme ça à cause de la bâtarde, et épouser une Zghortiote, puis se ravisa, non, une bâtarde géniale, si fourbe ait-elle été (pas tant que ça, soupira Amine) était sûrement beaucoup plus atta-chante qu'une simplette de la montagne. Attachante,

attachante, grimaça Amine, oui, du genre liant. Fais attention, ici les marches sont défoncées, dit l'oncle. Voici ma chambre. Les armes sont dans le cagibi attenant, et aussi dans la cave.

— Maintenant, tonton, voyons les belles pétoires, les fusils à lunette, les Mauser, tout ce fourbi livré par les Grands pour assassiner le Tiers Monde, accidentellement entre vos mains. Hier cent morts. Demain...? Nous, peut-être. Alors, voyons les flingues.

— Un fusil d'assaut Kalachnikov, mon Smith and Wesson, des grenades défensives, un bon petit lot de fumigènes, deux mitraillettes, trois fusils automatiques, énumérait avec un ton gourmand le curé de Zghorta qui cachait ses armes sous son matelas depuis sa prime jeunesse dans la vallée sainte de la Kadisha. Ce Kalachnikov, une beauté. Je l'ai ramassé dans la rue. Il tenait encore à une main probablement syrienne, mais la main ne tenait plus au corps. Théoriquement, une balle de ce Kalachnikov devait refroidir un maronite, c'est pourquoi un phalangiste se serait empressé de prendre ce fusil, pour buter un Arabe. Jésus apporta le glaive, pas la paix, comme tu sais. Le Krishna que revendiquent les Druzes était *violent et non violent*, parole de Joumblatt. Parenthèse et néanmoins, je n'ai toujours buté personne avec ce fusil. Quant à ces grenades, tu les dégoupilles et paf, mortelles à cent mètres. Jamais d'attaque, rien que de la défense, c'était ma magnifique formule au début des hostilités. Vois l'idiotie. Rien qu'en se défendant, on tue, mon neveu. J'ai eu la peau de plusieurs types, comme ça. Des progressistes ! Des socialistes ! Des gens de bien ! Ça me fait vomir. Les touristes sont pire racaille, tiens. Il faudrait supprimer les touristes. Ils se planquent dans les quelques hôtels qui restent encore debout. Finies les danses du ventre à l'Holliday Inn. Plus de fusées démarrant au plafond du casino de

Maalmeiten, mais à celui du ciel, pour fracasser les toits, on croit voir Léviathan à l'œuvre. Les gars du bidonville de la Quarantaine sont mieux équipés que tous les QG. Cette ceinture de misère flambe sec. Les ménagères gémissent qu'on n'enlève plus les ordures. Et moi...

Il se tut, le curé de Zghorta, regrettant ses messes, ses cèdres, sa montagne, les belles filles brunes dont les mains hâlées cuisaient le pain, pilaient le blé au mortier, les sources dont celle qui rougit, chaque printemps, du sang d'Adonis. A propos de sang d'Adonis, afin que son neveu ne se fît pas rectifier sous ses yeux, il émit quelques conseils de prudence. Mais Amine avait l'œil d'un vert sulfureux, l'air tout à fait imprudent, et recommençait à parler d'un attentat sur la personne de Joumblatt ou de l'émir Arslan, les seigneurs du Chouf — perpétré par lui, cajolant l'idée dostoïevskienne d'un acte gratuit, et son plus niais amour-propre, car Maria Tiefenthaler devait continuer d'admirer ces gens-là, voire se préparer à les rejoindre dans la montagne, tout à fait d'elle ce genre de témérité, et il faudrait les flinguer avant, ces deux-là, ainsi renoncerait-elle à un si dangereux projet.

Ici les pauvres tiraient sur les riches, les musulmans sur les chrétiens, les chrétiens sur les feddayin, en réalité on réglait beaucoup de comptes personnels, et à la fin de la guerre — si jamais elle en avait une — Beyritus ne serait plus que la face sidérée d'un mort, de quelque obédience qu'il fût, sidérée et mutilée et ne sachant qui avait tiré sur lui, et pourquoi il se pouvait bien que ce fût un des présumés siens. Les bombes pleuvaient comme naguère les sauterelles sur l'Égypte, tombaient au pif c'est-à-dire selon la volonté des dieux dans les camps régis par chacun de ceux-ci, ce qui avait un certain caractère homérique et païen. L'oncle n'en priait que davantage, relisait Teilhard de Chardin, dont l'œuvre était entreposée près de son sac de couchage et de son fusil russe, tout comme le Moallem, le chef druze de Moukhtara, gardait à portée de la main un flingue, les pensées des sages de l'Inde et le Vedanta, et l'oncle méditait tout comme Joumblatt méditait, avant de prendre son petit déjeuner, sur le sens de la vie, sous quelques rafales de mitraillette, qui rendaient plus incisive et plus urgente la foi du Moallem, ce long seigneur voûté, dans son ancestrale demeure.

— Et ton père, cet ultra-maronite ? Ton père, affilié à ces hommes de la Chambre Noire, les maronites intégraux, et à Frangié, ton père, dans son sérail parisien, fait-il toujours de la politique ? demanda Camille avec un évident dégoût.

— Il y recevait des juifs, les derniers temps, et il soutenait que les minorités chrétiennes libanaises et juives de nulle part car juives, qu'y faire, devaient se liguer contre le monde arabe. Air connu. Un beau combattant de salon. Quand même, ce passage du bus palestinien... sacré alibi du destin, cet autobus qui valut une guerre, moi je trouve qu'Hélène était un prétexte moins con, arrête-moi dès que je commence à parler de la fiancée, même par analogie...

— Quel est son nom ? fit doucement l'oncle en chargeant son fusil russe.

— Maria Tiefenthaler, dit Amine, atterré, car le seul énoncé de ce nom talismanique lui chamboulait les tripes.

*

Seuls avec un gardien quasi muet, un chat galeux, quelques provisions dont du chocolat, des olives, du fromage blanc, des œufs, du vin et du markouk[1], le curé de Zghorta et Amine son neveu décidèrent de fêter leurs retrouvailles et de palabrer jusqu'à l'aurore de lundi sans quitter la maison. Dont acte, dans une demeure où les vitres dégringolaient avec les lustres et où sifflaient les balles d'un jeu de paume mortel et narquois. Quatre personnages en huis clos, en comptant le chat, et quelques ombres passantes qui ne redoutaient pas les roquettes : le Seigneur Jésus, attaché aux pas de l'oncle, et Maria, la folle sublime de Sidi Amine. Lequel ne ressentait plus, au cours de ce que nous appellerons un week-end, l'envie scorpionesque et bien connue de retourner contre lui son dard empoisonné après s'être enfermé dans un cercle de feu. Le présent cercle igné, autour de la ville, autour du quartier d'Achrafieh, lui ouvrait au lieu de les lui fermer des horizons aux sombres lumières d'espérance. C'était l'évident paradoxe curatif de la guerre, qui tue tout y compris les divers parasites du mental. De psychose, plus question et, à ce propos, Max Richter devait s'être trompé sur mon cas, s'affirma Amine, on ne passe pas de la névrose à la psychose comme ça, j'en suis la preuve vivante, pour peu de temps sans doute.

— Dies irae ! beugla Amine, du haut de la bibliothèque dont le contenu avait été intouché par son père lors de sa dernière furtive visite au Liban, si Fouad restait plus soucieux de prélever à cette maison en péril des tapis persans et des objets d'art que les livres qu'il n'avait d'ailleurs jamais lus. BON SANG, TONTON, VOUS N'AVEZ RIEN ?

Il se pencha au-dessus d'une balustrade de cèdre endommagée, qui menaça de s'effondrer et de l'envoyer valser du premier étage au rez-de-chaussée, sur

1. Pain plié.

lequel venait de s'abattre un plafonnier à pampilles de cristal.

— Mais non, mais non, fit l'oncle, apparaissant au seuil de la pièce. Ces fichus lustres sont plus dangereux que, dit-on, les cocos des cocoteraies. Et toi, qu'est-ce que tu fiches là-haut ? La balustrade est très abîmée, un chat suffirait à la faire dégringoler elle aussi.

— Je cherche des bouquins, puisqu'il s'agit de tenir un siège. Et en cherchant des bouquins, je m'aperçois que mon père n'en avait pas ouvert un seul. Ils étaient là pour la frime. Je me demande pourquoi il n'a pas acheté des ribambelles de couvertures, ça aurait suffi. Enfin, en matière de littérature française, de Ronsard à Victor Hugo, pardon, à Zola, voici Zola, y a de quoi faire. Je comprends maintenant pourquoi il ne sourcillait pas quand je l'appelais Rougon-ben-Macquart. Fort mauvaise plaisanterie, d'ailleurs. Bon, bon, ne t'énerve pas, mon oncle, je descends.

Ce qu'il fit avec sa cargaison de bouquins, en se demandant s'il était plus dangereux de rester dans cette baraque que d'en sortir.

— J'ai bien observé la gueule de mon père, donc, après son dernier voyage au Liban, fit Amine en palpant avec attendrissement la couverture d'*Albertine disparue*, œuvre en parfaite harmonie avec son état d'âme, qu'il se promettait *in petto* de relire pour voir de près si le petit Proust et lui, ce grand connard, avaient connu en des circonstances voisines de semblables états d'âme. Ici, ce bon Fouad a dû se préoccuper seulement de l'état de sa maison, mal en point comme je le constate mais pas encore pillée ni rasée, et puis il a rapatrié en France ses tableaux, ses torchères, ses plus beaux tapis, bref ce qu'il y avait de plus coûteux entre ces murs... Eh bien, à son retour, mon oncle, il avait pris dix ans. Je ne l'ai pas prévenu de mon départ, non plus que ma belle-mère. Qu'il ne compte pas sur moi pour aller au kaslik — je n'ai pas dit casse-pipe, j'entends le conclave de la droite maronite où il siégeait, et à l'en croire, qu'il dirigeait...

— Depuis longtemps, dit l'oncle, réprobatif, ton père a divorcé d'avec l'Esprit, ce qui évidemment ne l'empêchait pas de siéger au kaslik. Il a divorcé aussi d'un grand nombre de femmes, qu'il entretient les unes après les autres ou toutes en même temps, ça je l'ignore, à la façon d'un cheik arabe, dont il a, outre le goût des harems, la pusillanimité partisane, pouah ! Je partage à beaucoup d'égards les convictions de Joum-blatt, notre ennemi de principe, lequel vomit la politi-que arabe, ses fluctuances, son pharisianisme qui vaut bien celui de la famille Ghoraïeb et de toute cette droite libanaise ! Les Ghoraïeb — ne prends rien de ce que je dis en mal, mon neveu, tu es le seul Ghoraïeb digne de vivre, bien que, je suppose, tu sois athée (court silence, l'oncle poursuivit), sont aussi cupides que les émirs avec leur or noir. Que font-ils de ces richesses, les Saoudiens et Koweitiens ? Est-ce qu'ils s'occupent du Tiers Monde, tous ces Héliogabales du Golfe ? Non, décidément, il faut que tu cesses d'en vouloir pour des raisons absurdes à ce Joumblatt, qui est le premier à dénoncer les erreurs des fils du Croissant. Le malheur, c'est que derrière ces Druzes éclairés, qui reçurent le Grand Enseignement, qui ont toujours Platon, Socrate, Héraclite et Plotin à leur chevet, derrière les très respectables opposants de ces maronites que je suis censé défendre, derrière eux il y a les Russes, et ça les Russes, je ne peux pas m'y faire...

Navré, il avisa un étron de chat sur le tapis — épargné par Fouad, car fané — du salon, et ordonna au gardien de se procurer, coûte que coûte, de la sciure. Le problème de la sciure épouvanta le gardien, où diable en trouver dans une ville en guerre, ou alors celle,

212

rabotée, des parquets ? Quels que soient les inconvénients de l'affaire, pas question de larguer le chat, dit Amine, car cette bête avait les grandes prunelles d'or de Maria Tiefenthaler.

Ils lurent, bavardèrent, l'oncle pria, et ils brunirent devant la fenêtre, déjeunèrent de pain et d'olives, burent du rosé, regardèrent, en dessous, la ville, Babel sur sa fin.

La radio nasillait... : « La plus effroyable journée en ce dernier dimanche de juin. De quartier à quartier, on se bat à coups de roquette et d'obus de mortier. La ville est morte. Les décrets relatifs à la formation d'un cabinet de salut public seront promulgués lundi. » (Ça nous fait une belle jambe, dit l'oncle, auquel il n'en restait qu'une valide alors autant qu'elle fût à son mieux.) Ces politiciens sont plus paralysés que moi !

— Tonton, qui est au juste ce Mohammed Arslan ?

— Un éminent chef druze, président du Comité de libération. Toujours un saint homme du Maharastra ou du Bengladesh à ses trousses, qui lui pique du pognon. AL SALAM ALAIKH ! (Amine allait d'étonnement en étonnement, l'oncle parlait arabe à présent.) La paix soit sur lui, donc. Mon neveu, *Oua la tachâfoumin tamzik akmisatikom,* ce qui signifie, n'aie pas peur que ta chemise charnelle soit déchiquetée ; c'est une de leurs maximes. Comprends, jeune homme. Ces gens-là rêvent comme moi de rassembler l'Islam et la chrétienté, revendiquent la vieille université d'Antioche, désirent de tout leur cœur la fin d'un sectarisme mortel et l'hégémonie d'une pensée catholique orientale. La dernière messe que j'ai dite à Batroun commença par Allah Akbar ! Dieu est grand ! Mon neveu, seule la gnose... Regarde nos cléricaux. Enfin, tu ne peux pas les voir, ils se planquent. Tonsurés, propriétaires fonciers, richissimes, magnats du clergé, coqs de village, ceux-là me descendraient avec autant de raison qu'un

mahométan, car depuis longtemps j'affiche mon souhait d'une nouvelle église selon le vœu du père Teilhard, et je brame que tout ce grégarisme et cet
émiettement des fils d'Abraham sont une géante iniquité. Allah Akbar, donc! Ils me fusilleraient pour
moins que ça. Ton père ressemble à ces sales curetons
qui font une sale guerre. Ton père! Il adorait Beyrouth,
au temps où Beyrouth était une vaste boutique, un
souk, un lupanar, un port franc, bref une cité phénicienne où lesdits curés se remplissaient les poches. Ce
cher Fouad qui recevait les cent familles, ça fait
beaucoup de réceptions mais bien peu de riches après
tout, — qu'est-ce que cent familles, une poignée de
gens — tractait et tracte encore avec les grossium
d'Arabie Saoudite, le Judas!

— Bon, fit Amine, me voilà recevant une leçon de
tolérance au sein de la folie sectiste, mon oncle.

— Bah, je ne veux te donner aucune leçon. Il te suffit
de voir. Qu'ont-ils fait des Évangiles, ces isolationnis-
tes, ces marchands, aujourd'hui ces exilés qui comme
ton père se foutent de notre Saint-Barthélemy... Mon
neveu, je me sens un peu fatigué, je vais lire quelques
pages de Gîbran et roupiller ensuite, bien que cette
lecture soit propice non à l'assoupissement mais à
tenir le cœur éveillé... Vois-tu, le mien se déglingue un
peu. A tout hasard, j'ai une vraie bibliothèque au pied
de mon sac de couchage, quatre cents bouquins empi-
lés, tu peux te servir. C'est moins dangereux que de
grimper jusqu'à celle de ton père. Alim Allah! A tout à
l'heure, Amine Youssef, fils de Fouad.

A propos du père d'Amine, il marmotta encore
quelques injures, le traita entre ses dents de crétin
nationaliste, d'irresponsable, d'idiot voulant séparer le
Liban du monde arabe comme si le Liban n'y avait ses
racines, ha ha, et le curé dont la culture araméenne
prévalait du temps de Jésus s'en fut prier en syriaque,

et Amine, croquant une olive, sut respecter plus qu'avant son oncle, le moine rouge, candide, taurin et immuable.

Il grésillait encore de questions. Quel stock d'armes lourdes, dans son église de la Kadisha? et dans les deux mille églises du Liban? Terre de villégiature! Ciel de saphir! Jardin de lait et de miel! Asile et carrefour! Lamentable miracle! Il commençait à aimer troublement son pays. Seule une croyante en Tous-les-Dieux pouvait l'avoir envoyé là. L'en remercier, avant d'y laisser la peau. Télexer d'un hôtel. Déjà cinq heures, couvre-feu. Demain télexer. Que faisait, à l'heure actuelle et locale, son croûton napolitain de belle-mère? Merci, Agostina, grâce à toi, un drame héroï-comique et une passion qui ressemblait à une monstrueuse erreur, justifiée, cette erreur, ce lapsus magnifique, par le charisme de l'enfantine qui me permit de foutre le camp et de l'oublier (ah, l'oublier!) en endossant une robe sombre comme le glas, noire et or comme le velours des ornithoptères, dans laquelle — même si elle avait l'œil qui rissolait amoureusement, la comédienne, ne jamais croire à ses yeux et puis si elle rissolait vraiment c'était trop tard ou — elle semblait vraiment Fata Morgana.

Il alla siester, ouvrit une boîte de boules Quiès à cause du bruit des bombes, précaution que ces boules dont usait Maria pour se prémunir des voisins encloueurs de moquettes et des fiancés encloueurs d'ombre, les redoutables dont il fut, introduisit les boules de cire dans son conduit auditif, là comme ça on entendait un petit peu moins, paf, une banque ou un grand magasin venaient de sauter ou de se briser les carreaux d'une maison vicinale, pas con les boules Quiès, le chat rampa contre lui, il accepta le voisinage bombillant de tendresse, et tomba dans un sommeil profond, inconnu, une vraie mort, un oubli sauvage de ce qui fut, était et serait, les oreilles bouchées, les yeux fermés, la bouche entrouverte à cause du pinard qui le faisait toujours ronfler, la joue contre un fusil exhumé probablement d'une crypte d'église encore debout sous les grands cèdres du bois desquels on éleva jadis les temples de Baal. Dans la première phase de son sommeil paradoxal, passa l'autobus du 13 avril. Dans la seconde, son oncle qui ne descendrait pas de la croix, selon le vœu de l'archevêque Ignace, dans la troisième, un bal où apparut son étroite fiancée, croquant une pomme et volant l'argenterie avec l'agilité d'un sapajou, une érection l'éveilla, puis il se rendormit, loin (crut-il) de la fiancée kleptomane et de la France, ce pays mesquin à la politique grisaillée, courbettée, courbatue, demain il combattrait peut-être, survint un autre songe qui le torpilla, elle était près de lui, veillait sur lui, s'attendrissait car il pionçait comme elle avec des boules Quiès et un chat, si elle ne couchait pas avec une arme à feu. Ses yeux, ocelles claires à effrayer les mésanges. Au vu du halo de ses cheveux rougis à la croire tombée dans un bac de henné, et du tilâkâ sur son front, il sut qu'il s'agissait de sa version indienne, au temps où elle régnait sur le royaume de Doab. La version indienne appliquait méthodiquement ses paumes vermillonnées sur les murs de la maison Ghoraïeb comme les épouses de maharadjahs marchant vers le sâti. Un bûcher, effectivement, l'attendait, dans le jardin. Il la rattrapa avant qu'elle n'y grimpât pour cramer à son aise. Cette fille avait toujours d'étranges caprices. A moins que ce songe n'annonçât le proche veuvage de Maria — la mort d'Amine, son fiancé, son époux. Il la prit par la main, respecta le tilâkâ que jadis il avait effacé, trouvant provocateur qu'elle affichât ainsi une autre existence où il n'était pas, puis elle disparut, reparut toute nue, portant une petite machine à écrire Olivetti sur laquelle il la complimenta — je viens écrire ici, dit Maria, le fixant de ses yeux fluviaux à y orpailler une vie entière. Ton oncle dort, ajouta-t-elle — avec quelques anges, veillant sur lui et son Kalachnikov. Il y a des rides sanglantes au ciel, et des nuages glacés d'injustice. On chasse des Palestiniens de leurs terres, et ces braves ploucs ne comprennent pas de quel droit nous autres braves ploucs juifs venus des hautes terres de l'Est ou des littoraux du Sud, tout aussi déracinés, nous les exproprions. Dieu, pourquoi les as-tu abandonnés, tous ? Je vais commencer à douter d'une façon théurgicide. Amine, il ne faudrait avoir ni père ni mère ni patrie. Coup de bol, c'est mon cas. Je suis ton humble folle, ô Baal des Mouches.

Je t'aimais et ne détestais que moi-même, quand je mangeais des confitures de ciguë au fond d'un sérail dans un lointain passé, au plus profond minuit. Que de confiotes pour me tuer, ami ! J'ai dit : ami. Ami, ton air de derviche vaniteux quand tu me faisais jouir, et mon ventre étonné, toujours. Ton visage de gloire quand tu me sabrais là où naissent les enfants, — enserrée dans le yoni, cette gaine soyeuse du bas des femmes, ta colonne érigée comme celle d'Amarnath — tu étais si fier de ton sexe mégalithique, toi dont les petits baisers idiots rétrécissaient les choses, si ton œil fataliste, ô Sher Khan noble de la cour de Bâbur ou Bâbur lui-même, rétablissait leur grandeur. Les Occidentaux ont la peau fade, grumeleuse, poilue, les lèvres rentrées, le nez excessif. Toi, mon aimé d'Orient, je t'ai tué plusieurs fois. Tu ne supportais pas que je parle d'Angkor ou du Parthénon en me permettant un esthétique parallèle, ça te faisait chier, car tu ne connaissais pas ces monuments et tu ne voyais rien de l'art, mon pauvre aveugle. Pardon. Pardon de t'avoir offensé par mon bonheur en ce monde, ô parfait ignare, seigneur débile, prince des cancres et cancrelats. Aveugle donc, tu cherchais à tâtons, au risque de t'électrocuter, une prise dans le noir, pour y ajuster ton fil, et que le courant passe, et que je sois à nouveau galvanomètre et corps magnétique. Et dans le même temps, tu préférais que je sois écrasée sous un camion que loin de toi avec un autre ou, pire insulte à ton sexe, avec moi-même. Saleté de mec qui dénigrait les merveilles du monde ! Au lieu du cloaque puant, du charnier pervers que fut la fin de notre bel amour, viens voir sur la ville le ciel d'un autre enfer.

Elle l'entraîna jusqu'au balcon. La ville calcinée s'étendait très loin tel un immense tronc d'olivier, poudré de cendres et de limaille d'argent, et s'éteignaient le grand songe de fer et les néons acides de la cité babylonienne, rien que pluie et feu sur le pays de Charan, les figues et les oranges de Batroun, toutes les sources rougissaient sans attendre le printemps, les étoiles rasaient les toits avant d'exploser, géantes rouges, il y avait sur la surface des eaux une blessure de sel et au-dessus des eaux un rude ciel de cinabre.

La folle embrassa Baal des Mouches au coin des lèvres, puis sur sa tempe où friselait un cheveu blanc, pendant que des généraux étoilés, des Premiers ministres désignés et des présidents élus tentaient de former un gouvernement et comme on dit, de présenter un ministère. Présenter à qui ? fit la folle avant de disparaître, et dans le rêve d'Amine, ce fut comme un second, véritable couvre-feu.

L'oncle et le neveu, en pleine jubilation, ne se lassaient pas de jouer avec leurs arquebuses perfectionnées, le curé s'extasiait sur le browning calibre 50, réprimait une envie abominable d'appuyer sur la détente pour foutre la frousse aux voisins, les Lakhdari, des emmerdeurs et des planqués, mais gaffe, les Lakhdari avaient des armes tchèques, donc ne pas risquer une balle tirée d'un Ceska Zbrojovka.

— Quant au petit arsenal entreposé dans la cave... tu risques d'être étonné ! fit l'oncle, qui ajouta d'un air un tantinet coupable : Je précise que cette réserve d'armes dont ton père ignore l'ampleur n'est pas destinée à défendre la peau d'un simple vieux curé fichu et, depuis peu, celle beaucoup moins fichue d'un jeune neveu, mais celles des phalangistes qui les ont à leur disposition. Cela dit, pour un Libanais, donc un amateur d'armes, la vue d'ensemble est inoubliable.

Il fit la mine du révérend père Gaucher devant ses liqueurs, et Amine le suivit dans sa descente difficultueuse vers les sous-sols. Là, il découvrit, à côté des chais où reposait un nombre impressionnant de grands crus, en bouteilles poussiéreuses qu'il se promit de boire à la santé de Mlle Tiefenthaler, une époustouflante exposition de flingues, dont un Bull-Dog à cartouche 44 spécial, canon de 76 mm, précisions données par l'oncle qui en caressait avec concupiscence le barillet basculant, une carabine de chasse Mannlicher-Schoenauer à double détente à déclic et magasin rotatif, depuis les poivrières et l'arquebuse à croc, on avait fait des progrès dans l'art de tuer, pensa Amine, sidéré, le fusil automatique MP43 muni d'un dispositif Krummlauf par exemple, une antiquité remarquable dont le canon courbé permettait de tirer dans les coins, qui avait équipé les blindés pendant la Seconde Guerre mondiale et échoué on ne sait comment dans la cave des Ghoraïeb — le saint homme et l'amoureux d'une absente distinguée ne parlèrent plus que charge propulsive, fulminante, coupelle et bouchon de cartouche, louèrent le Galil israélien, copie du AK 57 russe lequel fut inspiré du MP44 allemand et amélioré grâce aux recherches de Kalachnikov, brave Kalachnikov auquel on devait un fusil de plus de quatre kilos, « aussi agréable à tirer au coup par coup que par rafales », selon les fervents, dont l'oncle Camille.

— Ciel mon oncle, Maschinenpistole, Sturmgewehr, Routchnoï Poulemiot Kalachnikova et, très fiable me dis-tu, ce pistolet-mitrailleur Uzi, à culasse télescopique, cré nom, une arme de flic, mais *hic et nunc,* on n'y regarde plus de si près du moment que ça vous refroidit son mec. Très bien le Uzi. Cependant, tes trois automatiques, récemment exhumés de tes saintes chapelles, bonne planque je dois dire, gardés qu'ils étaient par le manteau bleu de la Vierge mère, me semblent suffire quant à notre défense, non ? Le Sterling Patchett cartouche 9 mm Parabellum, un peu archaïque, mais le belge FN, une merveille — tu me le laisseras, mon oncle ?

— Si tu veux, fit placidement le curé, comme s'il s'agissait de choisir le meilleur fromage d'un alléchant plateau.

Or l'oncle avait deux favorites : la mitrailleuse légère OTAN, semblable à un diabolique insecte, posté près de la fenêtre du salon, et une carabine AMT, avec lance-grenade, fixation pour baïonnette, et lunette de visée en option.

Aimée, pensa le neveu, je me demande si vous avez jamais entendu parler de balistique. Me voici au milieu d'une armurerie, et près d'un cureton qui cajole les percuteurs, entre en transe à l'idée d'un beau feu continu, m'apprend des choses indispensables à propos des balles Dum-Dum à tête molle en plomb ou à tête creuse, au lieu de m'évangéliser et d'amener le laïque à résipiscence, le voilà tout excité devant la mort si justement, si artistiquement calibrée, si élégante, tenez, longue, précise et percutante comme vous, ô balle traçant un sillon brûlant dans mon ciel de mémoire, vous belle comme une batterie d'orgues et blindée de métal à dorure pour bien protéger votre petite âme de canon, vous aimée que je porte en bretelle, si légère, vous, carcasse admirablement articulée, vous et vos sourires en cartouchière, à la détente ultra-sensible, un mot de travers et le coup est parti, tenez, je vous entends, quelque Light Machine Gun tirant une rafale, au-dessus de nous une lampe vient de dégringoler, vos yeux sont enfumés de poudre noire au charbon de bois, vous appelez ça khôl khâjal, et, quand vous prenez la forme d'un revolver, vous tuez même avec un silencieux, tout dans le discret, Dynamite Jane, ou plutôt Browning Baby — si j'écrivais notre histoire, je vous appellerais ainsi, Browning Baby, le plus raffiné des pistolets de poche.

— On remonte, tonton ? J'ai pris deux bouteilles de margaux.

Les chrétiens maronites (*censés ne point descendre de la croix* selon leur archevêque) avaient néanmoins l'habitude des prudents replis, naguère leur asile fut la

vallée de la Kadisha, et là, l'oncle hésita à quitter le
sous-sol malgré le risque encouru d'y attraper un
rhume, car en haut, ça canardait plein feu. Il considéra
son neveu comme un marsupial de Tasmanie, en plus
courageux. Espèce rare, décidément. Ils remontèrent.

*

Ce soir-là, un bris du miroir cassé par les démons au
cours d'un de leurs vols aventureux, et chu dans l'œil
d'Amine, enfant condamné à la vision perpétuelle de
l'inversion, venait de fondre. Le grand dégel.

Ému, il suivit le clopinement de son oncle qui,
implantant sous son aisselle la crosse quasi épiscopale,
car tendue de velours violet, de sa béquille, avançait
par petits bonds d'otarie, puis s'effondrait dignement
dans un fauteuil déglingué, ouvrait une bouteille de
margaux, en emplissait un beau verre de cristal fuselé
— il restait encore, oublié par Fouad et rangé par
Rachid dans une caisse car les vaisseliers risquaient
l'effondrement à la moindre déflagration, un service en
cristal de Baccarat comprenant verres à bordeaux, à
bourgogne, et flûtes à champagne, dont c'était bien le
moment d'user.

Sous ses fortes saillies orbitales, les yeux enfouis de
l'oncle étincelaient de joie, il avait étendu sa prothèse
sur un pouf, lampait l'excellent vin, écoutait placidement les informations, PERSONNE NE SAIT QUI TIRE
SUR QUI : 500 MORTS, nonobstant il semblait qu'on
fût sorti de la crise ministérielle (il s'étrangla avec le
margaux) pour entrer plus avant dans la guerre civile.
Et le cabinet « de réconciliation nationale », là-
dedans, pas de la roupie de sansonnet, éructa l'oncle
Camille mais les personnalités les plus représentatives

222

du bordel ambiant. On annonçait que beaucoup avaient fui à la montagne, charmant estivage, ou à l'étranger. Ouvrant *L'Orient-le-Jour*, Amine lut : « Beyrouth est une ville coupée du reste du Liban et livrée aux forces armées ». Ça, rien de neuf. Et il se sentait affreusement bien. Que se battent, autour, pour leur territoire inexistant, les bisons, les babouins et les singes décorés, il mangeait un yaourt à l'eau de rose, et la mort enfin proche, enfin près de lui marchant, le réconciliait avec la vie, il contrôlait parfaitement une situation liminale, jonglait avec les gâchettes des pétoires, les vitres fracassées abattaient leur grésil sur les tapis, pardon mon oncle en ce huis clos d'être bien avec vous, ce moment est le fin du fin, peut-être la fin des fins, hourra ! Et vous croyez en Dieu, veinard ! Et demain, vous béquillerez jusqu'à l'hôpital ou le siège de la banque du sang pour soigner les blessés ou les asperger des saintes huiles d'olive, que faire s'il n'en reste plus, eh bien on les oindra d'arachide, ce sera pareil, pour cette onction vous braverez les fusillades, car dehors il y a des gars en cagoule qui appliquent leur idéologie à coups de bazookas, de mortiers et de grenades, afin de démontrer qu'elle est dominante. Ainsi fait-on l'histoire. Une histoire d'hommes, donc, une sale histoire.

Demain il irait avec le tonton dans la ville, et boirait un coup avec les journalistes embusqués au bar de l'hôtel Phœnicia. AU BAR DE L'HÔTEL PHŒNICIA ! ce vaillant palace, intact, devait posséder un télex. Utile et unique moyen de communiquer avec le monde, car depuis un mois le téléphone était coupé chez les Ghoraïeb.

— Tout a sauté, mon neveu, le mollet et le pied, dit le curé, contemplant son moignon dont la prothèse dissimulait le cône. Sur le moment, je n'ai rien senti.

J'ignore quelle sorte de pétard m'a bouzillé la jambe. Probablement, une simple grenade de grande brisance. J'ai continué de souffrir longtemps après, chose connue, de mon absence de mollet. Ainsi en va-t-il des douleurs mentales, qui sont sans anesthésie. Moi grand marieur de Zghorta, j'en ai vu des types démolis par l'absence de la fille du boulanger qu'ils aimaient d'amour fou ! Même souffrance tiraillante, pas ? On regarde, et il n'y a plus rien. Mais le trajet de l'âme reste coudé en direction de la personne chère. Il lui faut le temps de s'orienter différemment. Quant à moi, on m'a scié la peau perpendiculairement à l'os, puis les parties molles, obliquement, j'ai paraît-il échappé à la méthode ovalaire où ces dernières sont taillées en bec de flûte, à moins qu'on ne les ampute en raquette.

— En raquette, répéta Amine, nauséeux.

— Oh, je ne voulais pas t'effrayer, mon neveu. C'est fou tout ce qu'on ignore quand on jouit de son intégrité physique, quand on a le jarret souple, le mollet fringant. On ignore être en la divine possession d'un tibia, d'un péroné (je fais souvent des rêves de tibias et de péronés), de muscles jumeaux, extenseur commun et jambier intérieur — on ne se félicite pas de ces fantastiques acquis, on oublie de remercier Dieu du libre usage d'un muscle long fléchisseur commun, d'un court péronier, toutes ces machines-là dans une seule jambe, on n'est qu'indifférence envers les possibilités de flexion inouïes du jarret, or ce jarret lui-même comporte beaucoup de muscles magnifiques, tels le couturier, le biceps, les jumeaux externes et internes, je t'en bouche un coin mon neveu, j'ai appris un peu de médecine à force de voir des gens en rondelles, à l'hôpital, donc ainsi négligeons-nous de louer le Seigneur en syriaque ou en toute autre langue, car nous ne savons ni ce que nous faisons ni de quoi nous sommes faits.

Le vin gonfla alternativement sa joue gauche puis la droite, il avala en dégustateur, et reprit.

— Amputé au-dessus du genou, réduit à béquiller sur un pilon de poulet, je me réjouis rétrospectivement qu'existent ces prodiges anatomiques, et je rends grâce pour la conservation de mon mollet et de mon pied gauches. C'est une occasion de bonheur impartie à peu de gens, vois-tu.

Le ciel était en état de choc, pâle, cyanosé, froid, comme menacé d'effondrement. De fausses étoiles, au préalable vissées sur les douilles, enfoncées dans le manchon des fusils, frôlaient et percutaient les toits, à une portée de cinq cents mètres.

— Ton père, cet émigré chiassard ! ratiocinait l'oncle, vitupérant à la fenêtre d'où dépassaient l'embout de son Kalachnikov et le nez de la mitrailleuse OTAN. Ton père, incapable de charger un fusil automatique sans qu'il lui tombe sur le pied et que la balle se plante dans le plafond ! Il a bien fait d'embarquer ses tapis, ses portraits de famille et ses torchères, je n'aurais pas voulu le voir dans notre situation ! (le *notre* ravit Amine, et un souvenir de l'arme non chargée d'un de ses lointains suicides le fit sourire). Un malin, ton père. Pendant qu'ici on s'amuse avec des fusées antichars téléguidées, cela au nom de Jésus, du Progrès et de la Palestine, je te parie qu'il pleure sur notre sort et ton départ — bravacherie de jeunesse, dont il ne faudrait pas que tu fasses les frais, Dieu te garde ! — comme s'il avait reçu une grenade lacrymogène dans l'œil, ce gaillard de Fouad...

Il pointa le Kalachnikov à vue, croyant déceler un assaillant dans le jardin, puis baissa son arme car il s'agissait du matou qui fouinait dans le jardin — Dieu garde aussi celui-là ! pesta-t-il.

— Ne bouge pas, dit Amine, je vais le chercher.

De corvée de chat, cette fois il dut ramper, car la maison voisine, celle des propriétaires de l'arsenal tchèque, venait de se départir de son aile gauche, tandis qu'une des dernières suspensions cristallines de la demeure Ghoraïeb s'effondrait avec fracas vu ses dimensions semblables à celles d'un lustre d'Opéra.

— Eh bien, dit l'oncle à Amine qui ramenait le chat par la peau du cou, ta fiancée, le quatorze juillet, verra d'autres feux d'artifice.

Il ouvrit une large main de prédicateur.

— J'espère qu'elle n'est pas assez zinzin pour se pointer ici — malgré la défection des compagnies aériennes, il s'en trouverait bien une pour la convoyer, si c'est le casse-cou dont tu parles. Rachid, un peu de tenue, s'il vous plaît, ajouta-t-il à l'intention du gardien, aplati sur le sol comme une pâte à tarte. ILS, ces mystérieux, visent la maison des Tfadalé, je les appelle ainsi car ils donnaient des réceptions outrageantes à la misère du peuple, avant la guerre. Des gens comme les Ghoraïeb, pas mieux.

Les tirs s'éloignèrent, et le chat sortit de sous un fauteuil. Amine s'en fut ouvrir une boîte de corned-beef pour le sustenter. Après tout, il devait bien ça à cet animal pour avoir crucifié quelques-uns de ses congénères, avant la guerre qu'il fit à cette femme, Maria la Chatte, et elle dans laquelle il s'était fourré non tant par dépit que par défi.

La Morrigane

Le lendemain, l'oncle alla soigner les blessés à l'hostau, et Amine télexer de l'hôtel Phœnicia (au Vendôme, où son père louait ses fameuses suites à l'année, on risquait de le reconnaître, et de cela pas question, il tenait trop à se débarrasser de toute encombrante identité).

SUIS AU CHAUD À BEYROUTH. DEPUIS 67 LA DROITE LIBANAISE AMONCELLE DES ARMES POUR ISOLER LE LIBAN DU MONDE ARABE CECI SOUS L'AILE DE L'AMÉRIQUE, D'ISRAËL ET DE L'OCCIDENT, OR CHER PAPA CONFESSIONNEL CHRÉTIEN TU SERAIS SURPRIS DE VOIR QUE LES FUSILS DE L'ONCLE CAMILLE SONT EN GÉNÉRAL RUSSES. ON NE COMPTE PLUS LES CESSEZ-LE-FEU. MORITURI TE SALUTANT. EN CAS D'EXCURSION JE VOUS RAPPORTERAI DES COUTEAUX DE JEZZINE. VOTRE FILS. A.Y.G.

Jezzine! Bled de montagne où on tapait le carton près d'une cascade, où on fumait le narghileh dans les petits cafés d'une terrasse panoramique. Les Levantins adorent la *nice view,* ne s'en lassent pas, surtout quand ils la contemplent derrière la fumée de leur orientale bouffarde, en sirotant leur arak douceâtre. Jadis, la famille Ghoraïeb excursionnait à Jezzine pour acheter quelques pièces de cette coutellerie célèbre dans tout le pays, surtout les poignards que collectionnait Fouad.

Gamin, son télex. L'envoyé très spécial résista opiniâtrement à l'envie d'en balancer un à Maria Tiefenthaler. Pour mieux résister, il commanda un whisky à l'unique serveur du bar de ce palace où les touristes, bloqués, faisant Fort-Chabrol, se gardaient de mettre dehors un pied qu'auraient entamé les bris de façades dynamitées. Pauvres gars, en quête de petites criques bleues, des vergers d'orange du Kesrouane, de sports nautiques et de folklore oriental (« on ne saurait parler de Beyrouth sans évoquer sa vie nocturne », lisait-on dans tous les guides) et de reins concassés par ces danses orgiaques dites du ventre. Pauvres curieux de couleur locale, pauvres amateurs de flâneries dans les ports placides où sèchent les filets et où ça sent la rascasse et la cigale de mer. Oh ça, de ruines, ils n'étaient pas floués, après les phéniciennes, les grecques, les romaines, les arabes, celles des Croisés, les byzantines, ils avaient sous le nez les beyrouthines d'aujourd'hui et pas des moindres. On fracassait des banques, non des fortins tel le krak des chevaliers, mais ça fumait à noircir le soleil.

Il avala une gorgée de whisky, la nuit tombait, idem le couvre-feu, la mâchoire métallique de l'inquiétude et la nuit suffocante, trépidante des mitraillades allait recommencer. Un taxi l'attendait à la sortie du Phœnicia ; cinquante dollars pour rejoindre le quartier chrétien. A ce prix-là, le gars, un baroudeur et un roublard fini, s'en mettait plein les poches ; tout le monde le connaissait, car c'était un des seuls à accepter de passer d'une zone à l'autre, dans Beyrouth, voire à grimper dans la montagne. La montagne, c'était de deux à cinq cents dollars, selon les jours, les événements et la gueule du client.

Maria, ma coqueluche, avec incubation, invasion, phase catarrhale, quintes, serais-je sur le déclin de ma maladie infantile ? Voilà que je regarde d'autres jambes que les vôtres.

Des jambes intactes, qui m'émeuvent d'autant plus que l'oncle m'a fait l'inventaire de ces membres dits inférieurs. Du feu de Dieu les guibolles. D'une longueur bouleversante, le muscle fléchisseur commun de cette jambe droite, l'allongée, l'autre est repliée en équerre donc on ne peut pas juger l'ensemble, prions pour qu'elle n'ait pas les quilles dépareillées.

Le regard d'Amine caressa un pied hâlé, que chaussait une espadrille de corde, remonta, se fixa sur une cheville mince, puis sur un mollet sans saillie musculaire et un genou droit (seul celui de Maria approchait de cette sèche perfection rotulienne) croisé à présent sur le gauche, oh, un genou... ce genou, latin *geniculum*, avait la beauté tranchante d'une lame de sabre japonais, offrait une jointure exquise avec la cuisse qu'on devinait mal à cause du fâcheux journal, *L'Orient-le-Jour*, qui, posé dessus, la dérobait, ce genou, idéale charnière susceptible certes de flexion et d'extension mais aussi d'être frôlée par bien des hommes sans manières, et Amine frémit à la pensée d'une main pataude se posant sur le genou sans tumeur ni flaccidité, dessiqué, ligne pyrogravée sur une chair de cuivre, ce genou adolescent, avec quelque chose de fiévreux et de tragique...

Il en était bleu, de ce genou virginal, au-dessus duquel s'éployaient les feuilles du quotidien, tenues par deux griffes pain brûlé. Ébloui, le regard de Ghoraïeb fils reprit l'ascension à son début, lentement, de peur d'une déception, alla du bas de l'édicule, le pied, à la cheville, au mollet, au genou, au journal et, le sommant, ne découvrit qu'un crâne chevelu, de la pâle blondeur du froment. Elle avait peut-être une tronche en coin de rue, mais cré nom de genou. *E pericoloso sporgersi*, or il avait presque le nez dessus, et la fille au genou ne se préoccupait pas de cet envahissement.

Entre l'occiput et la rotule de la créature sagement assise dans un fauteuil, au bar du Phœnicia, il y avait la transcription d'une guerre civile, 500 morts en quelques jours, éclipsés, ces morts et ces jours, par la splendeur calcaire de cet escarpement sur le gouffre, le genou de...

Une gouape de seize ans, un jeune bourlingueur américain, ou une Suédoise en vacances estivales dans un si fourbe Éden ? Littéralement percuté, il oublia le couvre-feu et commanda un second whisky. Happé par le genou, le pervers reprit une noble stature de cèdre adapté au pays, et attendit patiemment que le pro- priétaire, mâle ou femelle, de cet emboîtage de précise marqueterie, dont aucune pièce ne jouait, finisse de lire le keepsake des catastrophes. Le genou lui fit le plaisir provocateur de changer de position, les deux jambes s'étendirent parallèlement, ligneuses, il eut le loisir d'apprécier la juste concavité de la tête des tibias, et la perfection du tendon rotulien lui alla droit au cœur. Si c'était un petit garçon, il tenterait la pédérastie. Genou genou, genou un peu racho de gamin ou gamine grandi(e ?) trop vite, ciel, la paire s'entre- croisait en x, position *a priori* peu gracieuse, or, là, c'était l'œuvre des anges, ou cet x, le dessous d'un siège versaillais estampillé par un maître ébéniste. Casse- cou que de rentrer à la brune, mais les deux genoux valaient bien une messe, ou de recevoir pour le prix de la contemplation une bombarde à ailettes.

La personne aux jolis genoux replia le journal, secoua ses cheveux légers comme le tulle d'une mousti- quaire, ouvrit sur l'inconnu, dont la mâchoire se décrochait un peu en la regardant, d'immenses yeux d'un bleu vague, lent, embués d'un sfumato de cobalt. Une fille, remettre la pédérastie à plus tard. Tant mieux ou tant pis. Iseut aux Blanches Mains, pensa-t-il, subterfuge du destin. A peine quarante kilos. Aussi archétypiquement pucelle visionnaire qu'Iseut la Blonde, celle dont le baiser herbé m'a tant flanqué de vertiges. La seconde Iseut semble toute de cire brune, statue du musée Grévin, à peine un souffle soulève-t-il ses seins nus et clairs comme une cicatrice sous sa chemise blanche. Une blonde presque albinos qui brugnonne au soleil, rareté. Dans l'ensemble, très school girl.

Les cinq cents morts du sportif week-end justifiant qu'on ne s'attardât plus aux préliminaires mondains, il s'assit près d'elle et lui demanda son nom et dut se contenter d'un prénom. Laure était celui qu'elle devait à ses parents, l'un mitraillé, l'autre porté disparu. Orpheline, semblant amnésique, elle lui débita ces quelques informations fondamentales d'une voix anonyme, pâle, sans timbre, et il l'envia, il aurait voulu troquer cette tare avec son affolante mémoire. Que faisait-elle au Phœnicia ? Elle attendait qu'on lui restituât sa mère, dans l'hypothèse où on la retrouverait. Il évita de rencontrer ses yeux, à la prunelle de silicate fragile, au bord inférieur embué de nacre liquide, rétention de larmes propre aux madones. Il lui proposa tout de go de l'emmener à Achrafieh, et de laisser un message à l'hôtel au cas où sa mère se manifesterait.

— Oh vous savez, dit-elle très doucement, dans un français à l'accent indéfinissable, portée disparue, ici, veut dire disparue pour toujours. Je peux bien attendre dans ma chambre ou dans le hall la fin de la guerre ou un bateau de rapatriement. Les gens du Phœnicia sont vraiment très gentils avec moi (très gentils ! il s'émut de la cucuterie du *très gentils,* la trouva d'emblée un peu sotte et surtout absolument paumée, apprécia la langueur monocorde de sa voix, s'émerveilla de la candide niaiserie lue dans cet œil pervenche — ô qu'elle soit bien sotte, avec de tels genoux, qu'elle ne soit rien qu'une dépouille, un froc sublime jeté là aux orties, sans personne pour s'en occuper, sans... oui jeune fille, continuez votre récit). Ils me montent à manger dans ma chambre.

— Depuis combien de temps êtes-vous au Liban ?

— Je ne sais plus. Je ne me souviens que de ce tir, dans la rue, mes parents traversaient, moi je marchais déjà sur le front de mer, mon père est tombé, ma mère a couru. Des passants m'ont ramenée. Personne n'a reconnu le corps de mon père, il y en avait pas mal entassés dessus, et moi, je ne pouvais pas regarder ça. J'avais les clés de la chambre dans mon sac. Heureusement, car je ne savais plus le nom de l'hôtel.

Eh, Maria la Sphinge, votre douce procuration a un petit avantage sur vous : apparemment pas plus de seize berges. Vérifier sur ses papiers.

— Vous avez vos papiers ? Pardon de cette question de flic, mais si on doit vous rapatrier, il faut que je sache par quelle ambassade.

— J'ai perdu mes papiers, monsieur. Mon passeport était dans mon sac, et mon sac s'est ouvert quand je suis tombée, au moment de la fusillade. Mon père disait que ce n'était pas prudent de les laisser à l'hôtel. Je suis irlandaise. Y a-t-il, ici, une ambassade d'Irlande ? Oh, monsieur, ne vous embarrassez pas de moi.

— Quel âge avez-vous, mademoiselle l'Irlandaise ?

— Seize ans et demi.

Ses yeux de Morrigane, comme les lacs celtes d'où des mains féeriques tendent des épées à destination des héros de passage. Extrêmement héroïque, il se saisit du lot, orteil, mollet, genou, œil bleu, seins impubères, tête oublieuse et cheveux pâles — oh, toute cette légèreté ! — le porta jusqu'à la chambre du Phœnicia, exigea que la Morrigane fît son bagage, Vuitton, du chic benêt, dans lequel Vuitton elle fourra quelques slips, un jean, un pull et deux chemises, puis boucla la valise et, effroyablement disponible, sans mémoire, referma la porte, suivit Amine qui régla sa note, et l'enleva sur son destrier, c'est-à-dire dans le taxi crasseux de l'Arménien qui maraudait depuis une plombe sans trouver de courses à travers la cité maudite.

— Vous croyez que les cartes de crédit, ça marche encore, en état de guerre ? fit la féerique, blottie à l'arrière, avec un à-propos qui lui laissa penser que les défaillances de sa psyché n'étaient pas de tous les ordres.

— Dans toute autre guerre, je ne crois pas. Ici, tout le monde fait semblant de vivre normalement, vous avez dû le remarquer. Alors on accepte le Diner's Club, pour s'aider à croire qu'on est encore en vacances, l'été, dans une ville de plage. Beyrouth a toujours été irréaliste. J'y suis né. Je m'aperçois, miss Laure, que je la connais mieux, cette ville, que je ne le pensais. Sous les bombes, elle me paraît d'ailleurs beaucoup plus intéressante. Mais ceci reste mon problème, dont je vous prierai de ne pas vous soucier. Je vous prie également d'accepter que je m'embarrasse de vous (ajouta *in petto* : trente-neuf kilos de visu, seize ans et demi et pas de cervelle, ça pèse bien peu).

Dans le taxi, elle lui offrait à nouveau la fulgurante grâce de ses genoux haut repliés, celle des cuisses attenantes, celle d'une taille mince et droite de garçonnet, flottant dans un short très court et trop large, celle des seins à peine formés sous la roide kurta indienne, et plus haut — plus haut, rien que la sérénité bleue des prunelles océanes. Il décela une certaine admiration effarouchée dans ces grandes prunelles fixes, la jugea vraiment demeurée ou commotionnée au point d'avoir perdu, outre la mémoire, la raison, *madness*, se dit-il, et il posa sa main sur le genou convoité de Laure, si toutefois Laure il y avait. Elle parut ne pas remarquer ce geste, très occupée à mordiller ses ongles.

Il soupçonna Iseut la Première, ce criquet dévastateur, de lui avoir envoyé cette vierge blonde, toute de glaçons et de frimas sous son pigment solaire, dans quel but, il ne le savait, mais indéniablement cette pythonisse d'Endor, la mère Tief, pire des canailles, devait rigoler matoisement en suivant, dans son miroir, les opérations qu'elle provoquait. Voir, inclinant sa tête de chatte d'Abyssinie, ce qui se passait à l'arrière d'un taxi à la conduite aberrante dans les rues de Beyrouth après le couvre-feu. Voir cette fille sans identité ni conscience qui si innocemment le suivait, éperdue, si ruinée de l'âme, si douce, plus douce que la stupeur d'un abîme, sans logique ni passé, énigme claire et dormante que rien ne semblait éveiller, pas même les écrasements proches des obus sur Beyritus encagoulée d'une violente nuit.

— On a distingué des odeurs de cadavres chez les léthargiques, d'où enterrements prématurés, dit l'oncle, à propos de la nouvelle recrue — mais, beau neveu, ton endormie sent plutôt la violette comme sainte Catherine. On sait depuis que ladite sainte carburait à la térébenthine, d'où ce parfum. D'après ce que je vois, nous sommes tuteurs de cette gamine. Après le chat et l'Irlandaise, que vas-tu me ramener ? Tes expéditions dans la ville me semblent menaçantes, mais tes goûts, en matière de femme, inchangés. Celle-là est un os de seiche, tout comme ta fiancée dans sa version première.

— Il y a quelques différences. Ma fiancée a dix ans de mieux, des seins admirables, au contraire de Laure qui est toute plate, et au lieu d'être endormie, Mlle Tiefenthaler penche vers l'hystérie, avec des sueurs de sang qui font croire aux miracles mais ne sont que règles déviées.

— Alors, elle doit sentir l'ananas, conclut le tonton qui tirait ses connaissances médicales fort poétiques mais un chouïa empiriques du Larousse médical de 1920, et ne s'y connaissait vraiment qu'en franches blessures. Sur ce, il se retira pour méditer, et oublia complètement de s'informer sur la provenance de la rescapée. *Tfadalé* fut le mot qu'il prononça sur le seuil du salon — bienvenue à la brebis égarée qui roupillait dans la chambre du dessus. Et, dans son oratoire, il rumina sur cette nouveauté, l'accepta, trouva très gai que lui, le curé, son neveu et une amnésique se partagent la maison transformée en monastère et en arsenal, et cohabitent sans se gêner, dans l'espoir qu'un jour, on respectât le centième cessez-le-feu. Avant d'entrer en loge pour prier comme il est convenable de le faire, sans distraction, il reconnut que, depuis longtemps, il ne se permettait plus ces fines plaisanteries au sujet de sainte Catherine et de son usage de l'essence issue de la racine du térébinthe. Décidément, la présence de son neveu le ragaillardissait, et, bien qu'il fût inquiet des dangers auxquels celui-ci s'exposait en venant se fourrer en pleine guerre dans ce pays moribond, il ne pouvait s'empêcher de réjouir son cœur d'un tel cadeau — il ne lui restait plus beaucoup d'étés à vivre, et le dernier, ou l'un des derniers, lui avait rendu ce gamin que l'Occident n'avait pas tout à fait pourri, qui semblait expier un secret péché, et trouver dans cette demeure sur laquelle à chaque instant pouvait tomber un obus, la rémission de quelque obscure peine — sans doute tout ceci avait-il un rapport étroit avec la première fiancée. Face à Dieu, il se sentit lui-même un peu coupable, pris en flagrant délit de penser à autre chose qu'à Lui, il fit une tête de manœuvre ayant mal vissé quelques boulons et surpris en état de rêverie par un supérieur, puis s'abîma dans une prière si profonde qu'il s'y endormit.

*

— Avant la guerre, dit Amine, ce frimeur, à Laure qui ne le quittait pas d'un pouce, cette maison rivali-

236

sait avec le palais de Beit-ed-Din ou celle de la famille Pharaon. Les avez-vous visités, ou bien... (il se repentit de sa grossièreté — ne pas poser de questions sur son passé, même récent, à la Morrigane qui n'en détenait plus la réponse, à moins qu'elle ne fût amnésique à volonté).

— Je ne sais pas, dit Laure, avec un impassible flegme. (Par bonheur, elle a l'air de se ficher de tout, continuons le speech, cogita Ghoraïeb fils, laissons tomber les Pharaons et étalons nos vanités, de celles-ci en revanche elle ne se fiche pas, elle admire. Elle admire énormément, cette petite. Ou alors c'est ce bleu de luzernière, ces yeux incroyables, qui ont toujours un semblant d'admiration dedans. Lui mettre un étron devant, pour voir s'ils changent de couleur ou s'ils sont toujours en couleur et humeur d'admiration.)

— Observez, dans cette maison, jeune fille, les réminiscences damascènes, italiennes et ottomanes, les colonnades romaines, les ogives arabes, les balcons de fer forgé espagnols, et notre marquise en vitres qui, elle, est du cru de mon père et qu'un M 72, vous savez, ces choses qui tombent en faisant du bruit, ne va pas tarder de bousiller — dès que vous serez dehors, vous regarderez cette adorable marquise qui n'en a plus pour longtemps. Quant à l'ensemble, jugez de l'éclectisme du goût libanais. Pas toujours le meilleur, mais dans le temps, c'était confortable.

Ils erraient au premier étage, suivant les galeries à arcades, frôlant les tentures empoussiérées, Amine ouvrait pour son hôte les portes de la demeure où le soleil ne pénétrait plus que rarement et qui sentait le rance, elle touchait les marbres du doigt, semblait à peine effleurer les jachères sombres des tapis persans, dehors des tirs de mortiers éloignés frappaient les quartiers périphériques.

*

Après un chat galeux et relâché des intestins, Amine le Généreux avait donc ramené par la peau du dos une chose longue à n'en plus finir, comme étirée sur le lit de Procuste, un roseau sans pensée, une enfant aux cartilages distendus à force, peut-être, de s'accrocher aux portes... Maria, géométrie plus ramassée, plus ciselée, plus brève, facettée à l'instar d'un bijou navette, sans un repentir du Créateur, jamais ne prêta attention aux discours d'Amine avec la foi féale, la vigilance soumise de Laure qui jouait parfaitement son rôle d'auditoire serein, ophélique, dont il ne saurait jamais rien. Fascinante oubliette. Elle ne lui demandait qu'une faveur : un peu de kif. Si c'était pour oublier, elle n'en avait pas besoin. Mais cette discrète personne à la mémoire rabotée insista avec tant de douceur qu'il céda — et puis, elle lui plaisait, cette fille liliale aux souvenirs clandestins, cette humble charade, et voulant lui agréer, oui mademoiselle vous aurez votre came, il lui promit d'aller chercher de l'herbe chez un tapissier qui en fournissait son père au temps où, chez les Ghoraïeb, on fumait dans un boudoir aménagé en camp haschichin, avant que la puritaine maman Benkamou, paix à son âme, ne mît un terme à ces loisirs sybarites. D'ailleurs, l'idée de fumer en cachette de son oncle avec Laure, et la perspective qu'un obus les arrachât pour toujours d'un rêve suave et coloré pour les propulser dans un autre, inconnaissable, lui titillaient agréablement l'intellect.

— On y va quand ? Je vous accompagne, dit Laure
de sa voix posée, fluette et un peu snob.

Ainsi fut fait, malgré les dénégations d'Amine.
Autant se débarrasser d'elle que de son ombre. Elle
avait un sang-froid époustouflant, ou plutôt, une ignorance absolue du danger, et il la crut à juste titre
capable de baguenauder dans la ville en guerre, le long
des vitrines où plus rien à lécher, soit d'aller glander le
long de la Corniche où elle tomberait sous la première
salve de mitrailleuse — il frissonna, troublé par ce
secret cryptographique, cette fille si jeune et déjà en
aparté avec les limbes, l'inconnue aux pas chuchotants
qui, la mort à ses côtés, la mort reflétée dans ses grands
yeux d'eau vague, voulait fumer du chanvre et ne
voulait que ça.

Ils allèrent à pied ; le tapissier habitait en contrebas,
à quelque dix minutes de marche.

Il reçut Amine avec des transports de joie, persuadé
d'accueillir un militant phalangiste, et réserva à
l'étrangère une méfiance indulgente. Leur offrit du thé.
De l'herbe, mmm, il se gratta le crâne, c'est qu'on n'en
trouvait plus à Beyrouth, quel qu'en fût le prix pro-
posé. Amine connaissait le zouave, il marchanda en
dollars, tandis que Laure, un peu plus présente qu'à
l'ordinaire car le résultat de l'opération semblait lui
importer énormément, buvait son thé avec distinction.

Pour l'herbe désirée par cette fille dont il ne savait
que l'âge et le prénom, pour ses admirables rotules
comme nées à ce jour, pour cette étrangeté sortie toute
casquée du front des nuages, il aurait collé son
browning entre les omoplates du tapissier Abou
Achkar — ce qui ne fut pas nécessaire, car ledit Abou
Achkar finit par remonter de sa cave un sac dont la vue
fit frémir Laure de la tête aux pieds y compris les
genoux, ces osselets d'ivoire sombre. Laure dont le

239

calme de bonace marine se démentit soudain et qui lança à Amine, de ses yeux célestes, un message de totale confiance.

Ils repartirent lestés de leur provende, allèrent à travers les rues vides, Laure marchant sur les talons d'Amine, le suivant si aveuglément qu'elle trébucha, tomba, s'entailla le genou avec un éclat de verre, se releva, grimaçant à peine, pourtant la fameuse articulation pissait le sang et il faudrait illico en extraire le bris — par bonheur l'oncle possédait à domicile toute une panoplie d'infirmier.

Transformé en bonne sœur de Notre-Dame-de-la-Joie et en hébergeur d'orphelines, il aida à grimper jusqu'à la maison Ghoraïeb cette jeune fille dont le destin s'incarnait très probablement dans sa rotule et non dans son talon comme certains, dont le bras grêle enlaçait ses épaules, dont il appréciait l'exiguïté d'un tour de taille pouvant rivaliser avec celui des minoennes et, tout contre lui, la fraîcheur d'une peau de lait chocolatée — car miss Laure, depuis son emménagement chez Ghoraïeb fils, s'obstinait à peaufiner son bronzage au milieu du désastre, demain s'exposerait, comme elle l'avait fait les jours précédents, en bikini à la fenêtre, fumerait son joint peinarde et le genou pansé, en plein soleil — curieuse affaire, grommela Amine le Messianique, sourdement et trivialement ému par ce poids floconneux et toute cette foi donnée et ces cheveux fibrillés de platine tombant à la Véronika Lake sur l'œil bleu cru, et par l'ensemble de cette poupée désarticulée et si artistiquement floue, si aristocratiquement hautaine et impavide devant la douleur, pour laquelle il était le seul homme susceptible de la porter jusqu'à un abri, de désinfecter son bobo et, éventuellement, de lui rouler ses joints. Panser les jeunes filles, une carrière, grogna-t-il, au souvenir de la première estafilade qui fit couler le sang de Maria, alors en conflit avec la rhubarbe dont l'épluchage s'était révélé périlleux — ceci, dans un passé proche, vernal, amoureux, aux couleurs véhémentes, un passé où maison de campagne, ciel de soleil, ciel d'orage, plateau de thé, poires doyenné, siestes dans des chambres aux murs tendus de toile de Jouy, quelle chance avez-vous donc, miss Laure, de ne plus rien savoir de ce qui fut. Vous avez, de fait, les yeux limpides et lavés de ceux qui s'incarnent une seconde fois au cours d'une même existence. Ce qu'on appelle une veine insolente, ma pauvre paumée, car les chansons de la nostalgie sont parfois imprévisiblement rudes, et vous serrent davantage le cœur que le pire fado.

Il tint Laure plus serré, la porta jusqu'au perron, lui fit franchir le seuil nuptialement, la posa sur un des divans laissés pour compte par son père, dans ce qui fut le salon. L'oncle Camille avait laissé un mot : « Je suis à l'hôpital Saint-Georges d'Achrafieh. Ensuite je vois des Gardiens du Cèdre et l'abbé Charbel Kassis. A tout à l'heure. Je serai là avant le couvre-feu. Tu ferais bien d'en faire autant à l'avenir. »

Quand il extirpa le morceau de verre, elle ne moufta pas. Pour ce faire, il lui avait demandé d'ôter son jean, et elle avait obtempéré d'une façon quasi automatique, comme si, dédoublée, elle se voyait agir, derrière un miroir sans tain. Apparemment, elle se serait dénudée avec autant de facilité pour qu'on lui curetât un genou à vif. Elle allongea sur le sofa ses membres en enfilade de perfection, attacha son regard à chaque geste d'Amine, qui opéra un soin rudimentaire, lui peignit consciencieusement une genouillère de mercuro- chrome, s'attendrit sur ce fard imprévu, posa ses lèvres sur le genou mythologique, et n'obtint aucune réaction à ce test. Perplexe, il oblitéra le genou d'une abominable bande Velpeau qui en escamota toute perfection, restaient à admirer la cuisse et le mollet. Pour la première fois amoureux d'une gisante, plus précisément d'une paire de guibolles absolument recta et d'une beauté nordique, idéal du bougnoule levantin qui à huit ans croyait que seules les fées ont des cheveux si pâles et des prunelles de saphir, brusquement enfant bougnoule devant cette fille aux yeux de fjord, il griffa la bande Velpeau d'une épingle à nourrice, remonta le plus dignement possible jusqu'à hauteur du visage, caressa les cheveux presque givrés, blanchis de soleil, et tenta d'ouvrir les lèvres tentantes pour gauler un baiser comme on vole une figue dans un verger abandonné. Elle le repoussa, lui dit *non*, et son regard hyperboréen, brusquement contondant, le fit débander net. Dans son jardin parfumé d'électrum et d'argent, il n'entrerait pas. On ne baise pas Mlle Laure. Puis elle ouvrit ses lèvres, mais pour lui sourire en un lent défroissement de pétales, lui répéter *non*, ajouter qu'elle avait peur. Il n'insista pas. Silencieux châtiment, ce corps présent et refusé, cette âme donnée, car elle lui dit qu'elle l'aimait, mais qu'avec elle et ses parents, il y eut au Liban un autre type qu'elle croyait épouser après l'été, et que ce larron était reparti en France avant la guerre, la plantant là, que depuis ce désistement et la disparition de ses géniteurs, elle avouait entendre sous son crâne des sonnailles de cloches, et ne plus vivre que comme un zombie.

Amine renonça à la nécrophilie. On lui bombardait ironiquement une jeune fille à la fois sœur et symétriquement contraire de la première, qui le narguerait en lui vouant complète allégeance et en opérant la clôture de ses parfaites jambes. Bien. Il la garderait, et ne la toucherait pas. Il avait connu le corps de l'autre, mais sans pouvoir jamais s'emparer méphistophéliquement de son âme. Celle-là lui donnait l'âme, il pouvait disposer d'elle, elle semblait décidée à se faire tuer sur un mot de lui, mourir à seize ans et demi l'indifférait ou la séduisait, son corps n'était qu'une admirable enveloppe momiforme, frigide, conservée dans un antique formol, et si demain il lui disait « pars », elle irait vers la mer, avec juste un petit joint pour saturer d'oubli ses yeux d'émail. Inviolable, or, s'accrochant à son cou, pleurant, elle jurait, pour la première fois, l'aimer. Que ne m'as-tu donné un instant semblable, Maria, ma sèche, linéaire et pourtant voluptueuse, mon unique, ma disparue, pensa-t-il, la blonde celtique en sanglots sur ses genoux. Un moment semblable, d'aveu et de pleurs, quitte à ce que je ne t'aie jamais touchée... Aveu et pleurs! Indignes de toi, voyons — jamais de sentimentalisme, tenu par ce bas-bleu revêche pour la pire des obscénités.

Il eut un soupir de résignation amusée, à propos de l'ensemble des phénomènes déroutants d'une vie résolument passionnante jusque dans ses saccades les plus imprévues ou ses désespoirs les plus mornes — vous aviez raison, Maria, de porter ce regard d'entomologiste devant toute chose si ténue soit-elle et le même sur moi, qui m'amenuisais sous vos yeux jusqu'à devenir une flaque insipide, voire répulsive, d'humeurs larmoyantes donc affreuses... Oh oui, ce devait être un spectacle bien affreux! Et il eut un rire guttural, un peu méchant, qui troubla les yeux rougis de Laure — laquelle, quand elle pleurait, avait l'air d'un lapin russe.

— Oh non, ma petite, fit-il affablement, je ne me moquais pas de vous, mais de moi, et d'une bataille ancienne où je fus mis K.O. après avoir été un soldat tout à fait lamentable.

Et dans un geste d'obscure compassion, où n'entrait

rien de sensuel, il pressa contre lui la tête platinée de Laure, et la berça comme si elle venait tout juste d'être sevrée. C'était sûrement approprié à la situation, car, les joues encore barbouillées de larmes et de rougeurs diffuses, elle s'endormit aussi sec.

Tirer sur ceux d'en face
(et toujours la Morrigane)

Il dégustait l'absolu bonheur de savoir contre quoi se battre, contre qui (celui d'en face). Le 2 juillet, il monta sur une barricade, armé du Kalachnikov dont l'oncle s'était départi avec mauvaise grâce, puis eut un instant de panique comme les gens qui se gourrent d'échangeur sur le périphérique, était-il juché sur la bonne barricade, ces ferblanteries, ce dépôt d'ordures et ces pavés avaient-ils été amoncelés là par des chrétiens ? grave question. Il douta, devant les types masqués, puis se dit que ça ne changeait rien à l'affaire, et tira. Belle foire d'empoigne, d'où il sortit engloriolé comme le Marius des *Misérables* auquel il s'était comparé à l'avance, mais avec moins de raison d'être fier de lui que ce héros hugolien. Au hasard, il avait peut-être refroidi un Palestinien et derrière leur barricade d'autres bipèdes idéologues, grâce auxquels il ne retournait pas son arquebuse (soit son dard de scorpion) contre lui pour enfourailler ses propres démons. Ça se passait comme il l'avait désiré, dans la plus absurde ivresse, d'ailleurs il s'était enfilé une bonne dose d'arak au préalable, et il fonçait, rassemblait des hommes, il était sans visage, *fighting like a cornered rat* — quand, ce même 2 juillet, des progressistes (ceux d'en face) voulurent l'assommer pour lui prendre son Kalachnikov, sur quoi il laissa, à sa grande surprise, les deux progressistes sur le carreau, sans avoir tiré d'autre coup qu'en l'air. Dans son élégante jeunesse, Amine Youssef avait suivi des cours de judo du profit desquels il ne comptait jamais user, mais la vie vous réserve des surprises comme son plus sacré cadeau, la mort, que tenaient à lui donner cordialement deux membres de la Saïka, cette « Foudre palestinienne », qui tomba à côté grâce à quelques bonnes prises dudit judo. Évidemment, les membres de la Saïka venaient d'épuiser leurs munitions quand ils lui tombèrent dessus, néanmoins, ils étaient deux contre un — donc ce brave fusil, une des meilleures inventions russes, assurait l'oncle du ton des Béatitudes, resta entre les mains d'Amine, la crosse pesante entama un peu le crâne d'un des agresseurs et les côtes de l'autre, après quoi notre héros s'en fut en courant, les oreilles en arrière.

Pendant qu'Amine était soit au rif, soit ramenait obstinément du jardin un chat fugueur et s'occupait d'une chloroanémique orpheline et paumée, pendant qu'un imam chiite poursuivait sa grève de la faim jusqu'à réduction à l'os, que les phalanstères de généraux étoilés parlementaient et que les quartiers, surtout Chyah et Aïn-el-Remmaneh, s'érigeaient en ronciers de flammes, Maria écoutait les informations, lisait *Le Monde* chaque jour, événement sans précédent, et devenait extrêmement suspecte aux yeux de ses amis qu'elle bassinait au sujet de ce Levantin dont ils croyaient être débarrassés à jamais.

*

Laure subissait, se taisait, endurait les caprices d'Amine, faisait le frichti, se refusait.

Dehors Beyrouth, cour sans miracle. Mort riant en quintes croupales, vomissures des armes à feu, asphalte fracassé, aubes exaspérées d'insomnies. *Liban, ski le matin, plage l'après-midi.* Sur le charnier de béton, un soleil sans usure.

Amnésie de Laure. Sous les porches de l'ombre, la foudre, les orages calculés des roquettes. Rien ne disait l'espoir, mais Amine vivait, voyait, savait le goût de l'eau et des olives, appréciait la frugalité, assistait l'oncle à l'hostau, prenait tous les risques dans la ville et ne redoutait qu'une chose : qu'un obus percutât l'oncle aux postillons christiques.

Quartiers érigés en barricades de ferblanterie.

Jours criblés et encore des jours.

Laure préparait du café, son regard érodé par un vent inconnu, Amine s'installait dans la guerre et y pissait et le reste comme d'habitude, en tirait un curieux sentiment de force. Cette mort latente, comme une lanterne sourde, mort goudronnée, citadine, guérissait son esprit d'une ancienne lèpre.

Laure roulait son joint pour dormir. Dormait énormément. Le tapissier pourvoyait. A l'hostau, joies de surpassement et d'altruisme, narcissiques d'accord, mais joies. Cent peuples dans cette termitière prêts à l'extermination. Cris dans les caves effondrées, fourmillement souterrain des embusqués. Présence de la mort, chaque matin s'éveiller cocassement et penser qu'avant trente ans on serait emporté par une rafale si violente qu'on n'aurait même pas le temps de penser, délivrance.

Laure, toujours hâlée grâce à ses expositions sur le balcon (la guerre, elle s'en fichait, elle tenait bien trop à sa couleur d'abricot), chantonnait, épluchait des oranges. Laure regardait Amine penser, et dans ses mirettes de buveuse d'absinthe il se trouvait parfois grandiose, et en rigolait.

Pas loin, l'odeur sexuelle de la mer, le ciel de velours, toujours le chant du bouc, la tragœdia montant de la matricielle Méditerranée, les stridences des cigales et les langues crépitantes de la mer sur le sable. Mlle Tiefenthaler, exiger que je vous tringle dans l'ascenseur des Galeries Lafayette, ça fait débraillé, pas honnête, et envie aux autres. Mariolle zonarde rodailleuse, seriez-vous ici chez vous, selon la formule de Balzac, comme les rois, les filles et les voleurs ? Eh, ça se pourrait ! Rien que l'écho des rafales de P 38 vous enverrait valdinguer au-dessus des marquises des vieilles maisons du quartier Sursock, ma traîne-lattes ! Ici, ou au pavillon des agités, Maria la Tendre aurait les mains toujours lestes, l'œil en mandoline, envie de niquer dans les endroits publics — sûrement qu'elle aimerait ça, le rif, et au passage se servirait dans quelques bijouteries de l'avenue Hamra.

Laure avait de divines génuflexions jusque dans les yeux. Quant au genou, démaillotté, il cicatrisait. Elle lui répétait inlassablement, d'une voix basse et psalmodiante, qu'elle l'aimait, et lui fermait sa porte à clé, après le dîner. Toute la maisonnée embaumait l'herbe, confondue par l'oncle Camille avec l'encens chrétien, et le prêtre s'étonnait, subodorait non un trafic de came douce, mais une conversion discrète de son neveu, qui avait l'œil déjà moins agnostique, voire plombé d'une maturation progressive, douloureuse et anoblissante. Quant à la madone de Fra Beato Angelico, Laure à l'haleine pure et à la pâle auréole, il avait fini par l'adopter car l'oncle jamais ne résista à la beauté des aryennes, or celle-là était à brûler des cierges devant, en sus vouait aux deux héros un silence d'autant plus agréable qu'élogieux, et faisait assez bien la cuisine. L'oncle n'en était plus à se formaliser que l'Irlandaise fût probablement de parents huguenots, et non, à l'évidence, chrétiens maronites. C'était un ange

248

froid, distrait et doux, un ange sans épée de feu ni d'aucune sorte, qu'il ne s'agissait pas de laisser sortir innocemment de la maison Ghoraïeb, faute d'en retrouver la moindre plume.

Dans les yeux de Laure, des reflets de bleus lacs gelés. D'ailleurs, au cœur de l'été latin, de cet été précisément brûlant et mortel, elle hibernait. Squelette d'argent du Satyricon, montré au cours des agapes romaines pour que les convives appréciassent à sa juste valeur un fugitif moment de bombance. Amine s'attachait à la jeune fille polaire. Tout au plus, se voyait-il autorisé à lui réchauffer les extrémités, dans lesquelles semblait circuler la lymphe éclatante et froide irriguant le corps gracile d'un éphèbe aux lisses membres de marbre.

Embellie par le refus constant qu'elle lui opposait, elle devenait, aux yeux d'Amine, le symbole même de la virginité, qu'il ne pouvait s'interdire de comparer à celui qu'incarnait Maria, pour conclure que, d'après l'éthique dévolue dès sa naissance, en matière de femme, à un pied-noir levantin, Iseut la Seconde représentait plus exactement que la Première ce rêve primordial, classique, eurythmique, altier, inapprochable, inspiré par les claires apparitions d'Ingrid Bergman ou de Grace Kelly sur l'écran d'un cinéma beyrouthin bondé de gamins précocement moustachus et sentant des pieds, ceci du temps où feu Mme Benkamou payait à son fils trois cornets glacés afin qu'il pût savourer des parfums aussi variés que possible concomitamment à l'image, en gros plan, de la déesse blanche. Blanches, voire crayeuses, éthériques, translucides, douces, pâles, très bien élevées, souvent comtesses voire princesses, le cran irréprochable sur une tempe de lait cru, telles sont les vaporeuses Mélusine ou Morrigane, les intouchables aryennes qui font cramper les jeunes sémites dans leur lit d'enfance, provoquent leur premier vœu de chevalier à une enfant (la petite noiraude aux si beaux yeux noirs de la bouchère, fermer les siens et en l'embrassant penser de toutes ses forces qu'elle ressemble à Bergman Ingrid) et leur première éjaculation dans les draps. Eh bien, j'ai trouvé, c'est tout à fait ça, soupirait Amine, et c'est à se tordre de rire.

En tant que fée, l'Irlandaise échappait aux contingences du quotidien. Elle semblait toujours en train d'enrouler un fil sur un invisible rouet, même quand elle épluchait des patates et, quand elle versait du lait dans une soucoupe pour le chat galeux, c'était avec le geste lent, hypnotique, d'une figure de Vermeer. Respirait-elle, pissait-elle, digérait-elle humainement, on pouvait en douter. Phase morte de la lune. Une éclipse que cette fille. On n'aurait d'ailleurs pas été surpris, un beau matin, de constater sa disparition, sa métamorphose en oiseau, ou plutôt, en serpent, vu l'ophidienne et basse température de son corps si souvent et distraitement dénudé, sans que l'oncle, persuadé de l'absolue ingénuité de la jeune fille, s'en formalisât. Il trouvait ça plutôt agréable, d'avoir dans cette maison, en pleine guerre, le privilège d'observer les évolutions de ce long et irréprochable corps hâlé, de regarder, face à la fenêtre, face à la mort poudroyante, masquée, incertaine, le déhanchement las de ce corps nu sauf une barrette dans les cheveux, et le trois-quarts rêveur, demi-voilé de mèches pâles, de cette créature aux larges yeux emplis d'un indolent mystère. Le temps, près d'elle, s'allongeait indéfiniment, elle ne parlait guère et, bizarrement, avec elle, Amine ne s'ennuyait jamais. Il subissait le pouvoir de cette blondeur druidique, et de ce bleu de Gœdel Glas, Gœdel le Bleu, inventeur de la langue gaélique. Il s'enfonçait dans ce bleu théologal comme dans un paysage immortel, sans horizon, dans un vide cristallin, une limpide béance.

Bleu d'une armure ou d'un évanouissement. Bleu mortuaire. Bleu du non-manifesté.

De Laure, comme nettoyée à l'ammoniaque, pure croûte de neige sur les murailles d'Elseneur, spectrale et révérencieuse, il craignait quelque sournois et annihilant pouvoir, mais, de son charme céleste, demeurait captif. Il fut à peine soulagé, quand il découvrit un Tampax dans une poubelle. Laure saignait comme toute femme sauf Tiefenthaler avant ses noces avec lui. Et Mélusine continuait de lui refuser suavement cette idiote formalité : qu'il la pénétrât à l'endroit jadis tendu d'une membrane vitreuse que, peut-être, fracturèrent nombre de marins qui la violèrent à onze ans — d'elle, on pouvait tout supposer — jusqu'à ce que cet hymen diaphane flottât comme une rétine décollée, un drapeau déchiré ou un nuage en berne.

Un seul petit mot de dénégation et elle, aux silences flatteurs, elle la docile, devenait imprenable et toute-puissante.

De ce paradoxe, des regards extatiques de cette fille levés vers lui comme sur le roi Salomon lui-même, des yeux de fog et de glu céruléenne et de ses genoux obstinément scellés et parfaits, il commençait à ne plus pouvoir se passer.

Le dernier accord de cessez-le-feu datait du jeudi 1er juillet et les journaux titraient : « Le calme semble revenir à Beyrouth ». On parlait de « miracle » et de ce qu'on aurait « évité un engrenage fatal ». L'éviction des Phalangistes du gouvernement provoqua l'ire de l'oncle Camille, qui n'était qu'humeur morose comparée à la fureur des chrétiens extrémistes. On a vu que l'oncle sommait le problème, telle la chaîne montagneuse qui donna son nom au pays surplombe la vallée de la Bekaa, et j'ajoute qu'il entretenait assidûment la certitude qu'à lui seul, sur un entretien avec Joumblatt, il obtiendrait de bien meilleurs résultats que tout le monde quant à la pacification de la clique Karamé. Mais il rentrait vanné d'avoir béquillé au long des couloirs de l'hôpital Saint-Georges, et remettait toujours à plus tard son colloque avec le chef des Druzes. Quant au beau neveu, il ne craignait odieusement et égoïstement qu'une chose : que la vie reprît un cours trop normal, mais connaissant la pugnacité des forces en présence, leur délectation à patauger dans le sang au nom du Très Haut et leur hargne territoriale, il se rassérénait — ça repèterait bientôt, avant qu'il n'eût le temps de se pencher sur son nombril, de la contemplation duquel il sortait toujours très déprimé, d'autant plus déprimé que, minuscule, coincée dans l'ombilic, siégeait Maria Tiefenthaler, l'hystérique à l'odeur d'ananas, et MON ONCLE CEINTUREZ-MOI SI JE VEUX REPARTIR CAR LÀ-BAS OÙ C'EST LA PAIX CE SERA POUR MOI L'INIQUITÉ CAR JE NE POURRAIS PAS M'EMPÊCHER DE REVOIR CETTE CHIENNE DE L'ENFER.

Maria mon amour ma révoltée mon auteur détesté préféré ma boulimique mon anorexique ma dévoreuse de vie et de viande bleue et emperlée de sang ma guerre brûlante et mon mal — trois cent mille Palestiniens armés jusqu'aux dents, des fusées antichars, les fusils Kalachnikov et les automatiques alimentés par chargeur entraînant des rafales sont moins meurtriers que toi et tes sourires à trente-deux cartouches MON ONCLE RETENEZ-MOI ICI JE SURVEILLERAI LE QUARTIER NUIT ET JOUR, JE SOIGNERAI LES BLESSÉS, une habitude que j'ai prise, je recueillerai des tas de chats et d'Irlandaises de Dublin récemment orphelines (seconde précision arrachée aux forceps, à Laure : elle était native de Dublin, et protestante, quant à son atavisme, il ne se manifestait guère, puisqu'elle n'avait aucun penchant pour la brutale ivrognerie, pour ce vice qu'est parfois la pudeur, mais pour le dulcifiant haschisch, et les opiacées en général).

Yasser Arafat venait de s'engager à *restaurer son autorité sur les camps et à respecter la souveraineté libanaise,* ça ne signifiait pas grand-chose, mais ça mettait un peu de baume sur les plaies de la bourgeoisie chrétienne. Modérée, l'équipe au pouvoir. L'oncle ricanait. Une petite trêve de rien du tout. Près de Baalbek — mon oncle, ne prononcez pas trop souvent ce nom dit le fou d'Elsa — les Phalangistes et les tribus chiites se sont tapés dessus mercredi matin, pendant que les officiels gavaient le peuple de paroles rassurantes. LE TEMPS DE DIEU EST REVENU, disait l'oncle. Hélas par le glaive, comme il est dit dans les textes. Et ça ne fait que commencer mon neveu, qui vivra verra, toi, par exemple. Le peuple du Croissant n'a pas oublié Poitiers. Ce sera bientôt, dans tout le Moyen-Orient, un bordel de fanatiques aussi sanguinaires que celui du Liban. Ici, on va commencer par tirer sur ceux qui ne respectent pas le cessez-le-feu, et rebelote. On en a sauvé un, le jeûneur, cet imam Sadr qui a accepté de casser la croûte et, parlant la bouche pleine sans doute, affirmé que le gouvernement présent était porteur de ses espoirs. Bah, les tacticiens n'y pourront rien, Amine. Beyrouth restera le huis clos de la guerre. Ce qui a commencé le 13 avril de cette année ne s'achèvera pas si benoîtement. Dans le camp très chrétien que je défends, moi, en souvenir de Jésus, ni les militaires de Frangié, ni les milices de Gemayel et de Chamoun, ni ceux de Zghorta et de Zahlé, ni les clandestins maronites dont les Gardiens du Cèdre et la Brigade mardaïte ne sont décidés à laisser un pouce de terrain aux Nassériens, Druzes, baassistes, nationalistes syriens et marxistes-léninistes, bref aux Arabes de gauche. Pourtant, l'été semble s'annoncer un peu plus calme. Si tu n'étais pas là, je retournerais dire la messe dans mes montagnes.

Amine reçut, de son oncle, un regard de bonté qui lui fit mal, car il ressemblait à celui de la femme qu'il aima, en France. Même générosité apostolique, hier inconcevable pour Ghoraïeb fils dans les rapports amoureux avec cette femme-là. Selon Brel, « pas de pire piège que de vivre en paix pour des amants » et voilà qu'il doutait de la puissante philosophie de ce chanteur — Brel se gourait. Il fallait vraiment n'avoir rien à foutre, en temps de paix, que de se tortiller le mental pour se perdre en de telles abjectes mesquineries belliqueuses, lesquelles faillirent lui coûter la peau et abîmer celle de miss Tiefenthaler.

Malgré tout, il ne se faisait guère plus d'illusion sur

la pérennité d'une si brusque maturation psychique que sur la durée de la trêve du Liban. Les factions du pays et celles qui gouvernaient ses humeurs ne se calmeraient pas aussi aisément, ce qu'il acceptait avec fatalisme.

*

Il en vint, quinze jours après l'entrée de Laure dans la maison et le cessez-le-feu du début de juillet, à s'obséder sur le NIET de l'Irlandaise. NIET, et elle vidait le pot de chambre de l'oncle, frottait les parquets, cendrillonnait sans qu'on le lui demandât, se faisait orante et servante du curé martial et de son neveu pour lesquels elle organisait des dîners à base de corned-beef, mais aux chandelles.

Avec ça, peut-être avait-elle déjà partouzé allégrement, l'infirmière bénévole qui l'accompagnait à l'hostau et, dans la ville apaisée, au marché, trottinant derrière ses basques, charriait le filet à provisions. Maria, géante rouge, étoile mourante explosée, Laure, écorce de glace, astre refroidi, naine blanche se résorbant. Aux murs de la villa Lemmi, les Grâces se tenaient la main — les Grâces, ou les Parques, il en manquait une pour couper le fil. Laure et sa funèbre joliesse d'asphodèle, Maria et sa beauté menue, héraldique, échevelée, de lys rouge.

Le calme revenu était propice aux évocations. Il les laissait venir, impuissant à les rejeter, tentait de fumer un joint pour les édulcorer, c'était pire. Il voyait. La grand-mère de Maria, dans son mouroir, et Maria pleurant, coupable de ce que des futilités — ou un barrage surhumain — l'empêchassent d'aller le voir plus souvent. Torturée par ce manquement à ses

255

devoirs, et puis, vive, joyeuse, inconséquente, utérine femelle toujours oscillant du rire aux larmes. Dans son ventre, la vie nouvelle, rien que des giclées de pus, de pollen, de liqueur, jamais rien d'abortif. Tour à tour baisée par le cygne ou le taureau, jouissant, hurlant, morfalant, jeûnant plus longtemps que l'imam Sadr, picolant, assez belle pour se permettre toutes les grimaces, assez intelligente pour s'octroyer le droit à toutes les naïvetés, tempêtant, mentant, crachant la vérité, dormant comme déjà sous terre. Maria, ce brûlot, cet être singulier qui était toujours à ce qu'il faisait, tout en gardant un pied dans la lune, et dans son regard, une duplice lueur bachique. Reprenez-la, Dionysos son papa, on ne s'entend plus. En face, sa sœur chnoufée, vaguebullant, broutant du pavot, belle comme un catafalque. Une chose en commun : pas si bêtes, ne travaillant pas. Faire l'ange suffisait. Enfin, le boulot de Maria, énoncer et dénoncer. Laure battait de ses grandes ailes séraphiques, les repliait derrière son dos pour s'asseoir plus commodément sur une marche de l'escalier, position qu'elle privilégiait, et restait, là, sereine, à fumer son joint, souriante, suivant le passage d'autres anges à travers un silence enchanté.

Deux timbrées, pensait par moments Amine le Cartésien. Je bande pour deux timbrées : la Tief qui écrivait « Vive l'Alsace-Lorraine ! », « A la santé des caves ! », ou « Shalom » soit « Felices Fiestas », « Season's Greeting », ou encore « M'aimez-vous ? » en guise de dédicaces aux Perpétuels, et l'autre murée qui la bouclait, loquetée du bas et du haut. Maria, devant une boule de Noël shocking pink, ayant ses voyances, dans la boule défilaient les processions chamaniques de Bali, puis c'était la mer démontée sur laquelle naviguaient les Argonautes, puis, puis, satané esprit d'escalier, insuivable aux vieux marcheurs comme lui — l'autre à laquelle rien n'évoquait rien. *Tabula rasa.*

Les lèvres de Maria sur les siennes, brûlantes comme un fer sur une emmanchure humectée, appliquées très étroitement. Laure, l'éteignoir sublime de ses yeux, ses lèvres fendillées de gerçures en été, son calme las de grève jonchée d'une écume que déjà résorbe le sable, l'une à marée haute, voire équinoxiale, l'autre éternellement à marée basse, attirant les enfants qui s'enlisent dans un sable spongieux avant de parvenir à l'eau perfide. Laure gelée à pierre fendre, l'autre bouillante à cœur fendre, maux vénériens que cette paire-là. Maria portée sur le bordeaux, Laure sur le chanvre. Tumescence et détumescence.

Lui, pendant une des trêves illusoires de cet été-là, n'osait même plus courtiser Laure, dans cette obscure Maison du Sourd. Que faisait l'autre, son vaudou, sa fête au vertige, en Europe? Laure lui servait du café, avec des gestes robotiques. Se baladait devant lui en maillot de bain, et il soupirait, cré nom, elle possédait une trace d'humanité, un ombilic dont le cordon l'avait naguère reliée à un être vivant. Rien d'aussi parfait, à part un crime d'exception que les jambes de cette dingue. Mais pas plus que la forteresse de Massada, ne se rendrait. Les selles de la fée devaient exhaler non le scatol mais le mimosa et l'odeur de ses vertus. Découragé, il posait sa main sur l'illustre genou, se sentait atteint de géromorphisme (qui peut frapper dès onze ans), se rebiffait — pourtant, il n'était pas mal le sieur Ghoraïeb, du genre Gérard Philipe en plus morbide, alors pourquoi la jeune fille dont une rougeole précoce ou les précitées suspensions aux portes avaient dû étirer la silhouette, d'où ces longs membres d'une grande distinction, parachevée grâce à la retombée sur l'œil droit de la mèche à la miss Lake qui en un temps hollywoodien empêcha les ouvrières de bosser en usine et donc fut réservée à l'oisive aristocratie dont était la Morrigane, chose certifiée par l'étroitesse de ses rotules, de ses poignets et de ses chevilles — pourquoi la huguenote lui fermait-elle à clé une des seules portes qui fût encore accrochée à ses gonds de cette demeure : celle de la chambre qu'il lui avait dévolue sans s'occuper de ce détail.

Un jour, par défi, il lui annonça qu'il repartait à Paris, et la laissait aux bons soins de son oncle. La mèche glissa sur l'œil, le chagrin la rencogna sur sa marche d'escalier favorite, elle interrompit son quotidien épluchage d'oranges, il releva la mèche, constata un rougissement de la cornée, une rétention irisée sous le barrage des cils blonds, pas de doute, elle chialait, et pour la deuxième fois et tout était sa faute à lui, il tomba, bien sûr, à ses genoux, mit le nez dans les épluchures d'oranges jonchant une serviette posée sur iceux, non, elle ne fleurait pas le cadavre mais l'agrume et une odeur surette de lait ribot, il lui reprocha cette histoire de fiancé qui l'avait lourdée pour sauter dans le premier avion volant vers la France et à la mémoire duquel elle devait cette invraisemblable chasteté — la druidesse têtue renifla stoïquement, accepta un enlacement et une accolade qui ne semblèrent pas l'émouvoir outre mesure, au final ils pleurèrent en chœur, sur l'escalier, et Amine, barbouillé d'eau saline et d'un peu, si peu, de salive, se dit que toute malédiction venait des jeunes filles qu'elles fussent d'Irlande ou lointainement de Bessarabie, huguenotes ou quarteronnes juives, jeunes filles championnes du NON qui, à cet enfant trop gâté par une mère orientale, refusaient toujours quelque chose, se jura dorénavant de changer de trottoir à la vue d'une de ces lames du Tarot, d'éviter les orphelines à tout prix, de n'avoir rien à cirer des gonzesses belles à inquiéter les pouvoirs publics, de ne plus limer que des putes godaillantes du bas, de vastes louves maternantes avec pis généreux, de ne plus s'occuper que de celles qui vont au mâle, même si elles sentent le bouc et non l'ananas ou l'orange, ne JAMAIS PLUS rien tenter auprès de celles qui se passaient des hommes, les parthénogéniques, ne JAMAIS PLUS lorgner salacement ces filles dont le regard est un uppercut d'illimité, ne JAMAIS PLUS fréquenter ces forcenées de vie et de mort, ces héraclitéennes, celles à qui il fallait toujours faire la manche d'amour, finito, désormais rien que des tartignoles, des pas difficiles, des arpenteuses de trottoir qui l'appelleraient mon lapin, ceci côté Sébasto où il lèverait des lots abominables, de quoi en installer devant les potes — euh, devant Maximilien seul pote — pesant plus de cinquante-cinq kilos pour être sûr et certain que c'étaient pas des archangéliques, mystiques, démones et persécutrices, membres d'un complot international dont sa fin piteuse ou sa castration irrémédiable était le but.

Amine et Camille déjeunaient dans un bistrot de la rue Hamra. L'oncle avait un peu abusé de l'arak et parlait d'abondance.

— Beyrouth ! Au bonheur des trafiquants d'armes ! Un vrai embouteillage d'armes. De plus en plus perfectionnées, nous sommes vraiment très aidés de ce point de vue, pour nous entretuer. Il y en a tant qu'on ne sait plus d'où elles viennent. Elles s'entassent aussi bien au Q.G. communiste qu'au Q.G. Kataëb, à Saïfi. J'y ai vu récemment Gémayel. Le chef suprême de nos phalanges commence à m'insupporter. Ce n'est pas un homme de Dieu. Seul espoir de compromis historique, Joumblatt et les Joumblatti. Que le Seigneur permette que je puisse aller les voir. Sinon, ce sera à toi de le faire, mon neveu. Ah, tu croyais que je radotais, hein ? Eh bien non, je te demande instamment cette chose nouvelle : va dans le Chouf, si je laisse la peau dans ce foutoir, et parle-leur en mon nom. Oui, j'ai tendance à abuser de l'arak en ce moment. Mais folie pour folie... Les gens de Moukhtara sont les seuls à pouvoir nous sortir de ce bordel, le pays n'en peut plus de ces débats oiseux, de cette concussion, de ces coteries chamailleuses et de ses milliers de morts. Quand ça va barder à nouveau, ce ne seront plus les balles qui se perdront mais les obus. Après cinq ans de guerre, on ne saura

toujours pas, ou moins encore qu'aujourd'hui, pourquoi on se bat. Je ne saisis pas très bien là-dedans la
volonté de l'Éternel. La mienne, avant d'aller dans la
montagne druze, est de profiter avec toi de quelques
jours de calme — si toutefois le cessez-le-feu est
respecté quelques petits jours. Nos Beyrouthins se sont
remis à travailler et à bronzer. Regarde-les, ils vont au
bureau. Je suis sûr qu'il y a du monde à la plage. T'ai-je
raconté que le vendredi 18 juin, on festoyait sous les
bombes en l'honneur d'un mariage, au Yacht Club ?
Pays incomparable. Encore un peu de vin, mon neveu ?

— J'irai dans le Chouf, dit Amine, si tu ne peux y
aller.

Puis ils se promenèrent dans la ville dynamitée.
Kaputt, salons de coiffure, boutiques smart de Hamra,
Beyrouth défoncée, forcée, brisée, criblée, arrachée,
éventrée, partout cavités de molaires comme extirpées
de la gencive d'un géant, sous l'impavide soleil.

Le lendemain, violation du cessez-le-feu. Les quelques petits jours de trêve n'avaient pas même su se
faire respecter. Il y eut environ deux cents morts dans
les bidonvilles de la Quarantaine, tout un lumpenpro-
létariat kurde et palestinien bombardé par les Phalanges.
Ĺa radio diffusait des avis aussi péremptoires que
celui-ci : « LA POPULATION EST PRIÉE DE NE PAS
TIRER SUR LES AMBULANCES. »

*

Après cette sévère entorse au cessez-le-feu, on le
respecta à nouveau, inexplicablement. Mer polluée et

bleue, soleil festif, épiceries ouvertes, barricades aban-
données, plus personne derrière les sacs de sable, et
l'odeur doucereuse du jasmin. Rentrons avant l'heure
du loup et des rondes palestiniennes qui vous sautent
dessus pour vérification de papiers, dit l'oncle au
neveu qui conduisait la 4 CV. Flûte, l'épicerie Mansour
a sauté, elle était chouette l'épicerie Mansour, dit le
neveu — je me souviens, Camille, que dans mon jeune
âge on s'approvisionnait de purée d'aubergine et de
dolma dans cette maison exemplaire, que va-t-on
devenir sans Mansour ? Tiens, un store levé. Tu as la
liste, mon oncle ? Pain, riz, labné, olives, tarama,
mouton, poulet, pinard, dis-moi tonton il nous faudrait
une cuisinière autre que celtique, une qui sache faire
du poulet grillé avec sauce à l'ail, des keftas bien
épicés, des pois chiches à l'huile de sésame, du tabboulé, une bonne salade de persil, d'échalotes, de
tomates, de blé concassé, tout ça croquant et frais...
Cette pauvre Laure, elle ne dit rien, comme à l'ordinaire, mais elle doit en avoir marre de manger du pain
avec deux olives, il faut que je l'emmène à Zahlé, au
Casino Arabi, et là festin nuptial où elle goûtera
cinquante mezzés sous la tente de ce gigantesque
restaurant, près des sources — hein, que dirait-elle
d'un poisson cuit aux oignons avec des amandes, des
pignons, bien épicé et servi avec du riz roux ? Ça, ma
mère le réussissait à merveille. Sayadiyeh, ça s'appelle, si j'ai bonne mémoire, fit-il d'un ton câlin et
nostalgique.

— A Zahlé ! tu travailles du chapeau, dit Camille. Te
voilà mûr pour un circuit gastronomique du Liban, à
l'heure qu'il est. Le menu péché de gourmandise risque
de t'être facturé cher, neveu inconséquent — tiens,
c'est drôle, tu ne voulais jamais rien manger, au temps
où Mme Benkamou te pilait ton agneau de première
qualité et raffinait sur les assaisonnements.

— Il se trouve, dit Amine en dévalisant une des seules épiceries ouvertes du quartier de Hamra, que j'ai retrouvé le goût grâce à une sorcière juive. Il fit une grimace écolière, se chargea d'une boîte supplémentaire de purée d'aubergine au sésame, de cinq bouteilles d'arak, vola à l'étalage un beignet aux épinards qu'il croqua sur-le-champ, tout à son idée de festin sardanapalesque sous les bombes, paya, et faillit se faire lyncher par la populace qui piétinait derrière en suivant son pillage avec des frémissements d'angoisse.

Poursuite de l'accalmie officielle et reprise des parlotes gouvernementales. La maison Ghoraïeb tenait encore debout, ne comptait plus ses lustres effondrés, si l'on déplorait que le vernis d'une console Louis XV eût été entamé par une balle de provenance indéfinie, une statue indienne du plus pur style gupta, décapitée par la chute voisine d'un mortier de 160 mm fourni par Israël à la droite libanaise, lequel mortier devait s'être gouré d'objectif. Assez indifférent à la destruction de ces choses de l'art et à la décrépitude progressive de la maison Ghoraïeb, l'oncle Camille, ce libre-penseur, plaignait le seigneurial moallem des Druzes, d'avoir à régenter les treize partis du Mouvement national libanais, les gauchistes déchaînés et les organisations palestiniennes hors-la-loi, ceci, tâche aberrante, au nom de son devoir, le *dharma* inculqué par les sages de l'Inde, dont quelques spécimens siégeaient en son fief de Moukhtara. Profitant de la trêve, l'oncle Camille mûrit le projet d'aller enfin visiter ce Joumblatt. Saint Maron, le prêcheur de l'Oronte, l'ami de Jacques le Solitaire et de saint Jean Chrysostome, l'encourageait de l'au-delà à réunir la secte de la vallée de Kadisha et les fidèles du druzisme, historiquement établis dans celle de Wadi el Taïm. Autour, grondement de l'irrationnel, de la confusion, des ambitions syriennes, et de celles des maronites, lesquels considéraient l'oncle comme hérésiarque à cause de son refus des pompes byzantines et ses protestations contre les émoluments donnés au clergé pour des messes qu'il jugeait, de la sorte, prostituées. Comme on l'a compris, les sympathies de l'oncle allaient de moins en moins à la majorité maronite, caricaturée en la personne du père d'Amine, dans la bouche duquel la devise « business is business » devait à l'heure qu'il était remplacer « Beyrouth is Beyrouth » — un fin dialecticien qui aux dernières nouvelles s'apprêtait à partir en croisière au mois d'août dans les îles grecques, bref un salopard du sanhédrin qui se souciait de son fils et de son terroir comme d'une guigne, s'il gardât son accent de clocher malgré tous ses efforts pour prendre celui d'un Parisien de la plaine Monceau. Fort loin étaient ces gens. Par retour de télex au Phoenicia, Amine avait donc appris qu'Agostina et Fouad sur un yacht partaient en direction de la Crète via les Cyclades, Sporades, etc., ce qui lui remit en mémoire la teneur du dernier livre écrit par Maria, *L'Égéide*.

— Ce bourgeois d'émigration ! tonna l'oncle, apprenant la nouvelle. Une croisière financée par son trafic avec les Arabes ! ah ça, il applique parfaitement les clauses mercantiles de la charte maronite, dont, moi, je préfère ne pas entendre parler !

— Quant à mézigue, je suis un héros, il me souhaite bonne chance, c'est aussi con que ça, dit Amine. Ce qui veut dire : mon fils est une tête brûlée d'aller se foutre avec juste un petit browning dans la poche en pleine guerre civile au milieu de ces paranoïaques, il ignore le Kalachnikov et le reste, à ses yeux nous sommes probablement des rigolos. Le *dharma* de mon père est d'emmener une épouse juteuse en croisière. Nous voilà informés. Je l'entends encore prier pour qu'Israël ne

265

soit plus environné UNIQUEMENT par des États arabes, donc pour que le Liban phalangiste triomphe, ceci doctement, entre deux louches de caviar iranien et au centre d'une belle assemblée de mahométans. Mon oncle, si vous allez à Moukhtara, je vous suis. L'air de la montagne me fera du bien, nous ne respirons plus que notre gaz carbonique ici. Avant de grimper dans le Chouf, vu qu'aujourd'hui il y a moins de ces encagoulés et autres pénitents feddayin dans les rues, j'emmène Laure à la plage et rue Hamra au cas où on aurait rouvert quelques bistrots. Ça la distraira.

— Emmène l'Irlandaise à la plage, mais ne m'accompagne pas dans le Chouf. J'ai aussi à pèleriner au sanctuaire de Nabi Yacoub qui est proche de Moukhtara, et je préfère y aller seul. Tu n'iras que si, acheva-t-il pudiquement, j'en suis empêché.

Amine soupira. Il avait sa claque de cette sédentarité dans la demeure paternelle. Oh mon oncle, insista-t-il, prenons la vieille 4 CV du gardien, je conduirai, je vous emmènerai à Zahlé, où on sert de si excellents et célèbres mezzés sous les tentes au bord de l'eau fraîche, allons dans la Bekaa, prenons des libertés avec cette sale guerre...

L'oncle lui déconseilla formellement le voyage à Zahlé, Amine haussa les épaules, marre, marre, il violerait Laure, s'offrirait et lui offrirait un repas de calife au Casino Arabi de Zahlé, si le patron était toujours vivant et la cuisine aussi bonne, marre de bouffer des olives, du miel, des oranges, et une faramineuse quantité d'œufs et de conserves.

LAURE, ON VA À LA PLAGE! Où était passée cette exhibi, toujours en maillot de bain ou à peine vêtue d'une liquette indienne qui embrumait de blanc sec sa silhouette d'oiseau grêle, et dénudait les jambes dont il ne se lassait pas plus que de la contemplation d'un tableau de maître dérobé à un musée imaginaire.

Introuvable. Il finit par la débusquer au fond du jardin, près des WC bucoliques ; elle n'était pas seule, mais dans la position d'une Lady Chatterley avec son garde-chasse, je m'explique, la celte lady s'en faisait mettre un bon coup par Rachid dont le fils Ghoraïeb vit luire le sombre dos suant, couvrant une fragile et reconnaissable anatomie de porcelaine brunie au grand feu.

Jésus Marie, elle s'envoyait en l'air avec un Phénicien râblé — cette autre Tour de David et Vierge des Sept Douleurs au regard de nonne avait, en faveur du gardien qui la tronchait de belle et franche manière, brisé la chaînette invisible qui jouxtait ses chevilles, Amine trouvant ça vraiment fort de café sortit son browning, s'approcha des WC contre la porte desquels ils besognaient, appliqua sur la tempe du malheureux Rachid le canon du revolver dont le contact eut pour effet de refroidir ses humeurs avant qu'il ne fût refroidi dans l'ensemble — ce qui aurait été dommage car c'était un brave gars, qui n'avait pas volé une cuiller aux Ghoraïeb en vingt ans de service. L'amant de lady Laure fila sans reboutonner son pantalon, et Laure eut la curieuse idée de s'enfermer dans les chiottes malgré leur parfum tant soit peu faisandé. LAURE SI TU NE SORS PAS IMMÉDIATEMENT JE TIRE. Elle ne broncha pas, et il tira un coup sur le toit de la cahute, dans laquelle elle avait l'intention probable de faire un *sitting* jusqu'à asphyxie. Il savait, à présent, de quelle force d'inertie étaient capables les Irlandaises protestantes. L'oncle Camille, rameuté par le coup de pétard, venait de sortir sur le perron et d'y poser le Kalachnikov, en gémissant qu'encore une fois, on ne respectait pas le cessez-le-feu. Il vit avec étonnement la porte des WC autrefois réservés au personnel, poussée par une main méfiante, s'ouvrir sur la blonde fada (toujours en maillot de bain quelle que fût la situation politique) sur laquelle Amine pointait son flingue, à laquelle le même administra deux paires de baffes à lui provoquer subito des anamnèses, et qu'il reconduisit dans ses appartements au pas de gymnastique, passant devant le curé de Zghorta qui trouvait cette situation aussi étonnante que celle du Liban en général.

Et lui qui s'évertuait à aimer cette icône du refus! Il jeta l'icône sur son lit, la traita de tous les noms de salope en toutes les langues connues, arracha son slip et, à cru, entreprit de la violer. Mais la freluquette avait une sacrée détente, gigotait comme une anguille tronçonnée, se glissait habilement sous lui pour qu'il ne pût accéder au Saint des Saints, jetait autour d'elle des regards anxieux en quête d'un instrument du genre presse-papier d'agate pour lui fendre le crâne, accident mortel indigne d'un pseudo-milicien, puis elle se résigna, tomba dans une sorte de catalepsie, abàndonna l'initiative des opérations à Ghoraïeb junior qui secoua quelques minutes cette loque, éjacula pitoyablement dans le soyeux calice sans savoir si lady Laure prenait des précautions anticonceptionnelles, c'était son premier viol, et là encore, blousé, floué, il n'avait tenu dans ses bras (si l'on peut dire, car pendant l'acte, il lui avait cloué les poignets avec une fermeté peu amène) qu'un lambeau d'être humain très peu concerné par ce que le sieur Amine trifouillait en bas, à peine soucieuse de savoir s'il allait la tuer après, une femme entièrement dérobée et seulement martelée de coups, qui ne lui avait livré d'elle-même que des gémissements affreux, proches de ceux, supposa-t-il, qu'émettait Mlle Tiefenthaler lors de ses crises d'hémorroïdes. Il se demanda si, à l'aveuglette, il ne l'avait pas sodomisée.

Elle gisait, en chien de fusil, sur les draps tachés de

sang, cheveux sur le visage, membres rompus et tremblants. Désespéré devant la tournure que prenait sa vie de mâle, conscient que de l'hégémonie des mâles, c'était la fin, que de violer Psyché ou Sôma ne lui donnait qu'une puissante envie de gerbe, il vit les genoux de Laure frémir comme ceux d'une antilope qu'on vient d'abattre, merde, elle allait se raidir à jamais, les genoux resteraient marmoréens, jamais ne livreraient leur secret, et décidément lui échappait l'essentiel, le démétérien mystère des femmes qui, à leur gré, prêtent, donnent, vendent, écartent ou verrouillent leur sexe et il maudit ces créatures génitrices dont revenait le temps : celui d'un matriarcat, comme au néolithique. Et les hommes, ces grotesques avec leur fusil à quelques coups entre les jambes, de prétendre virilement faire l'histoire, de s'escrimer à comprendre le sens ou à affirmer l'inanité de la vie, d'édifier des philosophies scabreuses, une à une écroulées, grâce à un ridicule cortex, alors que le ventre de ces incultes et omniscientes était corbeille d'Éleusis, antre de Trophonios, labyrinthe où se paumait le fier Thésée, et lui le con incapable de suivre le fil donné par une femme, son initiale passion, son Ariane au savoir archaïque et jamais démenti.

Il s'écroula près de Laure, s'empara d'un menton mouillé, chercha le regard bleu aux mille transparences, l'appela son amour et lui demanda si elle voulait bien l'épouser. C'était ce qu'il avait trouvé de plus intelligent pour réparer l'aberration fondamentale d'être né de sexe masculin (sinon, revenir à sa première idée, une opération en Malaisie, le tapin à Bugi's Street et le suicide à trente ans). Les prunelles de Laure vacillèrent, et elle se raidit davantage. Entra l'oncle Camille qui jeta sur la scène un œil caverneux, sur le lit son nécessaire pharmaceutique, emplit une seringue d'une bonne dose de morphine qu'il injecta dans la fesse de la jeune fille sans patronyme, et se permit de faire observer à son neveu que cette dernière venait de perdre ses parents, ses papiers, la mémoire, son fiancé, la raison, et peut-être sa virginité vu le sang sur le linge, que si le gardien avait commencé le travail, saint Maron n'aurait pas exigé qu'il fût terminé d'une façon aussi cavalière, et aussitôt le viol perpétré, que de la demander en mariage — première nouvelle inopinément entendue par l'oncle de la bouche distordue d'un neveu qui semblait au plus mal — ne suffisait sans doute pas pour laver l'opération à la manière peu scrupuleuse dont certains lavent les fonds de la maffia.

Décidément l'oncle était un type au parfum, et lui un irréductible et calamiteux Scorpion qui gâchait tout ce qu'il touchait. Accablé, il laissa dormir Laure jusqu'au lendemain.

Le poulet du cessez-le-feu
(où Mlle Tiefenthaler surgit dans un miroir)

Depuis l'incident, Rachid, l'esprit très atteint, passait (si l'on peut dire) le plus clair de son temps allongé par terre dans la cave fuligineuse, et priait jour et nuit que Dieu lui pardonnât l'abomination due à son simplet bon-vouloir ; récréer une étrangère qui se baladait à poil devant lui depuis son intrusion dans la maison Ghoraïeb et, l'œil torpide, n'avait opposé aucune réticence à cet amusement léger. Débitant chapelet sur chapelet dans les sous-sols, il craignait de perdre définitivement la boule, tant c'était compliqué d'entrevoir la raison de cette guerre et celle des conséquences (indûment violentes, à son avis) d'un acte provoqué par une créature qui semblait savoir ce qu'elle voulait. Nonobstant, Rachid renonçait à s'interroger sur les méandres de la psychologie féminine et, s'en remettant au Seigneur, expiait en moisissant dans cette cave où, au moins, il faisait frais, quant aux patrons tant pis pour eux ces injustes si là-haut le service n'allait plus du tout. Il récitait le Pater Noster et non le Salve Regina, décidé à se méfier des immaculées car (un peu éclairé par le susdit incident) au sujet de cette Vierge enceinte et Mère du Christ, il commençait à se douter qu'il s'agissait d'un coup monté par les pontes de la religion catholique, lesquels en général sont de race blanche, aussi blanche que cette étrangère, sous son hâle.

Quant à Laure, elle pionçait depuis deux jours dans sa chambre, et Amine la soupçonnait d'avoir soustrait une seconde dose de morphine à la trousse de l'oncle, et de se l'être injectée immédiatement, vu les effets bienfaisants de la première. Tonton, vous voilà pourvoyeur de came. Et celle-là, plus forte que le haschisch dont vous preniez l'odeur pour celle de l'encens. Cette hallucinée, voyez-vous, sauterait sur n'importe quoi pour prolonger ses comas. Et l'air de ne pas y toucher, avec ça. Une sinécure, oui, Laure la Celtique, un cadeau du ciel, soupirait-il en flattant l'échine du chat qui se réjouissait de ce qu'un peu de calme revînt à Beyrouth après la formation du gouvernement Karamé, entendu que le fracas des bombes lui horripilait le poil et le contraignait à ramper sous les meubles, se faisant aussi plat qu'une limande et presque aussi plat que le gardien, dans ces circonstances. Karamé à la Défense, Chamoun à l'Intérieur, ronronnait Ramina le Rescapé, et ce 4 juillet 1975, on démantèle les barricades, on rouvre les routes, le président français Giscard d'Estaing nous a exprimé son soutien moral — ce doit être important, ça —, des mesures de sécurité sont prises pour le respect du cessez-le-feu, des mesures, c'est-à-dire les blindés.

Le chat, authentiquement chrétien phalangiste et pas gaucho d'un poil, dormait souvent les pattes étirées en direction de La Mecque, légère erreur d'orientation qui aurait pu le faire passer pour un chat soufi, bien qu'il n'en fût rien. Les chats sont en général pour que cessent les feux, et pour la restauration d'un calme éventuellement monarchique. Amine, pour expier quotidiennement la scène du Palais Royal et l'aveu imprudent de ses crucifixions de félins (atrocité hélas véridique), traitait princièrement cet hôte aux larges yeux de la teinte d'un vin de Champagne, et le retrouvait avec satisfaction après les journées et les nuits où il accompagnait l'oncle dans ses pérégrinations vers les cas d'urgence.

Lors de cette embellie, malgré les menaces d'une intervention armée proférées par le nouveau ministre de l'Intérieur, seuls les musulmans, socialo-progressistes, Nassériens, baassistes, pro-Syriens, des quartiers de Chyah et d'Ain-el-Remmaneh tiraient encore sur les Kataëb, l'extrême droite chrétienne et les Amis du Cèdre — lesquels inauguraient dans la joie des fusils à infrarouges munis de silencieux. Le mercredi matin, Amine et son oncle, au cours d'une petite excursion en ville, constatèrent qu'on y charriait les décombres, qu'on inhumait à tour de bras, qu'on soignait de-ci, de-là un bon millier de blessés, que fonçaient à nouveau dans les rues des bagnoles américaines jadis climatisées aux carrosseries jadis flambantes, presque aussi périlleuses que les blindés, car, si toutefois ils les avaient jamais respectés, les conducteurs s'enfilaient à toute allure dans les sens hier interdits par des panneaux aujourd'hui défoncés, et n'avaient même plus à griller les feux, car plus de feux ou presque — bref, Beyrouth, moins que jamais, ne ressemblait, du point de vue de la sécurité des automobilistes et des piétons, à la quiète ville de Genève. Les Libanais, tous frappés de claustrophobie après des jours et des jours de planque, circulaient à une cadence chaplinesque, klaxonnaient comme dans le bon temps, déboulaient vers les artères commerçantes, ne remettaient pied sur le macadam que pour se ruer vers les magasins d'alimentation, et rentraient chez eux porteurs des denrées les moins périssables, donc de conserves, mais

273

aussi des ingrédients nécessaires aux mezzés interconfessionnels, et de kilos de viande ovine à consommer de suite. Si les capacités de jonglerie sur un fil du nouveau gouvernement Karamé-Chamoun étaient qualifiées de *limitées* par la presse, celles des estomacs beyrouthins semblaient incommensurables. Et puis, il fallait se hâter de respirer l'air marin sur les corniches, et de grignoter une tranche de mouton rôtie marinée, bien grasse, servie dans un papier journal, tout en explorant les rues noircies, éventrées mais grouillantes de vie car, en matière de paix, celle-là ne semblait pas musclée comme la romaine, donc, vivre, en urgence.

Dans une pâtisserie, près de la place des Canons, Amine et Camille se gavèrent d'ousmalliyé, gâteaux fibreux, croustillants, enrobant une lourde crème, burent du vin de Ksara, et furent si heureux ensemble, ce jour-là, qu'ils regrettèrent de ne pouvoir faire d'enfants. Seules ces incompréhensibles, dont l'endormie neigeuse et violée morphinomane, avaient le privilège de la gravidité, et aussi (qui l'eût cru, à les voir ?) ces jeunes filles costaudes en battle-dress, trotskistes ou islamo-progressistes, promeneuses apparemment pacifiques dont les préoccupations ne semblaient guère inhérentes à la maternité.

*

De retour, ils trouvèrent Rachid sorti de sa cave et en position verticale, vision dont on avait perdu l'habitude.

— Elle était en maillot de bain, enfin ces maillots modernes, deux ficelles en haut, deux en bas, et elle jouait avec le chat dans le jardin, monsieur Amine. Ça, je ne l'ai pas forcée. Je vous jure que c'est elle qui a voulu.

— Allez, Rachid, vous êtes gracié, quittez votre cave, dit Amine. Si longtemps sans une femme, cette blonde à poil sous vos yeux en permanence, et ce mutisme... qui ne dit mot consent, n'est-ce pas ! (Nymphomane, voilà, tout simplement.) Ce soir, repas de cessez-le-feu. Mon oncle se charge de griller le poulet et de préparer le tabboulé national. Que miss Laure se fasse belle, nous dînerons à huit heures aux bougies. Si elle boude encore ou préfère se camer, nous nous passerons d'elle. J'ai dit.

Et il ouvrit *L'Orient-le-Jour* pour s'informer des conséquences de l'enlèvement, par un groupe d'Action socialiste révolutionnaire, d'un colonel breveté US, entreposé à la Quarantaine où pas mal de rats devaient lui filer entre les pattes. Prix du colonel : trente tonnes de riz, autant de sucre, dix tonnes de lait en poudre, autant d'huile végétale, deux cents tonnes de farine, trois mille paires de pompes, idem de chemises, falzars et sous-vêtements, par-dessus le marché des tonnes de ciment et de fer à béton pour améliorer l'habitat des mal-logés de la Quarantaine. Le colonel fut rapté alors qu'il transitait via Beyrouth destination Turquie. Au milieu de ces drames burlesques, manquait indéniablement Mlle Tiefenthaler qui, exquise en battle-dress, bien que demi-juive, s'engagerait illico à gauche, côté sieur Joumblatt Grand Seigneur Féodal Mystique si Près du Peuple et de son propre idéal, s'il n'y avait aucune chance qu'elle ne s'enrôlât au parti Kataëb. En effet, les chrétiens maronites représentés par papa Fouad l'avaient suffisamment écœurée, et la présence étrange de ce Druze, près d'elle, le soir de la robe fatale signifiait déjà... Il sursauta, repris de son inquiétude quant à la présence militante de Maria au Liban. Du Phoenicia, il télexerait le lendemain à Maximilien, mais s'interdirait d'en ramener un second cas intéressant.

Sur ce, un genre de koala lui sauta dessus, froissa le journal, lança ses bras dorés autour de son cou, et l'aveugla d'un fouet de cheveux parfumés.

— Laure! fit-il, ahuri. (Il fallait donc se résigner à les violer toutes, après quoi, *satisfecit*, prunelles de sainte Thérèse et genoux fléchés. Vingt dieux. Vrai que la guerre est aphrodisiaque. On l'avait changée, la Celtique. C'était donc ça.) Laure ma chérie je n'ai pas pris de douche, feula-t-il, tout aussi soulagé de l'évidence de ce pardon que dérouté par les exigences de l'indécente qui, de koala, se faisait anaconda pour s'enrouler tout autour de lui, et d'un geste spontané écartait les pans de son peignoir de bain sous lequel elle était dans la tenue d'Éden et fort bronzée.

— J'ai été au Yacht Club cet après-midi, susurra-t-elle, tu vois, j'ai repris des couleurs.

— AVEC QUI, LAURE?

— J'ai fait du stop. Un camion m'a descendue jusqu'au front de mer. Dans le camion, il y avait des soldats, tous très corrects.

A lui d'être muet. La morphinomane haschischine après avoir été violée (crime autrefois sanctionné par le bagne) racolait des camions de miliciens pour aller, en maillot de bain, soit, dans le meilleur des cas, voilée d'une chemise indienne impondérable, rôtir au Yacht Club où, ajouta-t-elle, elle rencontra des Libanais du parti de Camille Chamoun, fort chrétiens, puisqu'ils la prirent pour la Vierge, et l'invitèrent à partager un déjeuner de langouste. Amine eut un rictus de mari trompé, gonfla les joues et pointa le menton en signe d'étonnement, ô mon oncle, la pucelle recueillie est bien plus biscornue encore que prévu bientôt elle ira nous faire des effeuillages sur les barricades, distraire les nuits des responsables politiques d'obédience coco, marxiste, etc., les camarades du quartier de Chyah, militer pour la libération de la femme arabe, en donnant l'exemple, pourquoi pas, réconforter les pêcheurs de Saïda et remonter le moral des ouvriers grévistes de l'usine alimentaire de Gandhour, ils sont cinq mille — il suffisait, pardon mon oncle, de faire sauter le verrou.

Mon oncle, nous serons en retard pour le dîner, malgré le cessez-le-feu j'entends quelques rafales et tirs entrecroisés pendant que lady Laure Anonyme se pend à mon cou et se frotte à ma cuisse et, Seigneur voilà, droit comme un cèdre mon membre médian que faire je vous le demande eh bien l'amour avec cette invraisemblable, hier muette vierge aujourd'hui pro-lixe en mots de passion témoignant d'une grande attirance de la chair pour la chair, ouverte en bas et si mouillée en sa fleur, comment dit-on, ah oui le feu sous la glace, la guerre comme aphrodisiaque vaut, seconde rafale sur Achrafieh, cent fois la cantharide, et on a aussi peu de chances d'en réchapper que de ce poison, vu la précarité du gouvernement Karamé, les intérêts discordants des Grandes Puissances et la proximité de la Sentinelle Syrienne donc avant que ça ne s'entretri-paille à nouveau, avant les prochains meurtres, incen-dies, enlèvements, décapitations publiques et trucida-tions diverses par les Amis du Cèdre et les catholiques réclamant à cor et à cri le génocide des fils du Croissant, avant que l'Amérique et l'URSS ne s'en mêlent, avant la bombe au napalm que la merde libanaise laisse entrevoir, avant que ne crament toutes les pompes à essence et les pompistes du pays de Charan où les sources coulaient si pures où l'anémone était si rouge au printemps où il faisait si bon gueule-tonner sous les ombrages et dans les petits cafés arabes déguster le spécial turc et ramer sous les grottes de Jeita où magnifiques sont les dais de sel, avant le

spectre de la famine et la boucherie non casher
ordonnée certainement par le Très-Haut, avant que les
Casques verts n'entrent dans Beyrouth et que ne
s'incinèrent les camps palestiniens — en ce jour de
relative trêve où Dieu permit à une jeune droguée sans
père ni mère, légèrement chahutée dans la tête, de
manger de la langouste avec des Phalangistes au Yacht
Club et peut-être de s'envoyer quelques membres
militants dans les cabines de bain, avant qu'un obus ne
percute la maison Ghoraïeb ses perrons sa marquise et
nous dedans, MON DHARMA, Seigneur Joumblatt, est
de culbuter immédiatement Mélusine dont l'émoi se
trouve aggravé par quelques tirs de mortiers — de
l'eau de boudin à côté de la semaine dernière — bruit
de fond agréable aux oreilles candides des jeunes fées
dont enfin s'ouvrent les genoux et se soulèvent les
reins, et moi de niquer lady Laure bestialement,
première fois que nul besoin de discours littéraire,
d'approches séductrices ni de considérations sur la
peinture pour troncher une fille aussi belle, car mon
oncle, confit en chasteté, vous qui sentez un peu le
vieux brie, vous ne pouvez savoir la beauté de cette
nymphe liliale, quand, tout à fait désordonnée, elle
griffe, se contorsionne, me mord, bave, semble subir un
supplice mandarinal, quand ses yeux se font sinueux
yatagans et ses paupières se baissent sur un éclair de
cruauté — elle est, si j'en crois mes yeux, du genre des
Troyennes que le sang émoustille et qui entrent dans la
tente des hommes, leur petite culotte à la main pour
plus de promptitude et moins de malentendu, leurs
pieds nus clapotant dans des flaques de raisiné — telle,
l'irréprochable Laure, toute de chaux, de porphyre et
de lapis-lazuli sertis à la place du globe oculaire, or les
lapis en question, ses yeux, mon oncle, ses yeux, au
moment où je la fais jouir font ma doxologie et moi de
culminer d'orgueil, elle se déploie et se gondole de la

gorge aux orteils, tandis que je la secoue comme jadis furieusement ma mère agitait son panier à salade dans l'escalier de service, provoquant la fureur de mon père qui hurlait qu'on avait douze serviteurs, qu'il fallait néanmoins qu'elle ébrouât la verdure elle-même et qu'on allait y perdre notre réputation, revenons à Laure qui me récompense de la saillir avec des gueulements si amples que les voisins vont croire à un égorgement mais resteront chez eux ou mieux, de terreur, descendront une fois de plus à la cave, soyons tranquille sur ce point.

La créature porteuse du prénom que chanta Pétrarque et portée invinciblement à la conjonction, sous moi qui je l'avoue me sens saisi d'une hystérie de pourfendage, la créature jusque-là inodore ou n'exhalant que d'innocents parfums, à cette heure ointe de toutes les fragrances soufrées d'un corps au pigment de rousse et en sueur, et toujours embaumant celles de l'agrume et du petit-lait, ladite, fichée sur le lit comme la cible d'un lancer de poignard soudain émet un guttural grognement au moment où peut-être je lui fourgue un embryon de môme dans le ventre avec l'assentiment de Dieu qui voit tout, et ne rate pas un des soubresauts de cette échauffée qu'il faudrait un sérail de sultans pour satisfaire, même au cas où Dieu serait omnivoyant, Il ne peut hélas pour Lui sentir à ma place les contractions hélicoïdales de cet huis frotté, pilonné, ébranlé et saccagé telle la bonne cité Beyritus. Merde, final éboulis, regrettable quand, à mon flanc collée, cette fille en redemandait.

Laure, mon petit, l'oncle, seul à la cuisine, prépare des spécialités orientales où entrent du blé concassé, des aubergines et infiniment d'aromates levantins, il s'agit à présent d'honorer la table du cessez-le-feu, après nous verrons, ma petite fille entre les cuisses de qui, même quand tu avais tes règles, je croyais qu'il neigeait.

Protéger Laure si Dieu faisait défection. La confier à son oncle si lui-même faisait défection, atteint par un canon de 75, un mortier de 120, une mitrailleuse de 500, ou une de ces ambulances qui sont engins de mort le soir dans les rues.

Pendant que Laure siégeait selon toute probabilité sur le bidet de la salle d'eau voisine, Amine fuma un peu de kif pour se détendre les nerfs et s'ouvrir l'appétit et honorer la table que son oncle avait dressée magnifiquement, sans soupçonner l'âpreté des ébats de nos jeunes gens, car un, la maison Ghoraïeb était vaste, et deux, Camille devenait un peu dur de la feuille. Laure revint et, avant qu'elle ne se rhabillât, Amine admira la courbe élégante de son dos, le galbe discret de son fessier adolescent, s'émut sur — partie de la femme qu'il privilégiait ainsi que dans le gigot, la souris — le creux poplité, un peu moins hâlé que le genou, au si délicat tracé de veines, ramilles de bleu corail, et sur l'ensemble qui était à l'avenant. Gémit très bas et très impoliment Oh, Maria. Puis, il occupa, à son tour, la salle de bains.

Se contemplant dans une des seules glaces qui avaient tenu le coup et par là devaient posséder quelque pouvoir magique, il consulta son reflet, et s'effraya de sa découverte. Par le Dieu des maronites, il était beau à être placé dans un coffret tel Adonis à sa naissance pour qu'il fût caché aux enfers. Adonis, Seigneur et Maître, déchiré par un sanglier près de la grotte d'Afka, Adonis dont depuis lors le sang vermillonnait l'eau résurgente. Fleurant la nèfle et le citronnier, les yeux verts aux cils plus longs et plus incurvés

280

que les femmes d'Orient, la pommette tailladée d'un burin précis, oui beau comme roi chypriote, or jamais il ne se vit roi dans les yeux de Maria, ou alors, *in illo tempore*... Belle pâture pour les vers, dans un avenir proche. Rongé tel don Miguel de Manara, chevalier de Calatrava, cendres et poussière, le don Miguel auquel, peut-être, il ressemblait, lui qui avait rampé aux pieds de la seule inaccessible. Allez alpaguer une étoile filante. Oh, Maria, te revoir avant que le peuple blême, le concile des larves, ne me revête d'une chasuble de lune, avant que carie, nécrose et gangrène, avant que boue et planches au-dessus, quand je ne sentirai plus ni nèfle ni citronnier mais gravéolence et pus grumeleux, avant que charogne blette, avant qu'os cimentés puis désagrégés par mille succions de molles ventouses, avant que ce torse glabre mais viril ne soit plus que trace dans la glaise, et mes yeux d'un vert plutôt rare — d'où vient-il, ce vert ? mystère génésique ou écart de conduite d'une maman Benkamou qui à cet instant grésille avec les déchus dans un endroit fort semblable à ce qu'était Beyrouth, la semaine dernière — ne soient assombris d'humus, de terreur et définitivement caves, et moi squelette bien propre — Maria, oublions cette idée (fastidieuse, je vous l'accorde) de ronces entre nos sépultures car ici me menace un obus aléatoire ou quelque merveille balistique dont nous fournissent gentiment des grossiums décidés à assassiner le Liban en se gonflant les poches — un obus, suis-je présomptueux, une balle suffira, et les humains, si vulnérables en de multiples points de leur corps sont moins ardus à tuer qu'éléphants ou tigres. Maria, merde où est le savon, ah le voici, excellent savon trop acide, n'importe, se laver et être munificent pour le dîner offert par mon oncle, neuvième prêtre de Zghorta, et que Dieu anéantisse la Mort, formule des pleureuses montagnardes de ce Liban que je me prends à aimer

— tenez, de savoir que j'aime quelque chose d'autre que vous, et vous voilà, apparition radieuse, dans ce miroir — oh voyez-vous, Maria, j'ai changé, je pense vous aimer mieux, à présent, ce qui de moi vous insupportait au point d'élargir vos si félins et inoubliables yeux épouvantés, avant que de me fuir au galop, eh bien, ceci n'est plus. Je vous sens déjà rassurée. Plus confiante. Jamais plus vous n'aurez à subir un marmot qui vous réclame en tant que mère dont la présence est obligatoire, et l'absence, mortelle. Exit le marmot. J'ai grandi, et j'aime ailleurs, ce qui déjà adoucit vos yeux de bière blonde. J'aime, entre autres, cette sainte raclure de pays et ce saint oncle Camille qui fleure le rance, bénit énormément de morts, revient à la maison en sentant l'odeur des morts, passe agréablement son temps avec toutes sortes de cadavres, se fiche des confessions, et avec raison soigne tout le monde à tort et à travers, ce sont, Maria, des blessés, ici une rate éclatée, là un bras écrabouillé, chiite, sunnite, irakien, maronite, orthodoxe, tous la même rate ou le même tronçon de bras, mon oncle qui fuyait la société beyrouthine, qui cultivait son brave champ, au temps où il portait la coiffe noire, mon oncle aujourd'hui en battle-dress, Kalachnikov à l'épaule, horripile toujours ses hargneux sourcils poivre et sel, sous lesquels ses petits yeux de furet discernent, comme d'une autre galaxie, la boule bleue (une escarbille, rien de plus) où nous nous agitons comme les damnés que nous sommes — Camille, un type si simple, si ignorant de nos ruminations névrotiques, de nos Psychoses Maniaco-Dépressives et paranos diverses, tel est le tonton qui file généreusement de la morphine à une blonde que j'ai levée au Phœnicia, allons donc, il sait très bien qu'il la came, et alors, Tfadalé, Bienvenue à l'Étrangère, il lui laisse morphine à discrétion puisque c'est son *holly hobby*, trouve-moi un curé de la sorte en

Europe et je rentre, bien que non, je garde le mien et ne rentrerai pas de sitôt. Maria, plus jamais je ne vous embrasserai sous les cèdres de Laklouk et ne vous verrai tâter prudemment du bout de votre orteil l'eau de la piscine du Saint-Georges avant de vérifier la juste morsure des longues épingles retenant votre chignon (toujours l'air en travaux, ce chignon improvisé sur votre crâne, toujours hâtivement construit, d'une main très négligente, ce chignon ébauché d'où s'échappent vos mèches sauvageonnes) et de plonger dans la piscine du Saint-Georges comme tant vous l'avez fait quand ici nous nous aimions et quand je buvais mon arak en attendant pour déjeuner que vous fussiez rafraîchie dans l'eau chlorée. Quand vous ne m'aimiez plus du tout, vous avez tiré sur l'ambulance, soyez pardonnée, je devais être hideux à voir, plus rien ne servait à rien, ni le vert de mes yeux qui de Nil devait virer au vert pisseux des peintres de Barbizon ou, sous l'emprise de la jalousie, au vert épinard, alors ce fut la fin du roi chypriote, du berger madianite ou du chevalier noir, vous ne m'admiriez plus, rien ne trouvait grâce à vos yeux, et mon teint tournait au bronze de l'atrabile, mon haleine se ressentait de ma constipation, j'avais même des boutons buboniques quand vous m'accompagnâtes à Marrakech, que voulez-vous, j'étais un môme frileux abandonné, pas même bon pour l'Armée du Salut mais pour la fourrière ou encore la rue des Morillons où on garde les riflards égarés, moi objet sans propriétaire, moi nanti de ce ridicule hochet glandouillant à l'air borné, obtus et vexé car lui aussi avait cessé de servir ma cause, de vous emplir à fond, et de vous être de quelque utilité car sa seule vision vous provoquait des nausées apocalyptiques, en sorte que de trimbaler un attirail d'une telle imbécillité je rougissais au point de vouloir me constituer eunuque de votre harem, j'entends, le harem où vous cloîtrez à votre tour les hommes qui vous désirent, saloperie androgyne, d'Artagnan, ou plutôt Aramis, la chair, le secret et la mystique, toute l'essence du monde captive de votre flacon de verrerie vénitienne, tandis que moi affligé d'un cerveau diabolique et d'une queue non moins due à Satan, moi j'étais un homme entaché de malheur et condamné à porter un pendentif que vous n'auriez même pas accepté en trophée autour de votre cou. Or voici maintenant qu'une fille au réduit exigeant un instrument de quatorze pouces me trouve d'une splendeur sans pareille à voir l'état de son slip quand elle m'attend, couchée. Ainsi en va-t-il du sexe de myrrhe résineuse d'une Celtique, avec laquelle je vous trompe, ma gazelle, car elle est aussi madonale, étroite et efflanquée que vous, et que ses yeux sans mémoire ne parlent que d'enfance, oui pour mon châtiment je ne tombe que sur ce genre de colombe, oui j'ai une attirance pour la Celtique, je ne vous le cacherai pas, à vous qui m'avez si souvent prôné la polygamie, ceci évidemment pour que je vous permisse la polyandrie. Ma cécité semble disparaître, et j'ai le tarin palpitant, je reconnais toutes les odeurs que j'appelle même par leur nom, entre autres celle des oignons qui sont frits, et je m'en vais passer à table. Je vois que par politesse vous quittez ce miroir. Croyez-moi, nous allons faire honneur aux comestibles accommodés par les paluches montagnardes de mon oncle, et le repas sera arrosé de saintes huiles. Quelque chose de la miséricorde me tombe sur le crâne en ce moment, ô Maria vue à Patmos par saint Jean! A table car le poulet va cramer. Vous demeurez la seule pour qui — en évoquant dans un miroir votre double lequel, je le remarque, s'est montré pour la première fois bien docile à m'apparaître et n'avait pas du tout l'air ahuri ni craintif comme c'était à prévoir après les pralines

284

que je lui ai balancées, à ce saint esprit irradiant votre
sainte face — je fasse attendre le curé de Zghorta.

Laure passa une tête par la porte entrebâillée, son
regard glissa sur le slip d'Amine qui, terrifié, enfila
presto son jean, le zippa d'une façon définitive, et
sourit à son autistique seconde fiancée, l'aryenne pure,
qui s'était récurée jusqu'à l'éclat du blanc-bleu. Roi
chypriote, il baisa la main de sa légendaire, baisa sa
paupière tendre à vous donner envie de croquer les
yeux du bleu que Giotto employa pour les murs de la
chapelle d'Assise, *cosa mentale* que ces yeux-là, pour le
reste, pas trace de mental, c'était parfait.

*

En ces ténèbres de trêve, seuls résonnaient, comme
de lointains rhombes, les échos de quelques blindés
traversant la ville. O chrétiens, ô juifs, ô musulmans,
c'était une paix factice et un crépuscule d'été d'une
nuptiale splendeur et, dans cette demeure anciennement
meublée Louis XV, autour d'une table nappée de
blanc qu'éclairait un candélabre rocaille aux longues
bougies, il y avait, humant la vespérale brise d'une
rose et époustouflante douceur, il y avait, au-dessous
du dernier lustre de cette maison, lequel jetait ses
ultimes feux prismatiques car de futurs ébranlements
allaient à coup sûr avoir raison de lui dans un bref
délai (se planquer, gaffe au lustre, mort stupide que de
recevoir un luminaire sur l'occiput en pleine guerre
civile), il y avait, donc, Laure la Morrigane qui regardait Amine Youssef comme le dieu Lug de sa nordique
mythologie, Laure qui ne parlait qu'aux oiseaux et en
gaélique, Laure fille de Fingal, Laure aux Blanches

Mains inertes posées sur la table et tout à l'heure si actives, Laure Anonyme qui contemplait avec béatitude son amant levantin, haut tel un type de la Garde Noire de Moulay Ismâ'il, sur les genoux duquel roupillait le chat. Lady Laure, crevant d'envie de se faire sauter séance tenante et à nouveau, tentait désespérément d'accrocher le regard de l'amant, d'inciter à se tourner vers elle le profil de chérif saadien et les yeux de cédrat, mais, insensible à ces manœuvres candides, l'amant en question suivait au ciel crépusculaire révélé par une fenêtre ouverte un vol d'hirondelles qui lui évoquaient d'autres hirondelles, traversant un calme ciel parisien aux aigres pastels, un soir de printemps, avant un dîner chez Lasserre qu'il n'oublierait jamais. Maria où que tu sois, Maria chevillée à mon âme, mon citron-bergamote, ma râpeuse confite au sel, mon aigre-douce aigrefine, un jour encore sentir le poinçon de tes dents et goûter le pain de tes lèvres un jour encore révérer tes socquettes retombant en corolle autour de ta cheville de gazelle que veloute la poussière des ergs ou celle des trottoirs, pensait le chérif saadien au genou duquel s'accolait celui (insurpassable) d'une Irlandaise — Maria je jure à tous les dieux qu'auprès de toi toutes les femmes y compris la Morrigane malgré ses genoux sont keftas de chameau sans épices, tandis que toi, kefta prise dans le gigot, régal de calife, OÙ QUE TU SOIS Maria Tiefenthaler vénéneuse gamine qui me cloute la mémoire, toi maigre, ou grosse, ou teinte, ou décolorée, Maria, NO MOLESTAR et DON'T-DISTURB — j'ai beau m'accrocher ce panneau sur le front, j'ai l'air idiot et ça n'est pas pour ça que les souvenirs cessent de s'abattre en pluie de pierres dès que s'éteint le fracas d'un des derniers obus de juillet. Il daigna prêter, non accorder, un peu d'attention à Laure.

Dans les prunelles bleues, des plantations de pavots,

au bout des doigts, du laudanum, Laure mon opiacée le vent vient de se calmer sur les cimetières de la ville, voici la soutane de mon oncle, lui dedans, apportant, suivi du gardien qui te viola (va donc, salope!) les mezzés réduits à une dizaine, les olives, le labné crémeux, et tous les petits plats de légumes pilés, durs et frais. Gloire à tonton qui tel son père lui aussi curé de Zghorta parcourut la montagne à pied pour baptêmes, communions, mariages et derniers sacrements, descendit des montagnes pour soigner les amochés et aujourd'hui nous a préparé d'excellents mezzés et, surprise, un volatile de fête. Un rôtisseur que ce curé. Il a décidément tous les dons.

— Farrouj mechoui! annonça Camille. J'espère que je n'ai pas trop aillé la sauce.

Ils consommèrent le poulet, à l'orientale, avec les doigts. Manquait l'eau de rose des ablutions postprandiales, mais on fit avec celle du robinet.

Par égard pour l'appétit des convives, l'oncle attendit que le poulet fût réduit à sa carcasse pour, comme toujours quand il avait un peu bu, raconter les affreuses histoires qu'il tenait de son père qui connut le rude contrôle des Turcs de Djémal Pacha et des Syriens (ces éternels intermédiaires, toujours le nez dans les affaires de notre pays!) sur le Liban, la famine de 14, pendant laquelle les corbeaux, les vautours et les survivants se partageaient avec équité la chair des cadavres, pendant laquelle on coupait les doigts des pendus pour s'en approprier les bagues, suivirent « d'autres détails triviaux et communs à toutes les guerres » (commentaire chuchoté de lady Laure) puis l'oncle rota, et demanda à Rachid d'apporter les oranges et le café.

— Deux mille morts depuis l'attaque du bus à Ain-el-Remanneh. Pourquoi, mon neveu? Pourquoi toujours la boucherie? Autrefois, la situation était plus

287

claire. Chrétiens contre musulmans, maronites contre Druzes, pas de quartier. Aujourd'hui, les riches contre les pauvres, les chrétiens contre les Palestiniens, la droite contre la gauche, or à gauche on trouve des chrétiens aux côtés des Syriens, à cause de leur Idéologie, derrière tout ça et les remparts de sable, la C.I.A., le K.G.B., la Jordanie, la Cinquième Colonne, la Quatrième Internationale, les Irakiens ou Khadafi. Foutoir oriental. Au-dessus, planent les aigles, nos éminences féodales progressives, Joumblatt, Arslan et consorts. Mon neveu, ce pays est plus fragile que les colonnes d'Anjar. Décor de théâtre pour ceux qui s'y battent — le conflit ne sera pas réglé avant celui du Moyen-Orient, et toutes les sources rouleront du sang avant le prochain printemps. Remercions le Seigneur de ce poulet d'armistice. Mademoiselle Laure, je vous prie, malgré la trêve, de ne pas franchir la rue Assad-el-Assad qui délimite maintenant la frontière entre gauche et droite, car quelles que soient vos opinions, et je crois bien, jeune fille sensée, que vous n'en avez pas, vous seriez tirée à vue par un milicien ignorant tout de votre nationalité... Je me demande à ce propos ce que vos parents d'Irlande avaient dans le crâne pour préméditer des vacances au Liban, et non sur la Côte d'Azur française, je crois qu'on ne dit plus Riviera, bref — Dieu néanmoins ait leur âme malavisée ! D'autre part, mademoiselle Laure, la nuit, l'armée tire sans sommation contre tout mouvement suspect. Oui, c'est ce qu'on appelle ici un cessez-le-feu et je vous assure que celui-ci n'est pas trop mal. Donc mademoiselle Laure, interdiction de promenades digestives.

— J'y veillerai, mon oncle, dit Amine le Preux, pour lequel Laure pelait une orange avec une parfaite distinction et l'air d'une odalisque qui se foutait bien de l'imminence d'une attaque israélienne sur les secteurs palestiniens, et se préoccupait davantage de ce

288

qui se passerait, plus tard, dans la nuit, sur un lit sombre et défait.

Il la regardait peler cette orange. Que n'avais-tu pelé ainsi, Maria ! Ou plutôt, tu l'avais fait. Par dérision, pour t'humilier jusqu'au bout. Quant à vous, éplucheuse par amour, lady Laure, je vous emmènerai à Byblos, où le sang coule comme jadis, pour les dieux cananéens. Sidon, deux fois détruite, Tyr, prise par Alexandre de Macédoine, Liban des cités héliopolitaines, des thermes fastueux, des forums, des hippodromes romains, tant de fois labouré par le soc de guerre... Je vous emmènerai, fille de Fingal par hasard tombée entre mes mains, sur la route de Beit-ed-Dîn, voir si le curieux palais d'un Facteur Cheval autochtone tient encore debout. Je partirai avec vous en villégiature d'été, nous irons vers Zahlé et les eaux bruissantes du Nahr-el-Bardouni, vers Zahlé la verte et ombreuse, si gaie auparavant, endroit rêvé pour, en compagnie d'une longue enfant aux cheveux pâles aux genoux d'ambre parfois entravés par le lent songe du kif et parfois, aiguillonnés par une drogue plus électrisante, attendre la fin du monde connu.

Le 14 juillet 1975, sans nouvelles de lui

Le 14 juillet 1975, sans nouvelles de lui, merveilleuse dans une robe de mousseline rose au bustier drapé sur une peau assombrie par de fréquents séjours sur la terrasse de Mlle Yuan, égrenant nerveusement, en guise de chapelet, les perles noires et polynésiennes d'un bracelet offert par un nouveau prétendant, Mlle Tiefenthaler, juchée sur ses sandales dorées qui lui cambraient cruellement le pied et lui valaient quelques cors pénibles, tentait d'oublier ce mal atroce, souriait d'une façon frelatée à Tova et s'acharnait à trouver sublime le feu d'artifice sur Paris, vu de la terrasse du Plaza où des sybarites en smok sifflaient du champagne à la lueur des bougies qui rendait Maria d'une beauté presque insupportable au donateur des perles. Ce dernier, un Grec, se fichait pas mal des pétards, ne faisait que lorgner la gazelle en robe rose et menaçait de se jeter de la terrasse si elle ne l'épousait pas sur-le-champ. Mmmm, faisait Maria, le nez en l'air, éloignant le plus possible sa joue cannelle de l'épaule de ce M. Stassinopoulos et se rapprochant télépathiquement d'Amine Youssef en un grand effort psy, ce qui, plus que la lumière flatteuse des bougies, lui donnait ce fondant, ce moelleux, cet éclat subversif, cette expression étrange où se mêlaient le désarroi et la provocation — que voulait donc Stassinopoulos ? Ah

290

oui, comme les autres, l'acheter. Elle regrettait ce soir-là de ne pas porter la parure de rubis, elle se serait voulue muselée, embrochée, sertie de ces pierres, il se passait quelque chose d'affreux — elle tourna vers Stassinopoulos un visage de sinistrée, celui des envols, des exodes et d'un désir âpre qu'il n'osa mettre à son propre compte, une bouffée d'adrénaline infusait à Maria l'air de santé des buveuses de sang frais, il eut peur de ses lèvres carnassières, du fléchissement implacable et doux de son corps sous la robe florale, de ce fard aigu qui lui montait aux joues, *oh la belle bleue*, dit Maria, sur le point de flancher, tandis que des traînées de vapeur sifflantes griffaient haut le ciel, s'exacerbaient en hampes grésillantes, éclataient en jardins suspendus comme à Babylone, retombaient en coupoles d'escarbilles, il y avait au ciel des érections de fleurs, des orgasmes de bijoux, elle toujours aussi momiflarde ADORAIT les feux d'artifice, d'ordinaire et depuis ses dix ans, un type lambda pouvait lui insérer un doigt dans la foufounette sans vaseline du moment qu'elle matait une quelconque pyrotechnie, même jeu au cinéma quand le film était chouette, du moment qu'elle VOYAIT elle trippait à un point tel qu'un régiment aurait pu se livrer sur sa personne à des manipulations orgiastiques, bluffée par les Belles Bleues et Blancs Bouquets elle jouissait au plafond céleste, implosait avec les fusées, et s'effondrait au finale. Or, elle était ailleurs, à côté de ses suppliciantes sandales, car, au vu des orages d'argent et des pluies aurifères de cette fête nationale, percutée par un projectile de souvenir, un dur, une grenade à fusil pesant au moins ses cinq cents grammes, elle se trouvait dans un ascenseur des Galeries Lafayette, pressée dans une foule aussi dense que celle du Plaza en ce 14 Juillet, aubaine, contre son amant fils de Tyr, plaquée contre comme pour une radioscopie des poumons, lui bécotait

le coin des lèvres sous l'œil frustré et rageur des
ascendants (les gens dans l'ascenseur), enfouissait le
nez dans le paradisiaque intervalle sis entre le col de
son manteau en poil de chameau et l'escarpement de
son maxillaire inférieur, et tout au long de la montée
vers l'étage de l'Ameublement (qu'avait-elle donc com-
mandé... c'était avant l'installation rue de Verneuil, ah
oui, des canapés en cuir et une table en loupe de frêne),
lui communiquait son désir contagieux comme la
scarlatine, véhément comme *La Marseillaise,* violent à
réveiller un comateux, et les personnes bien, autour, en
voulaient à ces parfaitement beaux juvéniles amants
qui, moins une, allaient baiser devant eux contre une
paroi d'ascenseur, et sur la terrasse du Plaza dans son
ventre quelque chose faisait rage quand au-dessus
d'elle s'écroulaient de grandes mains de rubis, s'écar-
taient lentement les serres de diamant de grands
falconidés, s'ouvraient des paumes de topaze, s'incur-
vaient les ongles de saphir d'une sorcière birmane, et
elle montait au ciel avec la classe prolétarienne un
après-midi de décembre aux Galeries Lafayette et le
Levantin était son seul son unique amant et pour lui
seul les lèvres de fruit rouge *Sanguine,* les jupes de
Chinoise fendues jusqu'à l'aine, les escarpins
méchants, les nudités du soir au risque de rhume
gigantesque, les secrètes humbles splendeurs de
femme, les fards *Russet Bronze* ou *Sunny Brick* à
s'encrasser les pores de la peau pour toujours mais
pour qu'à jamais il la secouât jusqu'à ce que coulât son
sang des douze impuretés, pour lui le servage des
artifices tel ce feu du quatorze, pour lui être le ciel en
feu, oh plus jamais un ongle écaillé de son *Glazed
Brick,* pour lui ne jamais vieillir en passer par les glus
au collagène et ginseng à l'instar de Mme Ghoraïeb III,
pour qu'elle fût encore et encore enclouée par son seul
forgeron et qu'il gardât son ombre et qu'il labourât la

proie — plaisirs, fins maillons martelés suivant l'axe vertébral — pour lui des bustiers à plis religieuse, pour lui des gaines de jersey du bleu exact de l'épine dorsale du poisson napoléon, elle se pencha, détacha la lanière écorcheuse de sa sandale dorée, balança les pompes sous le buffet, se retrouva nu-pieds, royalement naine, absolument amoureuse, les poignets cerclés d'invisibles mais tenaces bracelets d'esclave, puis, fort à propos, brisa le fil retenant les perles noires qui, spectaculaire idiotie, s'éparpillèrent sur la terrasse avec les espoirs du Grec si peu ressemblant à l'Antinoüs pastoral et mal élevé, lequel, bandant contre sa cuisse dans l'ascenseur d'un grand magasin, menaçait si elle continuait d'être aussi belle et aussi câline de ne pas la ramener chez sa grand-mère à cinq heures du soir comme convenu.

Présentement, seule parmi les smokings à tête d'Anubis le Chacal, sous le firmament mesuré, dompté, euclidien de France, moi, Maria, vingt-huit ans, je regarde sans vous les floralies de cette fête patronale, patriotique et nationale, or je hais l'idée même de nation, et seul le vent ouvre un pan de ma robe et les Érynnies jouent leur hymne sans lyre et sûrement votre mère a magouillé quelque chose d'affreux à notre égard et les feux de Bengale vert rampent du côté de Vincennes et les pétards me font tressauter le cœur jusqu'à tétanie, et je souris à ces débiles autour comme on mord son oreiller dans les premières douleurs de la parturition et j'ai mal et je suis si creuse et si veuve et comme une fleur coupée sans vous, et je vous attendrai jusqu'à la vieillesse où les femmes ne saignent plus, bien qu'en ce qui me concerne ça risque d'être étrange, dès que vous tournez les talons je n'ai

plus envie de saigner voyez-vous, je serai donc méno-
pausée à trente ans, et pan la Belle Violette, que faites-
vous dans cette ville piégée ici aussi on dirait la guerre,
ça foudroie, fulmine, claque, et moi de chialer comme
sous bromure de benzyle, ça me rappelle mai 68 et le
Pompéi de nos souvenirs, à Pompéi les laves statufiè-
rent une jeune fille dans un mouvement de danse
insolite, presque indien, telle je suis sous les lapilli de
la mémoire, ici mignard simulacre de bombardement,
or là-bas, dans votre couloir entre la montagne de lait
caillé et la mer odysséenne, les roquettes au contraire
de ces floralies célestes sont offensives dans un périmètre assez large pour obliger le lanceur à se mettre à
l'abri avant l'explosion, mon amour vous sous les
grenades quadrillées moi sous le feu de la Comedia, et
je souffre, mutilée, que seul le vent bouscule ma robe
nom de Dieu ici blessure de sel entre mes cuisses là-bas
armes à culasse percutante tirant par chargeur de
vingt-cinq coups je vous prie de ne pas mourir.

*

Tova la sortit de sa transe : après l'œuvre d'un désir
non archer mais carrément terrassier, elle était en état
d'excavation, de mur abattu, délabrée, la joue piochée,
y avait plus qu'à brouetter les décombres. Légère
comme une parcelle de salpêtre, elle s'effrita contre
Tova, et remua la pensée pertinente qu'à son cou ou à
ses poignets, les bijoux des hommes ne faisaient pas
long feu.

Plutôt empierrée par le léoville-lascazes 75, un vin
ample, malencontreusement mélangé au champagne,
elle demanda à Tova dont les yeux si bleus viraient, la
nuit, au mauve foncé, de la raccompagner dans son

Austin, puisqu'elle n'avait aucune chance de grimper dans la jeep russe, la Bentley ou la Jaguar d'un héritier libanais frimeur, et que, même empierrée, elle refusait définitivement de se glisser dans la Mercedes conduite par le soupirant aux perles, une de ces huiles au nez rebondant, dont la mère naquit aux alentours de l'Acropole et qui invoquait souvent la Pythie quand il avait des problèmes financiers — cet émouvant recours à la Pythie seule raison de son intervention dans la vie de Mlle Tief, hagiographes et pathographes notez s'il vous plaît.

Le 1er septembre 1975, à l'aube, Maria se leva, s'ébroua des eaux d'un cauchemar où elle vit Amine en plein baroud, sous les roquettes, près d'une ferme incendiée. Depuis dix ans, elle ne s'était pas tirée des toiles à cette heure prolétaire. Elle voulut se contraindre à somnoler une heure avant de courir acheter un journal. Repos impossible. Elle s'habilla, enfila des socquettes dépareillées et des tennis, dégringola dans la rue, marcha vers Barbès, rencontra beaucoup de Marocains qui balayaient, affronta le regard vert de l'un d'eux qui devait être berbérophone pour avoir ces yeux-là, grimaça vilainement, criblée du souvenir de l'aimé, entra dans la pâtisserie Al Maghrib où elle acheta des cigares aux amandes, une corne de gazelle enneigée de sucre, un beignet au miel dit yoyo et une rose des sables à trois francs, se bourra de ces réminiscences, s'écœura de quelques cafés turcs, pleura son amour de guerre sainte, le métèque d'Orient qui, à l'instar d'un chef alaouite, le Sous marocain, voulut la soumettre, l'évacuer de ses remparts, puis l'orner comme une nouvelle capitale, avant d'être lui-même le jouet de luttes intestines en son royaume tronqué, et d'aller au casse-pipe à cause d'une robe noire. Amine aux mains tatouées sur les parois de son corps et les muqueuses de ses lèvres et les murs des chiottes et les

saintes pierres de Notre-Dame, et si un éclat d'obus...
Elle acheta *Le Monde*.

« *Beyrouth (U.P.I.) De nouveaux incidents se sont produits à Zahlé dans la nuit du dimanche 31 août au lundi 1ᵉʳ septembre, la troupe est intervenue pour boucler la ville et empêcher les affrontements de s'étendre. Neuf personnes au moins ont été tuées et dix blessées. Le bilan total des troubles, qui avaient commencé le jeudi 28 août, s'élève à vingt-six morts et une quarantaine de blessés.* »

Elle referma le journal, crispée d'une fameuse tétanie. Arpenta le Sébasto, pas mariolle. Cet adorable garçon, au lieu de balancer la machine à écrire de sa bien-aimée par la fenêtre, de l'asperger de sperme, de se salir les mains à rouler sous les taxis, tout ça pour lui plaire, dégoupillait à présent des grenades. Elle se souvenait de Zahlé. Il se pouvait fort bien que ce suicidophile y eût été. N'appela pas la famille Ghoraïeb dont les membres auraient exprimé de vive voix leur certitude qu'elle était responsable de ce départ héroïque. N'appela pas non plus Maximilien Richter, ne voulant pas qu'il sût à qui elle devait une crise de tétanie.

L'été finissait et, du côté où se lève le soleil, la peur pénétrait la Békaa et il n'y aurait jamais plus de festival à Baalbek sous Orion, la nébuleuse du Crabe et les autres constellations. Maria se sentait incapable dorénavant de cracher une tirade aussi faramineuse que sincère au sujet de l'amour messianique à la face d'une quelconque victime et, après le haut-le-corps de tendresse arraché à ladite proie aux yeux mouillés, de se tirer en lui escroquant un peu de sentiment qu'elle ne comptait pas rendre — un de ses jeux favoris, naguère.

Un soir à Tripoli,
un après-midi sur la corniche

Le genou de la Morrigane attirait décidément les hommes et les catastrophes. L'insurpassable rotule fut éraflée d'une balle, à Zahlé, alors que Laure sautait dans la 4 CV pour quitter sur les chapeaux de roue cette aimable villégiature sous un ciel où s'échevelaient, telles les fumées du houka, les nuées de la guerre civile. Dans la capitale de l'arak, des célèbres mezzés du Casino Arabi et de la Bekaa, on ne respirait plus le parfum doucereux de l'anis ni l'aisance bourgeoise, mais la poudre. Les tentes des restaurants du bord de l'eau flottaient, déchirées depuis une récente bagarre où un type de confession non identifiée sortit une grenade dans le but tout à fait inepte de démolir ces attrayantes guinguettes.

Après l'été que secouèrent seulement quelques plastiquages, l'automne risquait d'être infernal, mais Amine, emmenant à l'hôpital Saint-Georges une petite âme translucide et vaillante qui point ne gémissait malgré un genou entaillé comme le crevé d'un pourpoint, ne songeait toujours pas à rentrer en France.

Le 7 septembre, il installait confortablement devant la fenêtre son infirme qui fulminait de ne pas pouvoir aller à la plage, de Beyrouth montaient des coups de klaxon rassurants, on comptait cinq baigneurs dans la piscine du Saint-Georges, les vieux fumaient le narghileh près de la place des Canons et un précaire tohu-bohu oriental avait repris son cours dans la ville. Chaque soir, il s'agissait d'honorer Mlle Laure malgré le bandage de sa jambe gauche, et jamais Amine ne baisa mieux une femme, impotente, à sa merci, et plus jugulée par le genou que les Chinoises par les pieds. Il pensa qu'épouser cette Laure qui, chantonnant devant le jardin, prenait les déflagrations d'obus pour des feux d'artifice et les incendies pour ceux de la Saint-Jean, serait une indigne mais si délicieuse solution. Il épouserait peut-être Laure fille de Fingal, aryenne d'une pâleur de céruse car démaquillée de son hâle, ancien idéal du demi-bougnoule levantin, Laure à la légère folie susurrante, à la douceur enfantomée que démentaient seulement ses crises épileptiques quand il la tringlait au risque que l'oncle Camille entendît ses hurlements de hyène — ça, l'oncle Camille n'était pas tout à fait sourd, or, à ce que son neveu assouvisse les désirs d'une vierge folle dans la chambre voisine, il finit par s'habituer au point qu'une fois les clameurs éteintes, il pointait son grand nez busqué dans l'entre-bâillement de la porte, toussait deux fois pour prévenir, avant d'entrer en soutane ou en battle-dress, les deux seuls vêtements de son académie, leur porter des oranges ou des petits citrons amers et du vin.

Or le 7 l'oncle n'entra pas avec les fruits qu'on porte, dit-on, aux incarcérés. L'oncle empaquetait sa soutane pour filer dans le Nord, à Zghorta, sa paroisse, qui flambait. Son invalidité ne lui laissait guère de chances de s'en tirer. Mais de l'existence on ne se tire jamais vivant, disait Guitry, auteur figurant en bonne place dans la bibliothèque de Fouad, et il y avait à Zghorta des dizaines de familles qui avaient besoin d'onctions.

Les miliciens musulmans de Tripoli occupaient les collines surplombant Zghorta, et les autorités redoutaient que les combats ne s'étendissent à l'ensemble du pays, s'il n'est pire contagion que celle de la haine. Chamoun le Chrétien demandait l'intervention de l'armée, refusée par Karamé le Mahométan. Beyrouth languissait dans le calme soir, et André Nameh, garagiste, attendait l'oncle dans sa Volvo pour partir vers le Premier Rempart de la Montagne chrétienne. Radio-Beyrouth apprit à l'oncle qu'on avait dynamité les boutiques des Zghortiotes chrétiens établis au port islamique de Tripoli. Le dimanche précédent, un Zghortiote, pour venger la mort de son père tué au front, avait abattu dix otages musulmans sélectionnés « sur la foi des cartes d'identité ». Redoutables papiers où une seule ligne indiquant la confession d'un particulier l'envoyait *ad patres* sans jugement. L'oncle, la mort dans l'âme, renonça une fois de plus à son entretien avec Joumblatt. Il ne pouvait abandonner ses Zghortiotes, or les Tripolitains du littoral, pour venger les otages du fils vengeur, marchaient sur Zghorta la pentue. Au Saint-Georges, on buvait l'apéro et on glosait sur la mort de trois jeunes sportifs arrêtés par des musulmans alors qu'ils se dirigeaient vers la Syrie pour y établir l'itinéraire d'un rallye automobile, lesquels furent abattus dans un bosquet et jetés à la fosse commune après lecture rituelle des papiers prouvant leur confession chrétienne. Thanatos en rigolait, rôdeuse des routes du Septentrion. Et voilà, disait-elle, fauchant dans le tas, une moisson due à d'invraisemblables dieux idéologues. Mardi 9 au matin, Amine s'éveilla, s'étira, embrassa la tempe de Laure où bleuissaient quelques veines sous la fine peau d'Anglo-Saxonne, se leva, remarqua l'absence de la coutumière odeur du café d'un oncle matinal, puis celle de l'oncle tout court. Sous la menace du browning, le gardien lui avoua le départ de Camille pour Zghorta.

Ainsi, pendant qu'il s'ébattait avec une jeune fille, l'oncle l'avait furtivement lâché pour aller vers une ville encerclée et bombardée au mortier de 120. Il tripota les boutons de la radio. Si lui, le neveu, revenu vif de Zahlé, avait décidé de cesser les imprudences touristiques, l'oncle, sans avoir prévenu personne, s'en était allé vers le fracas des mitrailleuses, clopinait, visé par les tireurs couchés sur les toits, dans les rues de Zghorta puis de Tripoli où il tenait probablement à visiter ses paroissiens, une poignée de chrétiens dans une ville islamique, franchissait les barrages de sable, et donnait les sacrements dans cette Tripoli privée d'essence, de téléphone et d'eau depuis que la vaillante minorité chrétienne en avait fait sauter les canalisations. Radio-Beyrouth nasillait que les gauchistes occupaient les locaux des services de défense civile, la police palestinienne le quartier de Koubbéh, et que les Palestiniens sur ordre de l'O.L.P. ne bougeraient pas, sauf bombardement de leur camp. Les cadavres énucléés s'entassaient sur le bord des routes et les fondements des personnages au pouvoir *siégeaient sans désemparer* — texto, la presse locale.

Le 10, après seize heures de palabres, les gouvernants décidèrent de faire appel à l'armée pour établir une zone tampon entre Tripoli et Zghorta. Le 15, l'oncle Camille se trouvait aux côtés du père Charbel Kassis, sur une base aérienne proche de Tripoli, et occupée par quinze mille chrétiens réfugiés. Entre-temps, au couvent de Deir Achache, voisin de Zghorta, trois de ses comparses maronites, les pères Sassine, Tamina et le frère Maksoud, avaient été égorgés dans leur cellule. Le père Sassine entrait dans sa quatre-vingt-quatorzième année, et c'était là une belle façon d'assomptionner au ciel, pensait Camille, un peu jaloux très fatigué d'avoir soutenu l'armée de libération zghortiote, véritable chouannerie, et enfoui tant de martyrs sous le tonnerre des mitrailleuses Douchka. L'oncle commençait à prier alternativement en syriaque et en arabe, et savait qu'il ne verrait pas la fin de cette guerre. Beyrouth allait bientôt flamber à son tour, pourquoi risquer sa peau sur la route ? Il décida de s'établir chez Toni Frangié, le fils du président, et d'attendre que le Dieu de ceux d'en face le prît lui aussi en otage. Inch Allah, dit-il en posant son balluchon dans la maison du député. La bouffonnerie a assez duré. Les armes de tout calibre semblent hélas résolues à m'épargner, malgré ma boiterie qui m'interdit de me flanquer par terre quand ça commence à canarder : au lieu de ça, je boite héroïquement sous les balles, mais rien à faire pour arriver rapidement au rang de martyr. Il tentait de se consoler en répétant qu'on avait besoin de ses quelques coups de goupillon cléricaux pour ouvrir les chemins de l'au-delà, mais au fond, il avait envie de vomir. Et à Beyrouth, ce neveu parfois incompréhensible qui faisait des nasardes à cette saleté de guerre, jamais ne tremblait, et veillait sur l'aryenne... Il regrettait d'avoir omis de lui laisser un mot. Quoi qu'il en fût, il se résigna, au cœur du bastion maronite, entre pics et vallées, à faire encore un petit bout de chemin, à cause des braves Zghortiotes, ces descendants des Croisés, dont il connaissait presque chaque famille.

Une de celles-ci, résidant à Tripoli, lui envoya en émissaire un gosse de quinze ans, dont le père réclamait la présence de Camille qui l'avait marié et auquel il rendait de fréquentes visites avant qu'il ne fût descendu de sa montagne pour officier à Beyrouth. L'oncle grimpa dans une jeep conduite par un soldat en treillis U.S., qui fonça vers Tripoli.

Quand ils mirent pied à terre, le soir tombait sur le port que balaya un tir sporadique. Allah Akbar ! grinça Camille avec quelque ironie. Sur cette louange à un Dieu tout-puissant qui n'était pas celui des maronites, il mourut à la fin de l'été, à l'arrière d'une voiture, criblé de balles, dans la nuit de septembre si tiède sur les ancrages du Levant, si parfumée sur les ruines de la citadelle, il mourut dans les ténèbres découpant des ogives encrées sur les murs du souk al-Khayattine, dans l'ombre aussi suave que les courbes des mosquées, douce aux jardins de pins d'un proche couvent de derviches, douce aux caravansérails, aux madrassas, douce au port où il tomba, près des entrepôts de bois, douce à un prêtre qui s'en allait, un des neuf curés de Zghorta tué au hasard, avant cette utopique et grandiose entrevue avec le Seigneur du Chouf, son ennemi vénéré, combien douce et absurde fut la nuit contre laquelle se dressa un grand corps mutilé qui la perça de ses yeux de croyant, un peu chagrinés seulement qu'on l'empêchât de faire le dernier pas d'un pèlerinage de boiteux ramassant sur les terres du carnage, en bouffonnant, quelques bris de sagesse, et qui aimait les hommes, même s'ils prétextaient d'une foi pour se donner la païenne ivresse d'une mort collective.

Sur un toit, le tireur baissa son Kalachnikov sur la crosse duquel il avait collé l'image de la Vierge. Il ne savait pas qu'il venait de tuer un chrétien.

Et l'automne fut une mécanique de fer, toutes les nuits furent historiques, et couvèrent un immense deuil. Seuls, à la radio, les bulletins scandaient le temps de la mort, celui des reines veuves, de ces mères d'Orient si semblables à Mme Benkamou, liseuses de tarots, gourmandes de pâtisseries au sésame, vêtues de noir dès trente ans, pleureuses éternelles aux petites mains douces et grasses, hurlant l'ancien thrène à l'écho répercuté du fond des âges et du faubourg athénien du Céramique à celui de Chyah, d'Achrafieh, et d'Ain-el-Remmaneh. Femmes matricielles aux vallons charnus et terriblement goinfres du corps de leur fils qui, se détournant d'elles, ébloui, désinvolte, comme drogué, à peine vaguement épouvanté, allait au front malgré les torsions des douces petites mains qui sentaient le pain de montagne. Dans les caves, les couloirs, sous terre, rampait la peur. Au-dessus, régnait une sorte de folle ébriété. Les roues dentées du soleil écrasaient la Békaa et le ciel conspirait la mort de la montagne. Crépuscule et ses salves, bouffées de sang aux tempes, rythme cardiaque affolé de la ville, basculant dans l'obscurité où la poudre s'incrustait dans les fosses nasales comme de la cocaïne, où des odeurs d'éther, de pourriture, de sang, d'immondices, montaient de la Quarantaine. Sans individualité, ils mouraient, maronites, Druzes, orthodoxes, chiites, Ira-kiens, progressistes, mouraient dévêtus de leur ego et revêtus d'une cause commune telle la fosse qui les attendait. Nul n'était certain qu'après la nuit il y aurait une aube. On avait garrotté la lumière qui pourtant, insolente, luisait sur les canons. Sur l'atroce planète d'un idéal bleu saphir, une petite tache de sang rougissait le pays de Charan jusqu'en ses frontières. Savaient-ils vraiment qu'ils tuaient, ces francs-tireurs ou ces militants de quinze ans, de quelque obédience qu'ils fussent ? Amine, à les voir opérer lors de ses raids en ville, n'en avait guère l'impression. Ils ramassaient leur énergie pour l'attaque abstraite, technique, à plat ventre derrière leurs barricades, avant d'être prostrés là, définitivement, en position de tir, par un inconnu non moins mortel qui avait sur eux le privilège d'être monté sur un toit. Les bourgeois planqués, terrorisés par cette traque collective, auraient foré le sol en quête d'abri faute de pouvoir décaniller. Féodal massacre, jeu de pièges, guérilla tonitruante. Chair à canon sous le drapeau du Cèdre et sous le Croissant de Mahomet. Ils n'avaient plus de visage, écrivaient la tragédie du chaos de la frappe sévère des machines automatiques, sous la dure dictée de la déraison.

Sarcasmes, hoquets et vomissures des armes. Il semblait à Amine qu'un marteau gigantesque enclouait non plus l'ombre d'une femme mais la lumière d'une ville. Dans Beyrouth furtive, policière, aux aguets, délibéraient les grotesques du pouvoir, des escarres au cul à force de siéger. Sur les autels maronites, les roses se fanaient aux bouquets de sainte Thérèse.

Portefaix de la crainte, courbés sous les balles, les Beyrouthins tentaient de racketter tout ce qui restait dans les magasins pillés. Vendettas, par milliers. Enlèvements, toujours, sur la foi des cartes d'identité. Absurde et étrange exode de la population vers le nord. Le 17 septembre, sur l'autoroute, les éléments armés de Jounieh tirèrent de leurs voitures des otages qu'ils bousculèrent un peu avant de les aligner au mur torse nu, mains derrière le dos, puis les éléments armés de Jounieh firent feu en l'air, pendant que les gars mouillaient leur froc, passèrent alors, à toute blinde, trois jeeps de l'Armée, escorte d'un convoi de solennelles limousines transportant le haut clergé libanais qui allait présenter ses condoléances au patriarche maronite Khoreiche pour le décès de l'évêque de Tripoli. Ces hommes de Dieu jetèrent un regard distrait sur les hommes plaqués au mur et passèrent leur chemin. La minute suivante, les otages furent abattus.

Laure voulait répondre à l'appel lancé aux donneurs de sang, accompagné de l'ordre qu'on laissât passer les ambulances et les pompiers lesquels depuis un bon moment ne passaient plus nulle part. Sur quoi Amine bénit la blessure d'un si exceptionnel genou, qui interdisait à cette tordue de se déplacer pour s'en aller perdre son sang, d'une façon sûrement plus inutile et irrémédiable que ne le croyait cette secouriste entêtée.

Le 19, à trois heures du matin, ils furent réveillés par un très proche et colossal barouf : on balayait à la mitrailleuse lourde la place des Canons, où hier de bibliques et somnolents vieillards fumaient le narghileh, où dans une boutique vitriolée de néons blêmes des gamins aux longs yeux et aux pattes sales vendaient du sirop d'orgeat et d'inégalables jus d'orange à la pulpe lourde, froide et rêche.

D'un œil néronien, Amine regardait brûler la ville. Astuce diabolique et suprême, on avait tiré sur un magasin de feux d'artifice qui nourrissaient le brasero et démultipliaient facétieusement les explosions.

Il était toujours immobile devant la fenêtre et le ciel roussâtre quand Laure entra avec un litron de piquette, qu'ils burent, et, saouls, s'emmêlèrent sur le sol, pendant que le béton s'effondrait et que, dehors, ça puait le méchoui calciné. Le gardien avait prudemment réintégré la cave, où il priait comme à l'ordinaire, et maudissait ces jeunes fous qui restaient dans les étages, y faisaient des choses que, bon, pas à lui de critiquer, et surtout, négligeaient de fermer les volets.

— Regarde, dit Amine à la Morrigane dont le flegme dépassait ce qu'un truisme attribue en la matière aux Britanniques — le djinn qu'invoquait si souvent ma mère rallume des mégots un peu partout dans la ville. S'ils font sauter le cinéma Rivoli, fief de l'Association islamique, *my love*, ça va redoubler. J'ai entendu à la radio que les pompiers chrétiens prenaient fait et cause pour les pompiers musulmans auxquels des miliciens ont voulu interdire l'accès d'Achrafieh. Et, *dolly*, nous sommes, officiellement, en plein cessez-le-feu.

— Le djinn ? fit Laure, à retardement.

— Esprit né d'une flamme sans fumée, daigna expliquer Amine. Maman très chrétienne croyait à tous les génies de l'Islam. La famille Ghoraïeb planqua ses voyances pour qu'elle échappe à l'asile où les voyances, ça fait louche. Elle est morte, cette femme. N'en parlons plus, ça me rappelle une trop singulière histoire. Laure ma Morrigane, où est l'oncle Camille ? Dès que ça se calmera, espérons en la médiation syrienne, j'irai aux nouvelles. Tu resteras bien sage avec Rachid, hmmm ? Laure, Lorelei, je te rapporterai le dernier fromage blanc trouvable sur la place de Beyrouth, cela au prix de ma vie, tes désirs sont des ordres, et, *my little one*, tu adores le labné. Or il nous reste de quoi devenir ivrognes, mais rien à manger. Tiens, je crois que le souk des Canons brûle. Mets la radio.

« La peine au cœur, disait une voix écoutée du
littoral aux montagnes, nous signalons qu'il n'existe
aucune rue sûre à Beyrouth. Restez chez vous jusqu'à
nouvel ordre. » Suivaient la demande de l'hôpital Al
Makassed de sang et d'oxygène en bouteille, et les
réponses de chrétiens prêts à secourir leurs conci-
toyens arabes — une spontanéité littéralement désar-
mante, le beau mélo ! fit Amine le Cynique qui, tenant
au bras sa céleste blonde, comme pour une carole, se
laissait subjuguer par le spectacle de l'incendie. Diable, il avait gagné quelques pouces de haut, picolait
sec, tringlait virilement sa houri, et coincé par le destin
dans cette guerre insane, avait triomphé, avec la
facilité magistrale d'un maître Zen, des nocifs tourbil-
lons de douleurs anciennes valsant sous son crâne,
alors ! Seule l'excursion tripolitaine de l'oncle le souciait. Mais sainte Radio affirmait que là-bas ça allait
mieux, si à Beyrouth, ça chiait davantage. L'oncle
devait manger dans les assiettes en vermeil de Toni
Frangié et récupérer dans les gravats des tas de
croyants convertis à la dernière minute. Laure, recou-
che-toi, tu as vu assez d'une guerre de religion, ma sans
mémoire. (Ses jouissances en rafale, puis son air de
noble gisante, oh lui donner le bon Dieu, sans confession spécifique, bien sûr, et rendre provisoirement
heureuse la petite Irlandaise qui découpait au couteau
ses sales boules vertes de kif.) A ce propos, il s'avisa,
alors qu'elle avait plongé sous les draps, que flambait
la maison du tapissier pourvoyeur de came. Lui tut
l'unique catastrophe propre à l'affecter. Puis s'allongea
et reprit, à la lueur d'une bougie, la lecture de Baude-
laire, volume extirpé de la bibliothèque, tomba sur
cette phrase qu'il répéta, séduit : *Plaisir mêlé d'horreur, un mal particulier.* Sous quel méridien était sa
trafiquante, son *mal particulier,* celle du dernier jardin, celui de Gethsémani ? Loin de l'œil du cyclone,

daignait-elle prendre des nouvelles? On ne lui en donnerait pas. Derrière lui, terre brûlée, plus de télex émis du Phœnicia, sensation divine d'être oublié en tant que *dramatis persona* d'une cocasserie tout aussi tragique que cette guerre civile. Il s'endormit paisiblement malgré le vacarme, pendant qu'on violait l'honneur des gouvernants et le pénultième cessez-le-feu.

Le lendemain à midi, pilonnage spécial d'Achrafieh. Le gardien gardait les sous-sols. Amine et Laure, rivés comme chaque Beyrouthin au poste de radio, apprenaient que le seul homme de la situation était à présent Yasser Arafat dont les patrouilles palestiniennes venaient de rétablir le calme à Tripoli. Qu'accolé étroitement à M. Joumblatt, Yasser refusait une réconciliation nationale qu'il qualifiait péjorativement de « tribale ». Que la France offrait une aide timide qui ressemblait à des vœux de prompt rétablissement. Que les blindés chargés du maintien de l'ordre (lequel?) se tiraient dessus, grâce à une légère erreur de coordination. Qu'on comptait (depuis quand? grogna Amine) quatre cents enlèvements, dix otages aux corps balancés au fond d'un ravin après mutilation. Ces enfoirés sont pires que les Assyriens au temps du pal, dit Ghoraïeb. Côté gouvernement, ça palabrait à l'africaine. Le patriarche maronite appelait les Libanais à la prière. Homme sensé. Il n'y avait plus que ça à faire, prier. A la présidence, on attendait le ministre des Affaires étrangères et le chef d'état-major syrien. Karamé, à la poubelle! commenta l'amant de lady Laure en posant sa tasse de café. Merde, ça cogne, et pas loin.

Un grand pan du mur de ce qui fut la salle à manger familiale venait de se fendiller d'un coup.

Il souleva Laure et l'emporta dans le vestibule d'où rien sauf le plafond ne pouvait leur tomber dessus.

Pour la première fois elle manifesta un peu d'exaspération et émit une petite plainte de trouille, à peine perceptible, si son cœur tambourinait sec. Dehors, Morrigane, on torture, on coupe mains et pieds, on égorge, on ravage, on crame des hôtels, des épiceries, des cinémas, des pharmacies, dehors un désert hanté, soulevé par en dessous du hoquet d'un géant hystérique, éventrant les trottoirs, crevant les canalisations, plus de bronzage à la fenêtre, Laure, soyez raisonnable, derrière les sacs de sable, il y a tant d'armes pointées sur des enfants par des enfants, et tant de forces sourdes ébranlant le pavé comme tremble une dent de vieillard pyorrhéique. Le macadam se convulse sous la fièvre tierce, le pays se suicide en panurgerie monumentale, et vous dites m'aimer, et vous voulez pieusement, avec vos grâces et afféteries de madone, que je vous baise dans le couloir, par terre ? Ainsi en sera-t-il. Et, toujours noblement, elle l'attirait vers lui, sur le parquet, et feulait jusqu'à ce que, l'ayant consciencieusement bourrée, Amine à bout de ressources la laissât plaquée au sol, jambes disjointes, regard vague, flacillant, ébloui, pendant que des tribus affolées transhumaient dans les tréfonds de la ville, et foraient des passages d'une cave à l'autre, et mouraient sous une soudaine pluie de décombres. En cas de survie, Laure risquait fort d'être enceinte.

C'était le début du ramadan et, dans le quartier arabe, un musulman stoïque vendit une nuit entière ses fruits et ses légumes sur une planche de bois éclairée par une lampe à pétrole. Il épuisa son stock, se retira paisiblement, et disparut dieu sait où, à l'aube où commençait le jeûne.

Au bord des piscines, dans les hôtels encore épargnés du front de mer, les touristes cloîtrés attendaient l'Ange Exterminateur ou la fin du cataclysme, selon les tempéraments.

Le 20, l'intervention syrienne permit un nouveau cessez-le-feu, qui battit le record de durée, car on le respecta un jour entier. Toujours pas de nouvelles du père Camille.

— Morrigane, voici votre fromage blanc, fit Amine, rentré d'une expédition dans les ruines de la ville. Le reste du menu sera en conserves. Navré pour votre teint (éviter les allusions à toute pigmentation, elle serait capable de rouvrir les volets et de s'offrir en exécution sommaire aux feux du soleil et des commandos). Si les conserves vous donnent des boutons, n'ayez crainte, je prendrai un pharmacien en otage jusqu'à ce qu'il me donne une de ces crèmes abrasives dont ma belle-mère usait et qui vous laissent l'épiderme à cru. Comment va le genou ?

Elle étendit complaisamment sa jambe sur la cuisse d'Amine assis près d'elle sur le lit et l'observa, tête penchée, se mordillant les lèvres — ventre-saint-gris ! qu'elle ne crût pas à une galante invite, il voulait seulement expertiser les points de suture.

— Il est de mon devoir de vous rappeler, Morrigane, qui oubliez si vite tout ce que rabâche la radio, que nous avons droit, depuis hier, à un cessez-le-feu dû aux Syriens. O.K., on ne les compte plus. Je parle des cessez-le-feu. Mais celui-ci ayant déjà duré un jour, on peut espérer qu'il tiendra jusqu'à deux. Demain donc, au cas improbable où on continue de respecter les volontés syriennes, j'irai au siège des Kataëb où on me dira peut-être où se trouve et ce que fiche notre éminent curé.

— Je pourrai venir ? pria Laure, lui faisant exprès ses larges yeux de féerie.

— Ma Lorelei, il suffit d'un oncle boiteux. Je tiens à préserver vos divines articulations, dont l'une déjà est

311

un peu détériorée. En ville, même avec ce cessez-le-feu extraordinaire, il s'agit de ramper, de cavaler, de se mouiller les pieds dans l'eau des canalisations crevées, et le spectacle des jouets brûlés sur la chaussée sans parler de quelques cadavres puants risque d'offenser gravement vos organes sensoriels. Écoutez plutôt les hymnes patriotiques diffusés sur la radio-pirate des phalangistes, les maîtresses de maison de la chic rue Hamra s'en délectent, ça leur donne du cœur à l'ouvrage, il paraît qu'elles lancent des invitations à tour de bras, l'occasion ou jamais de se réunir, si on prêtait trop d'attention aux événements, on serait vite déprimé, argument de ces dames, dont une cousine de mon père que j'ai rencontrée dans l'épicerie où j'achète votre fromage blanc.

Laure boudait, pensant à ces belles invitations, et que c'était aussi le moment rêvé pour profiter de la plage, où il n'y avait personne. Elle marmotta quelque chose à propos de la piscine du Saint-Georges, son endroit de prédilection, Amine frémit à la perspective de l'innocente en maillot de bain, dans la ligne de mire d'un gosse de quinze ans pointant sur elle son Kalachnikov dont le tir démantèlerait l'exquise structure, et plus de genou à admirer. Pour le moment, on préservait encore le front de mer, néanmoins LAURE, INTERDICTION D'ALLER À LA PLAGE.

De la lésion, Amine le Secourable avait retiré des grains de poudre et un morceau de verre. Les premiers tatoueraient le genou d'un bleu indélébile, qui ferait grand genre et blessée de guerre, quant aux lèvres de la plaie, elles se refermeraient, et à nouveau Laure aurait le plus joli genou du monde, incrusté de signes à la mode berbère. Il embrassa la rotule intacte, oui Morrigane nous irons au cinéma voir *Deux Hommes dans la ville* avec Alain Delon au cinéma de la rue Hamra, promis, une fois que les Syriens auront fini de négocier

avec les parties intéressées, une fois le vent du soir
assaini, pour l'instant encore tant de choses pourris-
sent entre monts et vaux, dans ce royaume décousu et
bafoué que deux hommes croyant à des lieux différents
tentent de réunir d'une suture moins propre que celle
de votre plaie. Des dieux aussi païens que ceux de
l'Hellade, ma Laure, gouvernent là-haut. Argiens
contre Troyens. Cette Vierge collée sur les fusils, saint
Jean à Patmos ne l'aurait pas rêvée. Nous ne sortirons
point ce soir, *dolly*, en revanche nous dînerons aux
chandelles, j'attends que vous soyez d'une beauté
mélusinienne — j'ai volé quelques bouteilles de parfum dans un magasin où on avait pris la caisse, pas les
parfums. Ils sont dans la salle de bains.

Elle replia ses interminables jambes, baissa ses
paupières sur ses prunelles d'un bleu si intense que,
même sans maquillage, elle semblait fardée par la
nature, adornée d'un supplément de splendeur gratuite, réservé à elle seule. Il caressa l'ivoire de sa peau
et la soie de ses cheveux, matières précieuses dont était
entièrement pétrie la mince cariatide qui au hasard
d'une rue serait chair à canon — si légère que le seul
écho d'un obus la ferait valser dans le décor du théâtre
ruiné. Il la menaça avec une autorité patriarcale et
incestueuse de ne plus jamais aller en ville sous les
balles lui chercher du fromage blanc et du parfum, si
elle dérogeait à la loi d'internement.

Sur les bases d'une réconciliation nationale, on incinérait les vieux souks, et la ville entière semblait une forêt calcinée. Le 27, le genou de Laure reprenait un peu de son apparence initiale, les chrétiens d'Achrafieh et les musulmans de la Quarantaine échangeaient d'aimables obus pour s'accuser mutuellement de la rupture du cessez-le-feu syrien. Laure se parfumait au Givenchy III, y compris le nombril, séparait en deux les boules Quiès pour qu'elles fissent plus d'usage, susurrait *Lily Marlène,* et se plaignait d'un ventre ballonné qui augurait la venue de ses règles, ce dont Amine, redoutant une autre éventualité, se félicita *in petto.*

Après un interlude de quatre jours au cours desquels il alla aux provisions et vainement aux nouvelles, le 2 octobre, près de la place des Canons, il se retrouva projeté dans les bras d'une grosse dame huileuse qui lui planta ses ongles dans la cuisse avant de s'évanouir pendant qu'on plastiquait un des seuls cafés ouverts de cet endroit aussitôt déserté, sauf par les rats. Amine donna à la Libanaise les gifles qu'on dit propres à réanimer les femelles en fuite sartrienne, et la raccompagna à son domicile, sis près du sien à Achrafieh. La dame, égrenant son chapelet, l'invita à venir prendre un café, lui fit d'autres avances que permet l'état de guerre mais que réprouve la morale maronite et qu'il évita, épouvanté, en se ruant sur l'oraculaire poste de radio d'une maison un peu trop hospitalière. De Radio-Beyrouth, il apprit qu'au moment du dernier plastiquage de la place des Canons, des phalangistes avaient coincé un véhicule pour en sortir les occupants druzes et musulmans, et les contraindre sous la menace des armes à aller chercher le corps d'un chrétien gisant au milieu d'une rue extrêmement dangereuse, no man's land séparant les banlieues indomptables de Chyah et d'Ain-el-Remmaneh. Gracieuseté des coraniques, sur les six mecs envoyés au casse-pipe, ils n'en flinguèrent que trois, à quelques pas du macchabée. Il fallait s'attendre à une sacrée mitraille entre les deux quartiers.

— Vous comprendrez, madame, que je sois obligé de rentrer au plus vite, dit civilement Amine, ma petite sœur est seule à la maison. D'autre part, mon gardien en cas de rififi va plantonner au moins soixante-douze heures dans la cave sans voir le jour et il faut que je le ravitaille en olives et en pain.

— Mais vous ? Vous ne descendez pas à la cave ? s'enquit la dame, dont l'intérieur ressemblait à un entrepôt tant y étaient entassées de nourritures et de boissons en vue d'un siège susceptible, selon ses dires, de durer jusqu'à l'imminente Troisième Guerre mondiale.

— Jamais, dit Amine doucereux. On risque d'attraper le coryza ou rhume de cerveau à cause de la différence de température, et la maison sur la gueule.

Au héros, elle donna son chapelet et beaucoup de bénédictions, puisqu'il ne voulait pas du reste. Sidi Amine marmotta qu'il semblait que la poudre agisse sur les ovariennes comme, dit-on, le phosphore sur les humeurs de la population velue. Merde, que de cantinières s'offrant sur le champ de bataille !... Il fila,

315

effarouché, si soucieux du sort de l'oncle Camille qu'il risquait même l'impuissance, ce soir, et Laure se transformerait en Carabosse vexée, puis en citrouille obtuse. Il faudrait beaucoup de tendresse et de fromage blanc pour qu'elle reprît son aspect initial.

On enlevait et contre-enlevait à tour de bras les conducteurs de voitures. Jusqu'alors apatride, apolitique de même, piéton philosophe, et porteur d'un passeport français ne mentionnant d'appartenance à aucune secte, Amine se sentait peu concerné par les rapts. Il accepta l'embrassement suintant de la grosse dame dont le cuistot farcissait des aubergines pour le dîner, et avec une véhémence qui laissa ladite Mme Mansour ébaubie, la serra même contre lui, car il se pouvait que demain Mme Mansour clabotât, et que ce fût la dernière accolade qu'elle reçût d'un jeune garçon qui ne ressentit pas grand-chose à l'annonce du décès de sa mère, mais auquel importait à présent le destin de tous ces gens abominablement mortels, condamnés à finir ici et bientôt d'une monumentale erreur de procédure divine.

Personne ne semblait s'intéresser à lui, ni vouloir l'enlever, et, bizarrement préservé, spectateur assis devant la caverne embrasée où des ombres déchaînées dansaient une gigue macabre, au milieu de ce peuple amoureux des armes auquel il n'appartenait pas, il marchait droit et net dans la solitude des rues noircies, sous l'insolence du ciel outremer des vacances méditerranéennes, dans la ville pestiférée où il priait que l'oncle ne revînt pas. Qu'il reste, le magnifique, dans Zghorta la chrétienne, bastion solide, et ne se hasarde pas dans la capitale des exécutions sommaires. Or ce fichu boiteux ambulatoire risquait de se pointer en raison des onctions urgentes et des soins à donner, exigences de son candide apostolat. Si l'oncle lui faisait le coup de la désertion, sûr qu'il serait projeté par une balistique sacrée droit au paradis, et là aucune chance de ne jamais le retrouver car, malgré son air de séminariste, Amine Youssef Ghoraïeb commit avant trente ans tous les péchés dus à une perversion affective particulièrement insoutenable pour ses proches et, avant son départ pour le Liban, résumait à peu près toutes les aberrations damnables. Aujourd'hui, il inhumait sans formalités son ancienne dépouille souffreteuse, pendant que des équipes volantes arrachaient de leur bagnole des particuliers au su de leur appartenance à l'Église du Crucifié ou au Croissant du Prophète, et plus l'atmosphère se saturait des poisons d'un vaste charnier, plus il humait avec délices le parfum Givenchy aux tempes de Laure, plus il s'allégeait, se délivrait et, grisé par l'odeur d'éther des hôpitaux, se sentait d'une gaieté rabelaisienne.

Il commençait même, alors, à chérir ce peuple fou qui ricanait, hurlait, crachait sa peur, se battait, fêtait les trêves à grandes lampées d'arak, se terrait quand on tuait aux marches du Parlement, commentait à perte de vue l'impuissance du pouvoir bicéphale, et crevait des contradictions qui firent autrefois son orgueil. Il chérissait aussi cette fille murée, à l'abri d'une enfance qui lui était à jamais restituée, s'il ne supportait pas qu'elle se parfumât au numéro 5, fragrance qui réveillait son double, la seule image qu'il vénérât avec une fanatique fidélité, la fille aux semelles de romani et aux poches trouées qu'il meurtrit de sa passion bornée, si peu humaine, si démesurée et sommaire, si triste, si rude et si pauvre, si pleine d'irrespect, quand criminel il savait QUI il détruisait, au contraire des civiques ou des confessionnalistes qui au Liban pratiquaient l'assassinat anonyme.

Le soir du 22, il se montra distrait à l'égard de Laure, et la négligea au profit des bulletins radiophoniques, car, nouveauté, commençait la guerre des tours et des palaces. Hamra et la Corniche n'étaient plus préservés. Sur Achrafieh plurent près de cinq cents roquettes en trois heures. Karamé menaçait de rendre son tablier, ce qui n'effrayait personne, et filait à Damas en l'espoir d'une autre intervention syrienne. Or les Syriens en avaient peut-être marre d'intervenir, pensa justement Amine. Après la fin du ramadan et la fête du Fitr, le speaker conseilla vivement aux civils de ne pas quitter la capitale. A Damas, il y aurait encore des entretiens filandreux, une convocation extraordinaire de la Ligue arabe, et on n'aboutirait à rien. Amine commençait à épuiser les joies de l'enfermement. Une fumée noire flottait au-dessus de la ville comme une oriflamme anarchiste. Dans les mosquées, les prédicateurs tonnaient contre le chef de l'État. On allait de différend en intervention (de Chamoun, du patriarche maronite, de l'imam Sadr le grand jeûneur, de Joumblatt aigle du Chouf...), Khaddam le Syrien et Arafat se portaient garants avec quelque orientale outrecuidance de l'application du cessez-le-feu, mais ce feu ne voulait être ni couvert ni interrompu, il se nourrissait de la passion des fous pour la poudre, ne voulait rien savoir des palabres médiatrices, et on l'aurait dit à jamais inextinguible... L'Occident envoyait toujours des vœux de rétablissement et se foutait colossalement du Liban.

*

Soixante-quinze morts sur le front de mer. Beaucoup de diplomates escamotés. Tir ininterrompu sur les beaux quartiers, dont la rue Hamra, l'artère du luxe occidental, où hier on vendait encore des fringues, des fleurs, des services à thé, de l'argenterie, des primeurs et des téléphones, d'où Amine rapportait à Laure des roses, des cafetans, des oranges et ce labné dont elle était maniaque.

— Rue Hamra, c'est fini, lui dit-il, navré. Néant. Inapprochable. De toute façon, plus un marchand ambulant. Ils ont pris possession de la plus grande tour de Beyrouth et tirent sur le front de mer. Le Phœnicia est tombé. Le père Charbel Kassis, qui représente les maronites au Vatican, un balèze, transforme ses couvents en arsenaux. Je l'ai vu hier au Q.G. Kataëb. Il n'a aucune nouvelle de mon oncle. Nous sommes courtoisement invités à foutre le camp, dès que possible, et pour l'instant à nous faire inscrire dans nos ambassades. Sujet identité, n'aie crainte, Morrigane, je ne te traînerai pas devant des flicards qui voudront t'en reconstituer une (ou qui la flanqueraient à l'asile, s'il en existait encore un, peu probable, mais ne pas courir le risque). Laure, il faudra, un jour, rentrer en Europe.

Elle se raidit sous l'inacceptable nouvelle. Amine paraissait las de cette vie furtive et précaire, de la claustration, et d'elle qui ne pourrait plus échapper aux juges, aux médecins, aux enquêteurs, à l'Occident, à des cousins de Dublin qui l'enseveliraient vive d'une façon bien plus atroce que ce couvre-feu permanent. Amine se préoccupait uniquement du sort du curé. Depuis quelques jours, morose, il la boudait, ne lui parlait presque plus, ne lui apportait plus de cadeaux, refusait qu'elle se mît à la fenêtre, descendît dans le jardin, ou qu'elle allât se promener sur la Corniche, or elle ne pouvait croire que, de tous les palaces qui la bordaient, certains fussent bombardés ou d'autres occupés par les factions, et qu'il n'en restât plus un seul qui fût comme avant. Le type de la radio mentait, son genou se consolidait, et elle voulait voir la mer.

Le 28, il y eut des sonnailles de cloches et des feulements de muezzin appelant leurs fidèles respectifs à une marche commune contre la violence. Sous les balles, une procession de curés, de muftis, de vieillards, de femmes, de mômes, défila dans les rues en criant : « Chrétiens et musulmans, nous sommes tous des enfants du Liban. » Pour suivre le cortège, Amine abandonna Laure aux soins de Rachid ressuscité provisoirement de la cave où, fataliste, il envisageait sans acrimonie de passer le restant de ses jours. Avant de franchir le seuil, il oublia d'embrasser la Morrigane. Peu après son départ, elle donna une cigarette de kif au gardien, et profita de son assoupissement pour filer, tenant serré sous le bras une serviette-éponge et un flacon d'huile solaire, fermement résolue à relever de ses ruines, d'un coup de baguette celtique, le Saint-Georges.

Elle ne parvint jamais au front de mer. Une balle l'abattit place des Canons, sous un tronçon de palmier.

Dans le même temps, Amine apprenait du père Charbel Kassis que son oncle n'était pas revenu chez Toni Frangié et que tout laissait supposer qu'il était resté à Tripoli, où on avait perdu tout contact avec lui. De retour à Achrafieh, il secoua le gardien de sa somnolence, flaira l'odeur du kif, ressortit en trombe et, contraint de reculer car la place des Canons disparaissait sous la mitraille, comprit que la Morrigane n'avait pas pardonné une rétention de baiser, outre quelques soirs où il manqua d'attention envers son genou. Il marcha dans la ville, sachant qu'il ne retrouverait plus trace d'elle, ni, sans doute, de son oncle. Deux morts, deux dérobades. Au terme d'une gigue de funambule suicidaire sur la Corniche, il ne parvenait même pas à maudire tous ces porteurs de paroles, commandeurs des croyants ou chrétiens qui, Kalachnikov à l'épaule, revendiquaient leurs origines uniates, jacobites, nestoriennes, maronites et leur hégémonie sur un pays flambant comme une longue torchère, un pays où les vivants gueulaient leur foi à coups de bombe, s'achevaient collectivement en holocauste à des dieux faussaires, tabassaient des otages jusqu'à ce qu'éclatent, sous le martèlement des crosses, les cervelles au penser ennemi. Au-dessus de la ville fumante, écroulée de par la volonté d'une sorcière crapaudine, les Druzes eschatologiques, au dogme écrit à l'encre séchée, les mystes belliqueux siégeaient sur leur montagne. Aller voir les Druzes. Il tomba à terre près des décombres du Saint-Georges, n'essuya pas la sueur qui lui brouillait la vue, sentit s'enfler une bouffée de démence dans son cerveau torpillé, sombrer un reste de raison glissant tel l'éboulis d'une falaise percutée dans la mer phénicienne, il vit sa mère aux prédictions postillonnantes, pauvre Cassandre grassouillette, annoncer la mort du pays des quatre fleuves, elle aussi à présent était là où n'entre pas la lumière, puis il crut reconnaître l'oncle Camille narquois, aplati dans la poussière le nez sur un cadavre, déplorant de n'avoir pu assister à une dernière messe sous les cèdres. C'était le corps d'un autre prêtre.

Il se releva, marcha encore, parvint jusqu'à la Grotte aux Pigeons où Maria avait aimé croquer la chair fine des cigales de mer. Que restait-il de Tyr au manteau de sardoines et aux flûtes d'or, du Liban parfumé criard et ardent, du ski le matin, de la plage l'après-midi, de la Suisse du Moyen-Orient, dont on payait les joies sybarites en dollars, en francs, en yens, en livres, en chèques sur la France, en cartes de crédit, quand chez Al Ajami des moutons entiers caramélisaient sur la broche, quand les femmes allaient à la plage et niquaient dans les cabines de bain. Des gratte-ciel d'insolence, aujourd'hui tombe une grêle de mort, te souviens-tu, Ghoraïeb fils, de l'Holliday Inn où ton père t'emmenait mater les chaloupements pelviens d'une danseuse arabe, or aujourd'hui égorgée, la danseuse, égorgés tous, comme les prophètes de Baal par les gens d'Élie, soit par la cause des peuples ou quelque chose d'approchant... Il ne quitterait pas cette terre avant d'avoir la certitude du décès de Camille, si de celui de Laure, il ne doutait pas, militerait, pour passer le temps, l'ennui du militantisme au Liban étant qu'il ne s'agissait pas de manifs écolières mais de tuer et, dégrisé, il ne se sentait pas au cœur assez d'obscène et agressive stupidité pour dégoupiller une grenade et la flanquer sur un groupe d'individus qui avaient des papiers différents des siens et d'autres amours, des mecs irremplaçables avec des milliards de neurones différemment coudés sous chaque crâne, non plus ceux d'En Face, mais des mortels frères de sang.

Il rentra dans la maison Ghoraïeb, trouva le gardien qui lui apprit la venue d'un Zghortiote confirmant la mort du prêtre qui jamais plus n'entretiendrait son neveu du crâne de saint Maroun et de ses avatars, car le gars en question conduisait la jeep dans laquelle tomba le prêtre, qu'on enterra dans sa paroisse. Amine respecta un silence fracassé. Chercha du regard l'ombre gothique d'une jeune fille sans mémoire. Plus de cheveux blonds pour éclairer la nuit. Plus jamais d'oncle ajustant sous sa soutane un gilet pare-balles. De ce plus jamais, on n'en sortait pas, et on forait la mémoire, et tout était carié à la racine.

Il paierait le prix de cent chameaux pour qu'un chauffeur de taxi l'emmenât dans la montagne. Démarche absurde, mais dictée. L'oncle Camille avait toujours considéré le Druze de Moukhtara comme le seul personnage sacré de cette si peu religieuse pétau-

322

dière. Il revenait au neveu d'aller voir Joumblatt, à la place de l'oncle. Essayer d'entendre au moins une parole sensée, de la capturer et de ne plus la laisser filer de sa mémoire, ni s'ensevelir sous le tohu-bohu général. Il se souvint très précisément du visage débonnaire de l'émir Arslan, siégeant aux côtés de Maria, le dernier soir d'été où il la vit. Cet émir, lui aussi druze, omniscient védantiste suivant impeccablement le *dharma* tracé, que regardait, avant qu'Amine n'entrât, avec des yeux d'illuminée et d'imploration, Mlle Tiefenthaler — celle-là, il se pouvait bien qu'elle fût le seul être immortel de l'âge du Kâli-Yuga, elle, Maria, qui implacablement revenait vers lui, dans ses songes, pour son salut, elle qu'il croyait voir et entendre, qu'il sentait si proche de lui, qui naguère à cause d'elle et à l'instar du Liban n'en finissait pas d'aller à sa perte.

On menaçait de faire sauter le couvent de Damour, où neuf moines s'étaient réfugiés, si les habitants musulmans du village voisin ne rendaient pas leurs armes. Folie bestiale de ces animaux de clan, des membres de ces chefferies qui avaient, en définitive, fait de la mort une abstraction. A force de vivre en sa compagnie, elle était comme abolie, incernable, presque indolore, et elle ne revêtit une forme torturante pour Amine qu'au moment où elle prit pour cible les contours définis de l'oncle et de l'Irlandaise.

*

Plus un individu, dans les rues de Beyrouth. Rien que des forces sociales, civiques, religieuses, sans profil ni spécificité humaine, des ensembles et sous-ensembles de haines soudées qui unissaient ces Levantins hier patriarcaux, affables, indolemment pressés, jouisseurs syriaques, aujourd'hui formant une race de nouveaux Croisés sans superbe, seulement avides de risquer leur peau dans l'oppidum surmonté du fanion de la tribu. Projetés dans une folie épique dont seule comptait l'immanence, non le but, turbulents idolâtres de leurs fusils tchèques, russes ou américains, les Libanais, enfants inguérissables, jamais fatigués de se battre, n'exerçaient pas l'ombre d'une raison dans l'histoire qui était la leur et n'aurait pas plus de fin que les bandeaux immuables de calligraphie cursive inscrits par les nuages dans le ciel d'Orient et la passion d'Amine pour une traîne-lattes miniature à l'œil fataliste dont l'évocation lui suscitait toujours des érections de pendu, elle plus dangereuse que la mort en treillis vert, elle la mort en dhoti blanche, munificente et gracile compagne, son absente sans qui s'éteignait mouchée la flamme du jour.

Mort aujourd'hui plus cynique que Diogène et plus bandante que Marilyn Monroe, finie la petite chronique d'une guéguerre, à nous deux. Tu m'as pris deux personnes chères, connues si peu de temps, aimées sans rien leur demander, en toute tolérance, au fond du labyrinthe, aimées vite et bien car il ne s'agissait pas de marner dans les sentiments douteux quand demain, pfft, un bras côté Évangiles, un pied côté Coran, je parle des quartiers beyrouthins divisés par les factions, dit Amine au chat, alors *avanti* !

Dehors, heureux animaux obsédés d'agression, de parade, ou tenacement crispés sur leurs défenses. Barbarie ? Tout ce qui brise les limites et dépouille l'enveloppe liminale comme les bulbes successifs de l'oignon est barbarie. Dehors, l'arène qu'il connaissait bien, même rouge, même noir, même force taurine à donner des coups de boutoir et à encorner les spectateurs du premier rang, mêmes cadavres traînés vers le charnier dans une poussière d'oubli. Seuls les civils, les planqués, avaient peur, tenaient à leur matricule, se savaient menacés de l'horrible extinction de leur infime personne et de ses captivants signes particuliers. De tout ce fourbi égoïste se fichaient bien les combattants. Quant à Amine Youssef, pour se suicider plus sûrement qu'en roulant indignement sous des taxis, il recensa les munitions et hésita. Décida de combattre d'abord, et si vraiment Thanatos se foutait de sa gueule, lui refusait une fin bien propre (un éclat d'obus dans le ventre ferait exactement l'affaire), d'aller à Moukhtara voir le sieur Joumblatt selon le désir obsessionnel de son oncle.

Il savait la garce capricieuse. Suffisait qu'on la désirât, et elle se dérobait. Mais dès qu'on ne la convoquait plus, elle vous tombait sur le paletot. Ça lui rappelait à l'évidence quelqu'un.

Il se présenta au quartier général des Kataëb, à Saifi, près du port. On le regarda avec quelque curiosité, car non seulement il avait l'air bédouin, mais surtout parfaitement hors du coup, et absolument, froidement, désespéré. Non, dit-il aux Kataëb, il ne collerait pas l'Immaculée Conception sur son fusil automatique. En ce soir d'octobre, sortant de son ghetto, il décida de se battre en attendant la camarde jusqu'à Noël. Si elle loupait le rendez-vous, il irait à celui d'une très jeune femme qui peut-être en France lui faisait la grâce d'ouvrir les journaux et de se préoccuper de temps en temps de cette lointaine insurrection que l'Europe réprouvait comme une grand-mère, la faute de politesse commise par un enfant. Impotente aïeule rassise, avec dentier et déambulatoire. Maria, toujours chez la vôtre, avec votre chat ? Tenez, j'ai bien peur, si je grimpe dans la montagne druze, que l'émir Arslan ne me parle de vous. Lui avez-vous dédicadé un de vos livres ? Oh non, Maria, jamais plus je n'envisagerai de les brûler et d'assassiner votre grand-mère, votre sourire d'archange aux dents entartrées m'inspire quelque chose qui ressemble à du respect, je crois, car à présent je comprends que vous êtes orpheline et devant le tartre de vos canines et la meurtrissure griffant les commissures de vos lèvres, devant vous ma lune noire je mets genou en terre. Il se peut seulement que je ne le relève pas, et qu'au moment de passer, il y ait tripaille dehors, laideur souffrante, gigotements malséants — heureusement, vous ne verrez pas ça.

On m'enterrera peut-être à Mas Sarkis, près de l'oncle Camille et de quelques ancêtres Ghoraïeb que je n'ai pu connaître au cas où serait identifiée ma carcasse.

Après l'incendie d'un camion plein de Corans

Au début de décembre, un camion chargé de Corans fut incendié sur la route de Damas, sacrilège suivi d'une rage de représailles. Le 6 décembre était un samedi, particulièrement hystérique dès l'aube, où on fusilla et débita en tranches, à la hache, tout un commando Kataëb chu dans une embuscade. Du coup, les Kataëb descendirent illico un nombre de Mahométans évalué à trois cent soixante-dix jusqu'au crépuscule de cette belle journée, au cours de laquelle Amine tua un homme. Ou crut tuer, il ne sut jamais exactement. Il ne vit que la gueule d'un fusil braqué sur lui derrière une barricade, tira plusieurs coups en direction des sacs de sable, vit tomber l'arme et un corps arqué qui ne se releva plus. Ça n'était pas le premier qu'il butait, depuis quelques mois, mais celui-là tomba si près, semblait si jeune, qu'il parut à Amine que ç'avait été un meurtre, le meurtre de quelqu'un de très semblable à lui et de tout à fait spécifique, et non une cible à peine distincte, non une ombre abolie dans l'anonymat et la poussière. L'enfant, l'adolescent qui venait de mourir était SON mort, le dernier sur lequel il tirerait. Ahuri, misérable, il rasa les murs et rentra à Achrafieh, d'où il ne bougea plus pendant quelques jours, qu'il passa dans une immobilité hypnoïde, sur son lit. Ça ne collait plus du tout. Il ne voulait plus voir de cadavres, chiites, druzes, maronites, et consorts, toute cette viande abattue, sans savoir pourquoi. Plus moyen de comprendre. Plus moyen d'appréhender par quelque bout que ce soit la réalité d'un massacre. Après ce mort-là, il se décida à foutre le camp. L'oncle Camille et Laure, des trous trop douloureusement creusés dans sa mémoire. L'illogisme de cette guerre ne lui était plus physiquement tolérable. Résolu à planter là le foutoir israélo-arabe, il fit son bagage. Merde, pas vu Joumblatt. Devant cet homme politique éminent, ce grand métaphysicien, il aurait l'air fin, lui que politique et métaphysique écrites sur peau humaine avec du sang faisaient vomir. Éviter ça devant Joumblatt, lequel revenait du Golfe spéciale- ment pour engueuler Rachid Karamé qui n'arrêtait pas de revenir sur ses décisions sans consulter per- sonne, entravant l'exécution du splendide projet de réforme militaire prévu par les forces de gauche. Et puis non. Quelque chose d'obscur le poussait à prendre la route de la montagne. Où trouver un chauffeur ? Même pour le prix de cent chameaux, quel azimuté se risquerait à grimper jusqu'à Moukhtara où un faux chrétien, faux phalangiste, faux Kataëb, demanderait audience à un prince druze tout pétri de sa foi et raide comme ceux qui ont avalé une vérité à l'acuité de fleuret. Heureux hommes que ces avaleurs de vérité. Joumblatt finirait assassiné, il portait ça au front, insigne honneur, et charriait avec lui un grand destin dès avant que la mort ne lui en donnât l'investiture. Occultement, et depuis peu, Amine portait aussi un destin. Le sens confus mais irrécusable de ce destin, où entraient beaucoup de défi, beaucoup de déraison, et une évidente volonté de suicide, le poussa à choper par la peau du dos un chauffeur de taxi arménien, à le payer le prix envisagé, pour tenter de franchir les barrages et se rendre dans la montagne du Chouf.

A l'arrière du taxi, il palpa ses munitions avec la claire conscience qu'elles ne serviraient à rien, et sifflota pendant la première partie du trajet. Acculé, déjà extradé d'une vie qui ne lui était plus grand-chose, passé de l'autre côté, il se sentait mystérieusement absous de l'ensemble de ses divers errements et péchés, et de cet autre côté, les larges yeux de Maria le regardaient ascensionner la montagne, dans une poussive guimbarde.

Le destin lui aussi revint sur sa décision. De cet autre côté, aux limbes, on décida qu'Amine Youssef Ghoraïeb, ce sans-Dieu, avait brillamment réussi son épreuve initiatique, qu'on pouvait lui décerner encore un petit brevet d'existence, et la balle qui brisa une vitre du taxi pour sortir par l'autre ne fit qu'effleurer la tempe de l'être provisoire assis sur la banquette arrière. Une nuée rouge obscurcit les yeux de l'être en question, qui se jugea défunt, puis, fort de cette décision, s'affaissa sur la moleskine, et ne se sut condamné à vivre que quelque temps après, quand il reprit connaissance à l'hôpital Saint-Georges où il ouvrit l'œil gauche, le droit étant sous un bandeau noir, sur un haut personnage qu'il prit immédiatement pour l'oncle Camille, s'avisa que c'était encore un autre curé, s'aperçut donc qu'il était vivant, au contraire de l'oncle, qu'on ne lui aménageait pas une petite réception au paradis maronite, mais qu'on tentait de lui sauver un œil dans un hostau plein de bonnes sœurs. Découragé, il renonça à mourir et, exhibant sa magnifique denture, fit au curé inconnu un brave sourire de poulain, signifiant qu'il revenait sur sa décision, puisqu'on le soumettait à la dure condition de reviviscence du Phénix, oiseau natif du Liban. C'était bien ennuyeux, mais il fallait le prendre ainsi. En deçà, là-haut, par-derrière, les ricanantes tireuses de tarots, spécialistes du livre de Thot, ne se décidaient pas à retourner sur son jeu l'Arcane XIII, celui de l'Inéluctable. Tout au plus l'Arcane XII, celui du Pendu. Quant au Liban, il était en coupe réglée, leurs doigts nodifères lui avaient assigné, à la fin du jeu, la lame XVI de la Maison-Dieu, soit, la chute. L'autre salope du Tarot, Maria l'immuable Impératrice, son aigle sur les genoux, attendait l'éborgné de l'autre côté de la mer.

Ayant suffisamment tarabusté, séduit et circonvenu le prêtre qui le soignait à l'hôpital Saint-Georges, il obtint quelques précisions sur la probable destinée de son œil droit. Icelui, après qu'on l'eut débarrassé de cet incommodant bandeau pirate, aurait les deux paupières réunies non par des points de suture (Amine poussa un râle soulagé) mais par du simple Scotch, pendant une quinzaine de jours. Puis, on descellerait ses paupières et, selon toute éventualité, le blessé aurait à jamais cet œil un peu fixe, à cause d'un nerf optique ramolli, ce qui le doterait d'une légère dissymétrie oculaire s'appariant (pensa-t-il) à merveille avec l'imperceptible déviation qu'il avait infligée au nez ravissant de Mlle Tiefenthaler — ainsi le voulait (pensa-t-il, espérant penser juste, et que Tief ne fût pas en train d'en épouser un autre, et donc bien loin de ses propres conclusions) l'histoire dorée, ténébreuse, orageuse et étrangement récurrente de leur amour, accouplant à l'origine deux créatures d'une parfaite et immodeste beauté, pour en faire, à l'arrivée (si jamais ils arrivaient quelque part, mais de cela, obscurément, il ne doutait plus, et avait même à ce propos des convictions forcenées), deux toujours beaux gosses, mais, à y regarder de très près, affligés de quelques traces de castagne. Un peu amochés, mais peut-être encore plus foutrement bandants (pensa notre rude gaillard, avant de s'interroger sur le fait de savoir si oui ou non la rectitude du tracé nasal de Mlle Tiefenthaler avait été endommagée par les soins de son amant d'alors, cet

330

autre lui-même... vérifier sur place, franchement, il n'était plus si sûr de ce détail).

— Choc en retour, mon père, dit-il au curé d'une voix caverneuse. Vous croyez que c'est une balle. Moi, je sais que non. C'est le fait d'une sorcière au bras long, une beigne qu'elle m'a flanquée, de France. Pardon de vous parler ce langage d'excommunié. Enfin, vous êtes chrétien, vous DEVEZ croire au Diable, après tout ! J'ai toujours vécu avec des sorcières, ma mère casablancaise malaxait la Pâte Lunaire comme pas une, voyez-vous. Vous ne voyez pas, et moi, il me semble que je vois mieux depuis que j'ai cette flaccidité rétinienne comme vous dites. Pas évident que j'accommode encore sur les balles de tennis. Oui, de tennis, je ne veux plus entendre parler des autres. Mon père va râler, à cause du tennis, foutu le tennis. Homme de Dieu, dès que vous m'aurez rouvert la paupière, chose ô combien symbolique que l'Ouverture de l'Œil, je quitterai le Liban. Quand je délirais, sur un de vos aimables grabats, j'ai vu flamber un camp entier. Un des plus étendus. Sans me prendre pour devin — bien que, bien que... — je pense que ça doit correspondre à une future navrante réalité. Ce sera Tell Zaatar, ou un autre, et même d'un œil, je ne veux pas voir ça. De toute façon, un semi-borgne, ici, n'est plus bon à grand-chose. Je regrette, néanmoins (poursuivit-il, ne parlant qu'à lui-même), de n'avoir pu m'entretenir au nom de mon oncle et au sujet de l'existence de Dieu avec ce Joumblatt... Mon père, c'est sans doute que je n'en étais pas digne, acheva Amine Youssef, grimaçant à cause d'un brusque fer rouge apposé par la douleur à son œil aveuglé.

Amine quitta le Liban le 26 décembre, sur un Boeing transportant vers la France plusieurs centaines de réfugiés dont les épouses serreraient contre elles leur plus beau manteau de fourrure, étincelaient de tous leurs bijoux et de haine glacée. Il laissait à peu près intacte, sauf une marquise et des lustres effondrés, la maison d'Achrafieh, il laissait Beyrouth calcinée, les terrasses vides de la Corniche trempée de pluie où rôdait encore le souvenir d'une Irlandaise, les terrains à présent tous vagues, et lui se sentait l'âme vague, à l'image d'iceux. Il laissait la ville partagée en deux, les curés prêchant le génocide des Palestiniens au nom du Christ, les Arabes exhortant au massacre des chrétiens au nom du Dieu Clément et Miséricordieux, et l'ombre d'un prêtre rebelle qui, de là-haut, devait avoir honte de prononcer le mot *maronite*. Où étaient les jeunes filles un peu lourdes et si brunes, sous le soleil, à la terrasse du Saint-Georges ? Plus de Saint-Georges. Plus rien qu'un charnier.

Il boucla sa ceinture de sécurité. Ô Maria, j'ai à vous peindre quelques scènes de rue qui feront très bien dans une de vos créations futures — pourquoi pas dramaturgiques ? Quelques petites choses que j'ai entr'aperçues d'un œil avant de quitter le Liban, à la veille du premier de l'an, après un Noël d'apocalypse.

Il y avait à Beyrouth d'étranges métamorphoses, du genre citrouille en carrosse ou le contraire : des bagnoles américaines volées, passées à la peinture beige, équipées d'une mitrailleuse de 500 plantée à la place du siège arrière, défilant comme un Corso fleuri jusqu'au front des palaces. Orgueilleux et cocasses, ces engins à tuer. Dans le souk nouvelle manière, un ramassis d'objets pillés à droite et à gauche, des briquets Cartier pour dix francs, des manteaux de vison pour cinq cents, mais le kilo d'oranges toujours à deux francs. Vous pourriez mettre sur le *proscenium* quelques-unes de ces charrettes à bras, où les marchands de quatre-saisons vendent avec la même impassibilité des tomates ou des flingues. Vous indiquerez donc : à droite, voiture à bras, marchand de tomates. Accolée à celle-ci, autre voiture à bras, vendeur de Kalachnikov, d'armes chinoises, espagnoles, tchèques, russes. Le client doit marchander, c'est la coutume. Il peut même essayer avant d'adopter. Tirer une rafale en l'air pour voir si fonctionne le Kalachnikov qu'il s'offre comme cadeau de Noël. Il tire. Ça marche. Très content, il marchande encore un petit peu, et se barre, une fois le fusil bien épaulé. Prêt à passer Noël doigt sur la gâchette. Mais le pire, ça va être Tell Zaatar. Et puis il y aura pire que Tell Zaatar. Ô ma jolie juive quarteronne, mes yeux bessarabiens, mes yeux oh oui, vous serez mes yeux, car là, sans être exactement dans l'état d'Œdipe, je suis, pour l'instant encore, à demi borgne. Vous me direz que, de toute façon, je ne voyais pas les merveilles que vous discerniez de vos prunelles de myope. Grande vérité. Néanmoins, je m'en vais confier cet organe à un spécialiste dans ce pays de cons où par bonheur vous existez.

Dans la soute de ce Boeing, piaule un misérable chat qui ne sait quel bonheur ineffable l'attend : de vos doigts aux ongles d'aurore sombre, les caresses que depuis longtemps vous me refusez. Silence, chat dans votre soute, je vous ramène vers la Mère de Tous les Chats. Chatte elle-même. Vous ne sauriez être entre de meilleures mains. Votre sort est plus enviable que le mien. Du moment que vous êtes un matou, elle vous aimera, vous adoptera, et il en sera ainsi jusqu'à votre mort, elle est d'une terrible fidélité à cette race si proche de la sienne. Nom de Dieu, va-t-on décoller ? Ça me gratte, sous le bandeau noir. Je l'ai remis, celui-là, de mon propre chef. La lumière, sans lui, me fait trop mal. Attendrai-je de l'avoir enlevé pour vous voir de mes deux yeux, ma drue ? Comme ça, je fais corsaire, vous risquez de me trouver bien dans le rôle. Non, j'attendrai. Mes deux yeux verts ne seront pas de trop pour jauger si quelque changement, sur votre personne, prouve qu'un récent passé fut néfaste à mes intérêts. Un aphte à la lèvre, une irritation dermique au menton, par exemple, prouvant l'existence d'un amant mal rasé qui vous embrasse avec frénésie. Je vous sais les muqueuses labiales et la peau dans son ensemble aussi fine que fragile, et propres à vous trahir, Desdemona. Par ailleurs, j'espère que papa Fouad et belle-doche Lasagna Verde ne vont pas me roucouler de félicitations à propos de ma plaie de guerre, elle n'est pas plus glorieuse que ne furent les cicatrices laissées par ma démonomanie dont la cause fut un auteur très parisien (pardon, ma mie, du persiflage idiot) entre les jambes duquel il reste impensable qu'il n'y eût aucun autre homme, après mon départ. A l'hôpital, dans le semi-schwartz, je me foutais bien de perdre un œil, oui sincèrement mon amour, car un œil de moins, excellente occasion de développer des facultés parasensorielles plutôt en friche jusque-là. De vous renifler mieux, de vous lire en braille, si je fermais le gauche. En revanche, sur mon pieu de grabataire, avec toutes ces dames à cornettes bombillant autour, j'ai eu le temps d'émettre des hypothèses à votre sujet. Retrouver un prix Goncourt, une épouse de magnat, une ivrogne, une gouine définitive, une folle incarcérée, un os de seiche ou une mangue dodue, vous avez de ces changements de décor qui surprennent, une Maria vieillie, eh eh à force de vous pencher sur vos écrits, vous devez avoir le front stigmatisé non plus de deux adorables ridules, mais de trois, et bien labourées — c'est que, mon âme, vous allez sur vos vingt-huit ans.

Il s'aperçut avec effroi qu'il avait oublié de lui envoyer un télégramme pour son anniversaire. Elle était entrée dans sa vingt-neuvième année et le soir où elle dut fêter cette dégénérescence cellulaire, que fichait-il, lui ? Il sautait une Irlandaise. Amine Youssef eut un hoquet, un spasme, un rire, un sanglot, bref une secousse qui fit croire que ce passager souffrait, dès le décollage, du mal de l'air, à une hôtesse qui lui tendit serviablement un sac en papier. Point ne dégueulent les héros, Mademoiselle.

Et, ne se souvenant même plus qu'avant son départ pour le Liban, la nausée lui était devenue plus que familière, un état coutumier, quotidien, il rendit noblement, du bout des doigts, et d'un air authentiquement outré, le sac ignominieux.

*

Avant qu'on ne perdît de vue la côte libanaise, il se sentit tout vitreux, et s'avoua qu'en l'espace d'un an, ou plutôt depuis sa découverte, sur la couverture d'un livre, d'un certain portrait de femme, il s'était trouvé à la surface de cette terre un amour et une patrie. Aliénation ! Plus moyen d'être librement dépressif avec ces tendres fardeaux-là sur les bras. Terra Nostra le

335

rattrapait par les pieds, par le sexe, il avait de la bonne glèbe jusque dans les cheveux. Une patrie, allons bon. Il se pencha frénétiquement pour tenter d'apercevoir encore un lambeau d'icelle patrie Magna Mater. Se réprimanda car il chialait, et que ça faisait nictiter douloureusement son œil droit. Lui restait le gauche pour voir venir les sorcières qui radinent toujours de ce côté. Front contre le hublot, Amine cette fois débondé ruisselait carrément comme une bouteille de champagne mousseux. Merde, il aimait cette vénérable chien-lit d'existence, et cette terre désolée, et pleurait l'heure du tourment sur cette patrie noire d'autres larmes que les siennes, si lourde de larmes devant l'horrible amour qu'avaient pour la tuerie ces chiens de douze ans maniant les armes comme s'ils caressaient leur première femme, et il n'y avait rien à faire contre cette passion qu'il connaissait bien, lui le Scorpion si mal aspecté par les étoiles. Quelle planète cinglée présidait-elle au sort de ce pays ? Son astrologue de mère disait que chaque pays, chaque ville était régi par un astre. Ce ne pouvait être que Saturne ou Pluton, siégeant invisibles dans ce ciel de refus et d'aveugle insolence, ce ciel comme un œil énucléé, oui Saturne ou Pluton roulant au-dessus de la plaine plus meurtrie par le soleil qu'une face humiliée, au-dessus des sables blonds comme le pain de montagne que pliaient les femmes vêtues de noir. Il héritait d'une patrie calcinée, de tous ses enfants morts, de tous ses oiseaux morts, de cette grosse voisine sans doute morte, de tous ces cris bâillonnés, de toutes ces bouches emplies de cendre, de ce meurtre sur commande, de cet immense orchestre jouant dans l'abîme, de ce pays mis en demeure de mourir, de cette fatalité qui le poussa lui-même à tuer, jusqu'à ce que du ciel éventré tombât cette nuée de sang qu'il vit flotter sur ses yeux, la Mort Rouge. Collées sur son visage, des milliers de mouches qu'il n'ôterait jamais. Invisibles pour les autres qui ne savaient pas. Une seule femme saurait, sacrée clairvoyante qui s'était baladée au Laos sous les obus, qui dut faire la guerre en des vies anciennes, une errante traîne-patins qui se souvenait même de l'explosion des origines et dont la tête de mule résonnait du boucan d'un chaos primordial, la fille aux yeux de manouche, son autre champ de bataille.

— Elle n'est pas là, jappa Mme Bachelard au téléphone. Ne la rappelez pas, aux heures ouvrables, avant le mois d'août. Elle est partie à Florence pour finir la correction de son roman grec. (...) Pourquoi Florence ? Il paraît que ça va bien avec la Grèce, et elle a son ami, un duc italien, sur place. Je vous dis Florence, mais ça peut changer. Normalement, ça devrait changer. Rome, Naples, Pompéi, les Lipari, que sais-je... Ah si, je sais une chose. Elle voulait voir le palio à Sienne. Une fête où il y a énormément de chevaux, comme au... un nom qui finit par chi, spécialité de l'Afghanistan. A moins qu'elle ne soit allée directement en Afghanistan, il se peut qu'elle fasse l'impasse sur ce palio qui est donc un ersatz de ce tournoi afghan. Dans ce cas, vous la trouverez du côté de Kaboul, et encore, peut-être dans la steppe car ce tournoi en question conduit parfois les cavaliers loin de la capitale, je vous répète ce qu'elle m'a dit. Voilà. Tentez votre chance de cinq à neuf, DU SOIR, BIEN ENTENDU, au mois d'août. Si elle appelle, vous avez un message ?

Il bredouilla une formule négative, rengaina une envie homicide, s'intima l'ordre de ne pas être grossier avec une femme de quatre-vingts piges, raccrocha, s'étrangla, s'affala sur le canapé où Agostina lui beurrait des rôties à l'heure du thé dans l'appartement

338

immuable, vue sur le parc inchangé, et partit d'un éclat de rire aussi bousculé que ses sanglots dans l'avion.

— Elle va au bouzkachi de Kaboul ou au palio de Sienne, ou aux deux, belle-maman. Chouette alors ! J'aurai l'œil remis en place, juste une coquetterie dedans, quand je la coincerai, la bohémienne — il s'en faut de huit mois.

— D'ici là, carrissimmo, tou as lé temps d'en trrouver oune autre, oune bonne pétite épouse, pas cé genrre dé courrant d'air qué mé fait frroid dans lé dos et t'envoie à la guerre au fond c'était ça — pas oune sorcière méchannte, pas oune gémellienne tournéboulée par toutés les phasés de la louna commé c'était écrrit dans lé journal, non, oune fille bien, oune qui aurait ses rrègles tous les vingt-houit jours et oune fois baguée n'écrrirait qu'à ses parrents aux fêtes carrillonnées, jamais plous angelo mio, jé né laisserrai traîner oun livré sour cé sofa où tou es assis, attends qué jé t'arrannge les coussins, là, répose ta nouque, oun livre, pas n'importé léquel, oun livre sour léquel oune arroganté fille dé Sion affiché sa bella pétité frrime et moi dé t'aider à tommber dans lé panneau, qué dis-je, dé t'y pousser, porca Madonna !

— Je veux la sorcière méchante et j'ai le temps de me faire aussi idéalement beau qu'un faisan au moment des noces. Fornarina. Autre point capital : elle n'aura droit à aucune question sur ses activités en Italie, en Afghanistan, en Terre de Feu, aux Marquises, rien ne compte que le... voyons, 15 août 1975 à dix-sept heures, où j'entendrai au téléphone non les aboiements de sa grand-mère, mais le soprano divin de sa voix. C'est dit. Inch' Allah. Mais je ne confierai pas à Allah, vu ce qu'on commet en son nom, le soin de veiller à l'ordonnance de cette affaire.

Il replaça élégamment le bandeau sur son œil droit,

et adressa à sa belle-mère un immense sourire de clown blanc. Elle se dit qu'il avait l'air heureux, et n'y comprit rien.

*

En février, une bombe tomba, à Achrafieh, sur la maison Ghoraïeb dont ce fut la chute définitive.

Fouad, grâce à son capital préservé par les banques helvétiques, portait encore beau, et s'il ne pouvait que déplorer la destruction razibus de sa demeure bey-routhine, se consolait en énumérant ce qui lui restait de biens immobiliers et navigants, à savoir : son chalet de Gstaad, sa villa de Chemiran (il refusait de croire au marc de café, dans lequel Agostina lisait des catastrophes à propos de Téhéran, et donc de ce Chemiran qui en était la haute et élégante banlieue), son yacht, et son étage rue Murillo. D'autre part, il avait encore à bétonner une grande partie des déserts d'Arabie qui, selon son heureuse et littéraire trouvaille, *pétroliféraient à tout vat.*

Agostina, confiante et parée d'indifférence au su de dispositions testamentaires enfin prises en sa faveur, hésitait, en vue d'un après-midi de Trophée Lancôme à Saint-Nom-la-Bretèche, entre du macramé décolleté trapèze ou de l'organdi décolleté bénitier, et par la même occasion, se demandait si elle n'allait pas larguer Fouad pour un de ces Brésiliens pleins d'avenir dans le cacao, tous propriétaires fonciers, ne circulant qu'en jet privé, dont certains vraiment très virils, moustachus, sans doute moins bien montés que Fouad, mais plus plaisants à la peau. Ou alors, les émirs. Elle en avait longuement parlé, la semaine précédente, avec la maharani de J... qui lui déconseilla ces der-

340

niers : cinq fois par jour prosternés vers La Mecque, tous ulcéreux, incultes, impolis, d'accord ils vous emmenaient direct chez Van Cleef pour une razzia phénoménale, mais ensuite c'était la tôle ferme et sans espoir de remise de peine pour bonne conduite. A éviter donc. Par indolence, elle garderait Fouad. Penser à scène bouleversante avec citron dans l'œil pour dacryorrhée, ô mon époux cher irremplaçable, ne va plus s'il te plaît risquer ta peau précieuse pour défendre l'obscure cause de ces maronites, pense à ton fils ce malheureux qui a un œil tout bizarre à présent cela *because* une salope aux basques de laquelle il sera toujours pendu, mea culpa, répéter *mea culpa* en se frappant la poitrine de façon à faire remarquer sa haute et encore juste place, n'abandonne pas la petite Italienne que tu enlevas du Vésuve ou du Stromboli (elle ne se souvenait plus du nom de ce volcan en carton-pâte au flanc duquel elle dansa, sur la scène d'un bouge libanais où elle fit la conquête de Fouad, bouge devenu à jamais, dans sa mémoire complaisante, le salon d'un prince Ruspoli), consacre-toi à la noble tâche de dresser des Babel de verre dans ces coins délicieux où il fait cinquante à l'ombre, où je n'irai jamais pour un empire quoique peut-être pour un empire, bref, ces coins d'où tu rentres pour trouver ta femme toujours ponctuellement là et pantelante d'enfin revoir le cher aimé, tandis qu'Aziz attend dans la Bentley à la sortie de l'aéroport.

La maharani, ayant vivement engagé Agostina, par simple bon sens, à ne pas jeter son époux, et réussi son œuvre persuasive, s'enquit de la santé de cette jeune Tiefenthaler...

— Né m'en parrlez pas ! gémit Agostina. Oun anno dé folie fourieuse. Follia, jé vous lé dis ! mon pauvrre Amine y laisserra les ggrègues. Elle va encorre l'embobiner. J'espérrais qu'après lé Liban, finito, eh bien nan, il y tient enncorre. Il l'a dans la peau. Elle lé pique par en déssous à la façonn des morpionns. (La maharani haussa un sourcil, mais, influence de la colonisation britannique sur les Hindoues nanties, ne demanda pas à Agostina si elle en avait eu beaucoup et en parlait d'expérience.) Cetté sadique né voudra jamais l'épouser et éllé va nous l'envoyer sous peu à l'asile dé fous dit cliniqué psychiatrique — malheureusément, soun ami Maximilien est à Jésuralem pour oun an, il écrit oune thèse ambitieuse sour les déviations noutritionnelles, et dé sourcroît a trouvé là-bas oune Judith dont il est défoncé. Ne dîtés jamais fontainé... voilà : tout plat, tout amoureux et tout con le psy. Donc plous personné pour prrotéger l'état nerveux si frragilé dé mon béau-fils des griffés de la psychothérrapie institoutionnelle. On est bon. Sous peu, haldol, lithium, et Cie.

— Vous me brossez un tableau bien noir... Mais la petite ?

— La pétite est florrissannte. Révient d'oun voyage, on ne sait pas léquel. Son cousin Edmond Moïse dirige dépouis oun mois oune collection dans la maison V... Son amie Edwige Yuan, oune très forté, va épouser oun banquier souisse dé façon imminente. Nous sommes tous invités au raout. J'ai rencontrré au théâtre deux dé ses copines jouives, les Bogdanov jé crrois, qui avaient l'air dé péter lé feu. Il y en a oune qui a des yeux bleus à faire virrer les saphirs, celle-là marche à fond, tourrne en Amérrique. Je crrois que la pétite, comme vous dites, change d'éditeur. Marre dé cé M. V... auquel elle confie son cousin lé sioniste, cé V... va trouver lé cours du change oun peu dour mais c'est commé ça. Oune machine dé guerre, cé fétou. Elle poublie chez M. V... son dernier bouquin. Une fresque grecque, écrité en grec ancienn, *io capito niente*. Jé vais vous dire cé qu'elle attend : qu'on élise oune vieille dame à l'Académia, et qué la vieille dame lui chauffe lé fauteuil en attenndant qu'elle y pose son coul.

— Ne soyez pas si dure avec elle. Je l'aime beaucoup, moi, la petite Tiefenthaler. Elle a un vrai talent. Qu'elle ait ensorcelé votre beau-fils, ça... Tenez, je l'ai vue dans *Vogue*, avant l'été, photographiée en compagnie d'une Sud-Américaine absolument flambante, Mme Josephina Gomez da Costa. Allons, vous n'avez pas à vous faire de mouron : cette enfant est nomade. La Sud-Américaine l'emmènera en Sud-Amérique, ou bien moi, je l'enlèverai pour qu'elle travaille en paix dans le fort que j'ai racheté à un maharadjah plus miséreux que moi — réduit à cinq boys, et à une petite maison dans la banlieue de Delhi — le fort est au Rajasthan. Je compte y aller assez vite, dès la fin de septembre, et celle des pluies. Octobre au Rajasthan...

— Oh jé vous en prrie, fit Agostina d'une voix catarrheuse, enlévez-la-nous ! au Rajasthann ! Parrfait ! Mirracouleux ! Elle né résistéra pas ! Qué cette moussonn sé termine ! Surrtout, né donnez pas à mon beau-fils l'adresse de votre fort au Rajasthann... C'est mon seul espoir, qu'elle fouté lé camp et qué jé lé marie avec oune goy décente incapable d'écrire oune ligne. Si vous la voyez, au mariage dé son amie Youan, parlez-loui dé cé Rajasthann, jé vous fais confiance... S'il la saute rien qu'oune fois, cetté malévolé, c'est foutu. A peine avait-il oun pied ici qu'il m'annonçait trriomphalément qu'il la coincerrait dès son retour d'on né sait où. Ça va sé faire, Amrita, il est têtou commé oune bourrique et coinceur commé tout scorpion. Et moi jé souis conndamnée à servir dé méchoui pour l'éternité, rien qué pour lé fait dé les avoir réounis. Ma seule fausse prémonition. Ces deux cinglés ont joué à sé rendre moutouellement enncorre plous fous. L'horreur. La piccolina est bien plous solide, car c'est oune femme. Il faut la renvoyer d'ourgence sous les Trropiques ou chez les mangeurs dé riz.

— Je vous promets, Agostina mia, de lui parler des marbres roses du Palais des Vents, et du Lake Palace, ce joyau sur un miroir, et...

— Lé Lake Palace, les éléphants, il y en a soûrément, né lésinons pas, entre Jaïpour, Udaipour, Bikanér, Jaisalmérr, nous avons nos channces. Chèrre amie, jé paierai même son billet d'avion en *first* et le soupplément dé bagages.

Elle se décida pour le macramé décolleté trapèze. Fouad, entrant dans sa chambre alors qu'elle se bichonnait pour le Trophée Lancôme, crut son épouse un peu dérangée car il l'entendit répéter, d'une voix neutre et hypnotique, une phrase où il était question du marbre rose d'un certain Palais des Vents.

ÉPILOGUE

NUIT D'AMOUR

« *Nous ne vivons jamais rien de simple. Un amour qui se simplifie est un amour qui meurt. La recherche forcenée de la pureté et de l'unité ne peut conduire qu'à la mort.* »

Christian DAVID
L'État amoureux

16 août

Il l'attendait dans une Range-Rover neuve, garée en face de son immeuble, rue de Maubeuge.

Eh non, ma gazelle, je n'ai pu voir, dans l'intérêt de mes compatriotes, ce Joumblatt, prix Lénine de la paix, père d'innombrables morts, ni tué ton émir druze, ça c'était ma dernière volonté suicidarde contre toi, on m'a tiré une balle près de l'œil droit quand je cheminais vers leur fief, et sans le chauffeur de taxi arménien qui m'a ramené en ville, j'y serais resté, dans le Chouf. En revanche, j'ai tué un inconnu, peut-être davantage, allez savoir dans la mitraille, mais de celui-là, mon mort, je suis certain et, si j'ose dire, pour un éborgné, d'avoir bousillé un mec ça change l'optique sur les choses de la vie, j'ai organisé l'évacuation des jeunes filles qui se doraient sur la plage du Saint-Georges, j'ai vu des enfants se frapper la tête contre les murs en gueulant qu'ils n'avaient plus personne au monde : exactement mon geste et mes paroles quand tu m'as congédié, ce n'était ni pire, ni plus, ni moins justifié. Tu vas me trouver l'œil un peu changé, quelques mois auparavant, je portais encore un bandeau dessus, rassure-toi, il n'est pas en verre, juste encore fixe et faiblard, et me voici héros cyclopéen.

Mes cheveux sont à l'exacte longueur médiévale que tu aimes (un centimètre en moins et je me disqualifie à tes yeux intègres), j'ai racheté un char idiot pour circuler dans Paris, mais les hautes voitures t'émoustillent, Iseut, de même t'émoustillera Amine rescapé et la délicieuse odeur de charnier qui en émane car, malgré aspersion au vétyver, persiste ce parfum de décomposition et de sang coagulé, ma belle j'ai la guerre à te dire, peu de femelles résistent à cette évocation troublante, bazookas, lance-grenades, mitrailleuses et mortiers, barricades — toujours improvisées — neiges saignantes au flanc de la montagne du Septentrion, là où fut détruit le temple de cèdre du Baal des Mouches, les Druzes ermites héraldiques et immortels pioncent sur une natte près de leur carabine russe. Les femelles n'entendent rien à la balistique ni aux lois de la trucidation, mais ça les fait mouiller quand même et d'autant plus. Outre les anecdotes pimentées, j'ai un chat à te rapporter, en guise de rameau d'olivier. Ce chat est la mémoire de cette aventure. Il se souvient de tout. Tu peux le questionner, il te répondra, toi mon agile ramina de gouttière qui parle son langage.

Lui dire tout ça, ou se prosterner, baiser ses pieds de papesse ? Elle risquait d'avoir chaussé ses boots — lécher le cuir, indigne du héros. Ou lui sauter dessus, l'obliger à ouvrir la bouche comme chez le dentiste et d'un coup, séance tenante, gober sa langue aussi rouge que celle d'une tzigane ?

Au moment précis où, sur le trottoir d'une rue parisienne, je marne en t'espérant, ma gosseline, au Liban, après le viol du cinquante-troisième cessez-le-feu depuis le début des événements, des navires transportant des unités amphibies et un porte-hélicoptère viennent de prendre position au large de Beyrouth, et quatre cents étrangers attendent leur évacuation sur des péniches de débarquement. Croisière desdits ressortissants prévue jusqu'au Pirée, Grèce. Ces gens plantonnent et prient qu'accostent les navires du salut, moi je plantonne et prie qu'accoste à mon port la fine nef de mon propre, égoïste salut. Ô mon salut, avant-hier, le 14 août, capitula Tell Zaatar, vas-tu m'exécuter sommairement comme le furent les défenseurs de ce camp palestinien ? Beyrouth plus que jamais est scindée en deux. Arriverons-nous à un *honorable compromis* ? Maman Benkamou, avez-vous un avis là-dessus ? Paix à ton âme, maman aux prédictions bavotantes qui vis dans tes tarots le démembrement de la terre des quatre Fleuves et soupçonneuse, dès que de l'air cruche d'un amoureux, je te parlai de cette fille, reniflas sous ses jupons un parfum d'encens talmudique ou de galbanum de Syrie propre à chasser les démons, et parmi leur légion, moi, ton fils pourri... Pauvre louve obèse, autrefois reléguée par ton premier et seul époux dans une prison gardée à vue, quel arcane tes doigts boudinés retournent-ils à présent sur le jeu égyptien ? Le Soleil, ou la Maison-Dieu ? La Papesse, ou la Mort ? Ou bien le Jugement ? Et toi, oncle Camille assassiné comme le furent au nom de Jézabel arrière-grand-mère des maronites et épouse d'un roi d'Israël, les prophètes d'Élie sur une grève phénicienne, toi maintenant omniscient, peux-tu me dire en syriaque, langue des sortilèges et de tes messes sous les cèdres, ce qu'il va m'arriver dans moins de dix minutes si je m'en tiens à son retard habituel ? O.K., mademoiselle Tiefenthaler, la hâte est le fait du démon, c'est dans les Saintes Écritures, mais vous pourriez quand même vous grouiller un peu. Un coup de klaxon me paraît imprudent, vous allez croire que je vous sonne, regimber, éventuellement remettre vos charentaises et ne pas descendre, résistant à la curiosité femelle de voir l'état dans lequel se trouve après une guerre et des mois à vous attendre ici le zigomar en bas. A quoi tient le destin. Pas de klaxon, donc.

Il alluma une cigarette, vérifia qu'il y avait de la lumière dans la salle à écrire, en retard la sale gosse, toujours en train de rêver, mademoiselle Tiefenthaler, schlafen Sie ? Ou vous dessinez-vous des yeux en étoiles polygonales comme les ciselures des vantaux d'un sérail omeyyade ? Ou avez-vous oublié un rancart pourtant spécial, un an après, un an déjà ? Et l'histoire des hommes de continuer à dérouler ses orbes d'espérance verte tels l'émeraude de Moctezuma, l'arak du pays d'où je viens et mes yeux, à propos si mon cas s'aggrave et que les spécialistes parisiens décident de m'en fourguer un de remplacement, ce sera calé de trouver pareille couleur, donc j'exigerai un violet ou un noir pour disparité méphistophélique, et ça vous fera bander encore plus. *So long.* Seconde cigarette, vous m'aurez par les poumons. Radio pour patienter. Un an sans me cogner à vos osselets, sans que ma paume n'éprouve le poids insolite de vos seins, ma drue. *Ainsi finit dans l'indifférence un petit pays*, ai-je lu peinard rue Murillo, dans *Le Monde* d'hier. Qu'en sera-t-il de notre fragile royaume d'agonie et de miracle, nous allons le savoir pas plus tard que dans une minute, je vois s'ouvrir la porte cochère devant laquelle s'écha-faudent des compressions de poubelles, vous voilà, ouvrant votre parapluie pour éviter que ne s'aplatis-sent vos cheveux si ténument frisés grâce à vos nattes de la nuit, sans lesquelles ils sont aussi raides que ceux des Japonaises — vous voyez, Maria, je sais tous vos trucs de magicienne, mais il reste intéressant de voir avec quelle décision irrévocable vous ouvrez un riflard, avec quelle aisance vous funambulez entre les pissats et étrons de chiens honorant votre seuil, madame

Grand-Mère plus terrible qu'Ogon la Foudre écarte son rideau avec une hostile curiosité (chaussez donc vos lunettes, madame Bachelard) pour mater la gueule d'enfariné du blessé de guerre qui poireaute en bas et dont elle n'aperçoit, frustrée, que le bout de la cibiche grésillante — le revoir, ma petite-fille, n'est-ce pas une folie ? Combien vertement vous me chassâtes, chère madame, le jour où possédé par un djinn pyromane, j'eus l'intention matoise de foutre le feu à votre logement ou à défaut d'incinérer votre paillasson...

La Tiefenthaler a toujours une peur bleue des bagnoles, mais un manteau de fourrure inconnu, rasant la cheville bottée, et porté avec arrogance en plein milieu du mois d'août. Elle ne traversera qu'au feu rouge. Feu !

Ainsi, cinglée de pluie large et flasque, aborde ma voiture, la fille qui me fit vivre une moribonderie plus longue que celle du camp palestinien : seulement cinquante-deux jours de siège et tomba Tell Zaatar, il y eut deux mille morts et trois mille blessés, victoire phalangiste, les voies du Seigneur ne sont plus carrossables et l'oncle Camille fronce des sourcils perplexes, on enlève les cadavres au bulldozer pour les flanquer dans la fosse commune, à travers les ruines du camp circulent des hommes muselés de masques à gaz à cause de la puanteur, on a tué des petites filles qui allaient chercher de l'eau au dernier puits, exultation des milices de la Vierge mère du Seigneur, les gens de Tell Zaatar sont tombés face contre terre, un trou dans la nuque, vous contournez ma voiture avec circonspection, n'ayez crainte, pas d'obus dans le coffre, ils sont tombés face contre terre, ma croyante, mon pauvre amour qui avez dans les vivants une foi plus inextinguible que parfois l'est la soif. Et moi qui ne tolérais pas cette chose-là : une foi qui ne me fût pas entièrement vouée.

351

Il s'appliqua une brève gifle sur la joue gauche, juste à temps pour qu'elle ne pût remarquer l'incongruité de cet acte.

*

Incivil, il resta au sec et ne fit qu'ouvrir la portière à l'image initiale de son destin, qui lestement grimpa sur le siège, replia son parapluie mouillé, se tourna vers lui — et, oncle Camille, ce fut le choc des communautés irréconciliables, l'obscure jouissance de la guerre, mais une autre que la saloperie orientale, la guerre dorée qui toujours m'opposera à la combattante en face, guêtrée de cuir noir, enfouie dans un loup rêche, ainsi est cette fille dont je vérifie l'immuabilité, on sait que la dinguerie conserve, c'est le cas, immuables ses yeux d'arrogance, rigoureusement semblables sa forfanterie de roi nègre, son pur visage et ses ailes de boue, mon oncle je l'aime incoerciblement, d'un amour inédit, sans références, il y a en elle quelque chose d'un cataclysme et d'un fécond déluge, elle est à vous rendre *sentimental comme un cimetière* [1] celle pour qui du fond de mon lit à l'hôpital Saint-Georges je bandais, pris d'une envie intempestive de baiser ma mort. Elle est, mon oncle, belle comme un cauchemar, et de la teinte d'un soleil brûlé. Qu'elle se taise, qu'elle ferme sa sublime gueule, qu'elle me laisse le temps de m'imprégner les yeux de sa grâce assombrie par un jour étranger, hélas je m'en imprégnerai surtout le gauche, si je renifle des deux narines l'opium de ce corps défendu comme la forteresse de Kandahar par ce damné futal de cuir.

1. Henry Miller, *Printemps noir*.

Ce soir, elle a opté pour son regard de Sémiramis, après, sans doute, une légère hésitation entre Celui qui Brûle, l'Œil frontal de Çiva, celui, bouleversant, de l'orpheline aux allumettes, et plusieurs autres que j'ignore, Argus à côté d'elle n'avait pas beaucoup le choix des yeux, or les siens, dont elle changera peut-être au cours de la nuit, sont à subjuguer la Médie, la Perse, l'Arménie, l'Égypte, la Libye et bien sûr mézigue si ce n'avait déjà été fait.

Il l'embrassa sur la tempe. Plus aucune envie de la planter avec lui en bagnole et d'entrer ainsi dans la fusion calcinée d'où on ne les dissocierait pas. Ciel, autour des os pointus de son poignet, la montre des fiançailles, il croyait qu'elle l'avait balancée et se confondit d'extase.

Ils s'entre-regardèrent, fils et fille de Sem, parlant enfin le même idiome, front droit, teint mat, membres nerveux, attaches fines, sémites du cœur de la race partie d'Arabie, elle samaritaine ou moabite, lui phéni-cien ou punique, le baiser d'éternel retour fut en sabéen, et donna grand-hâte au jeune homme que le ménisque cartilagineux du genou de la jeune fille lui perforât la cuisse dans un proche moment d'intimité, mais il semblait ardu de la défroquer à la minute de cette peau de vache tannée qui lui moulait les fesses, armure des plus intimidantes, choisie sciemment par la garce qui, à cet amant revenu, n'aurait pas fait la concession de porter une de ces jupes qui s'envolent traditionnellement sur les bouches de métro et se retroussent serviablement sous les doigts des hommes.

Flagellant éborgné, il aurait voulu la porter comme une vierge de pasos andalous jusqu'au lit où il la tringlerait de suite. Mais la gazelle voulait sans doute manger, parler et ne baiser qu'après, pour honorer selon les rites cette nuit de retrouvailles. A cet instant inouï, elle le regardait, et, de son air alléché, il déduisit

353

que cette monstruosité particulière : la fixité d'un œil, satisfaisait le goût de la piccolina pour les curiosités contre nature. Quant à elle... Depuis la soirée du Plaza et quelques catastrophes mondiales qui, observées de Saturne, n'étaient que le redressement défensif des piquants d'un porc-épic, vue de Saturne la terre hérissonnait, il n'y avait pas de quoi se frapper, et rien qui fût d'une importance à éclipser ce changement : Mlle Tiefenthaler, à présent, ponctuait de taches rousses au crayon khôl l'arête un peu déviée — eh oui, elle l'était — de son inestimable nez, et, dès le 15 août, privilégiait le loup au renard. A qui donc devait-elle ce loup ? A un certain Stassinopoulos qu'elle avait jeté aux pourceaux comme les perles noires qu'il lui offrit, et qui, dans son bungalow de l'hôtel Vouliagmeni, près d'Athènes, pensait très fort à elle pendant les week-ends, périodes fatales aux éconduits qui ont le temps de se ronger les ongles jusqu'à ce que les chairs débordent autour, spectacle insoutenable. Mais de l'identité du mécène, pour éviter le retour en phalanges des démons, Aminé Youssef tint à ne pas se préoccuper. Il ne posa donc aucune question à propos du loup, qu'il se força pour la sérénité de son âme à attribuer aux émoluments versés par M. V... éditeur à un écrivain pour lequel il débouchait toujours une bouteille de champagne quand ce dernier passait rafler l'oseille à la caisse ou confier à la maison V... quelques chapitres d'un nouveau livre en gestation, à moins que M. V..., quinquagénaire, n'eût séduit le plus chouette de ses auteurs et que... Il ordonna aux scorpions d'arrêter de grouiller sous son crâne, car Maria Tiefenthaler était dans ses bras, lui mordillait la lèvre inférieure et rigolait doucement, tandis qu'au-dessus du toit de la bagnole, la lumière d'acier de la pleine lune miroitait au ciel découpé comme des pans de rizières.

354

A propos de la maison V..., elle lui apprit d'un ton de constat, sans une once de provocation (attitude méritoire, vu la violence de l'attentat commis par le fiancé, Amine le Chieur, sur le manuscrit de sa douce), qu'elle SIGNAIT LE LENDEMAIN LES DEUX CENTS VOLUMES DU SERVICE DE PRESSE de sa tragédie grecque, et qu'ensuite, elle changerait de crémerie. A la crémerie V..., succéderait une autre, non qu'elle fût mécontente de M. V... et qu'elle estimât en baisse la qualité de son champagne et/ou le budget de publicité qu'il lui allouait, mais changement d'herbage réjouit les veaux, et réjouissait particulièrement la demoiselle native des Gémeaux, demoiselle qu'horrifiaient les eaux croupissantes et, en général, tout ce qui semblait stagner — il frémit, et se dit qu'il n'avait pas fini de se châtaigner avec ce petit bout de femelle, rapace ailée.

— La barbe, ce service de presse, ajouta ladite. Même les tragédies du plus pur style sophocléen doivent être envoyées gratis à des gens qui ne les liront pas.

Elle soupira à vous fendre l'âme, et, méfiant, il scruta l'œil impavide de la bien-aimée qui pouvait lui en vouloir encore d'une lointaine tentative d'autodafé de ce chef-d'œuvre. Bien-aimée, être d'immanence, semblait avoir oublié ce sale moment. Explosait de joie à l'idée de la parution de l'ouvrage et, concomitamment, du retour d'un héros ulysséen. N'empêche, marmotta le héros, que si, rue de Maubeuge, elle n'avait pas eu un double du manuscrit cramé rue de Verneuil, j'aurais toujours pu m'en revenir de la guerre avec un œil en moins, excavation si pathétique, définitivement recouverte d'un bandeau corsaire, et lui ramener du Liban, vingt ans après, une dizaine de chats galeux, quoi qu'il lui en coûtât de laisser ces bêtes à l'abandon, elle ne serait jamais descendue de son premier au-dessus de l'entresol pour les recueillir.

Mais dans les bénéfiques circonstances présentes, la voilà qui fait infiniment de cas du matou lamentable couinant dans son panier à l'arrière de mon char d'assaut, décide sur-le-champ de l'appeler Job au vu de sa mine, ajoute, susurrante, qu'après une semaine de foie haché et de levure de bière ce Job aura plutôt l'air de Crésus et que ce prénom risque en conséquence d'étonner, et conclut que tant pis pour les étonnés, ce Job restera Job et roupillera sur des piles de coussins pure soie, non du fumier.

Sur quoi un soudain silence, car ils s'embrassaient, ou plutôt s'entremordaient, cela toujours dans la Range-Rover, devant le 9, rue de Maubeuge. Si Mme Bachelard observait encore ce qui se passait sous ses fenêtres, elle devait sérieusement s'interroger à propos de l'immobilité de cette voiture. Pendant qu'il roulait une pelle savante à la bien-aimée, Amine le Tacticien pensa subitement à l'étrangeté de son propre geste de résipiscence : le don d'un de ces félins qu'il détesta tant, car ces animaux hantés, à la face sibylline et parfois revêche, semblant toujours assis sur quelque trépied pythique, avaient trop de points communs avec Maria, leur sainte patronne, étaient d'une pareille agilité à chalouper entre les bouteilles sans en briser une, tout aussi prompts à retomber sur leurs pattes après un saut périlleux, et, de la même façon péremptoire et sereine que miss Tiefenthaler, décourageaient ceux qui en postulaient la possession par la montre d'une superbe et dissuasive autonomie envers ces importuns — toutes choses qu'il ne pouvait supporter, auparavant. Or c'était bien un chat, qui pour la première fois l'avait ému, et qu'il avait rapporté, tout maigre, à l'aimée. Or ce don du chat la fit, à peine ses lèvres disjointes de celles d'Amine, fondre en larmes *ex abrupto*, ce qui sala leur second baiser, et Amine ébloui

l'entendit balbutier des merci pour le chat, la sentit
s'agripper à lui, ouït de sa bouche qu'elle l'aimait —
comment discerner dans cette secousse émotionnelle
qui manifestement l'ébranlait jusqu'au tréfonds la
part du chat et celle du retour de l'amant, comment, il
l'ignorait, mais pour lui provoquer encore des secousses, des merci et des *jetaime*, envisagea de lui apporter
un chat galeux tous les jours. En attendant, il lui tendit
un mouchoir et lui proposa courtoisement d'aller dîner.

Elle ne voulait pas dîner.

Elle voulait qu'il l'emmenât dans sa chambre, rue
Murillo, ou dans un hôtel, ou qu'il la sautât sous une
porte cochère, ou dans un ascenseur, ou sous les
gargouilles de Notre-Dame, ou (mine concupiscente de
l'Immaculée) dans sa propre chambre de bonne où elle
n'introduisit JAMAIS personne, et qu'elle avait redé-
couverte pour y avoir, un an auparavant, entreposé en
compagnie d'un vieux bidet, d'un crucifix, de malles
datant d'avant la dernière guerre, *certains* éléphants
khâdjars et *certains* fort beaux céladons de la Chine,
précisa l'espiègle enfant — endroit idyllique, ajouta
l'aimée, duquel, par le vasistas, on pouvait admirer la
lune ce soir-là dans sa plénitude.

On sait quelle influence perverse a cette rondeur sur
les cinglés, et, en effet, Maria avoua en ressentir
quelques troubles du comportement, aggravés,
déclara-t-elle, matoise, *par la joie de te revoir.*

Joie de me revoir, c'est ça, c'est ça, fille de la mer
turbulente, imprévisible, capricieuse, contradictoire,
inadmissible gosse, c'est ça mon problème insoluble,
c'est ça ma quadrature du cercle, c'est si gentiment
miaulé, cette joie, qu'il me faut serrer les dents pour ne
pas y croire tout à fait, car si je commence à croire ce
que tu dis je suis foutu — joie de me revoir, toi mon
arrière-monde et la plus arrière de mes pensées, toi qui

arraches un de tes cheveux pâlis sous je ne sais quel soleil pour m'en garrotter plus sûrement que les sphinges de leur fil de soie — à moins que ce ne soit un nœud capillaire que tu brises d'un doigt énervé, pour qu'il ne dépare plus ta toison, et moi stupide d'espérer encore que tu veuilles me ligoter quand tu te contentes de débroussailler cette chevelure de comète... Toi ma racine de ciguë, toi qui sur un seul mot résorbes la fumée dans les miroirs ou y apparais en pied, toi qui sais abaisser les montagnes, alchimiste qui dissous et coagules mon destin, *solve et coagula*, toi qui joues si malignement avec l'homme sans doute changé mais homme ô combien plus naïf et pérennement crédule que toi, tu me dis donc que tu m'aimes et que tu éprouves tant de joie à me revoir, tu ne te souviens plus de nos querelles et de nos dégringolades, tu ne veux que me séduire, ma garce, tu jettes à la dérive les barques égyptiennes de tes yeux, et tu voudrais que je te croie, toi l'inconscient sur parole juré craché tu m'aimes, et que la mort te balaie illico si tu mens. Suite des aveux si doux : tu as la délicatesse d'attendre tes règles, encore un mascaret qui dépend étroitement de la lune dont tu es autant l'enfant que la prêtresse, en mon honneur dis-tu, va pleuvoir le sang, car pendant un an d'absence, que dalle, plus une goutte, admettons, la conversion hystérique ça te connaît, tu es donc gonflée comme un pétale de rose au matin, tu dois m'avoir le calice congestionné, peser trente-neuf kilos au lieu de trente-huit à cause de la flotte retenue dans tes cellules turgescentes et ça te navre et moi à l'idée de ton sexe serré, étroit, aux parois plus soyeuses et plus dures à ce moment crucial, moi à propos de turges- cence ma belle —

Cette fois sans un mot il démarra, blinda jusqu'à Alma-Marceau, gara la voiture dans une petite rue sombre, tourna la clé de contact et fondit sur Maria pour immédiate hiérogamie, au détriment de la ferme-ture Éclair du pantalon de cuir. L'acte qu'ils accompli-rent fut comme un rite de passage, austère et grave, sur lequel se penchèrent les dieux des quatre continents y compris ceux d'Océanie, autour d'eux la sécheresse ravageait un monde ensorcelé et désormais stérile, ce qui se passa sur la banquette fut plus libre que la fête de Holi dans l'Inde, plus solennel que le sacre d'un roi, plus saint que l'herbe du Calvaire, plus fastueux que le nouvel an babylonien, et plus inéluctable que la résurrection de la lune — telle était cette chose sourdement décrétée par les astres.

Baisant en continuité son amour enfantin, il se vengeait suavement et lui disait des yeux que pour elle il fut fouetté de ronces, qu'il but la boisson de la honte, qu'on le jeta dans une fosse, tout nu, qu'elle dansa devant cette fosse et lui cracha à la gueule et l'insulta et chanta à ses oreilles des chansons odieuses et le frotta des orties de sa légèreté, et elle comprenait parfaitement ce lai d'amour sans paroles. Oui elle l'avait fait bien souffrir, mais cette nuit les affiliait à une même secte noire et elle gémissait un peu car il la déchirait, — ô que son sang coule d'elle, encensoir de rubis liquéfiés, qu'elle marche et que glissent jusqu'à ses genoux les gouttes aussi tièdes que la pluie d'été, il en lécherait la trace en remontant jusqu'à ce sexe déchiré et tout à fait déchirant de perfection — l'ophidienne se tortillait sur la banquette, chacune des secousses de son ventre était d'ordre divin et semblait un travail de parturition, baisait-elle ou accouchait-elle, on ne savait, elle portait son désir comme une vie étrangère, une plante, un enfant, un chien, elle se délivrait d'un esprit brutal qui avait tout l'air de l'avoir possédée depuis des millénaires, elle mettait au monde quelque chose d'inouï, de la tache sur ce siège de bagnole naîtrait peut-être un Golem, en tout cas la tache il ne l'enlèverait jamais, et jamais rien que l'aube n'aurait pu l'arrêter de fouailler cette fille ouverte, rien que l'aube, ils le savaient tous deux et la redoutaient, à l'aube il faudrait que soit achevé le contre-envoûtement, c'en serait fini de la magie cérémonielle, le couteau n'entrerait plus dans la plaie merveilleuse, ne sortirait plus rougi du ventre de cette déesse ivre de son propre holocauste, qui baisait sans jouir ou jouissait tout le temps, il ne saurait jamais, tant de choses qu'il ne saurait jamais de Maria Tiefenthaler, pute, vierge, frigide ou nymphomane — inqualifiable. Il restait environ cinq heures avant l'aube, si hélas en été le soleil se lève tôt dans son empressement à rogner la nuit. La déesse au matin ne pourrait plus arquer s'il continuait à la sabrer de la sorte, mais elle avait l'air de s'en foutre donc contaminé par l'hystérie lyrique de cette sauvage, il la rejeta sans ménagement sur son siège, fonça jusqu'aux abords du Palais-Royal, s'arrêta, lui ouvrit la porte avec cette fois autant de civilités que s'ils s'apprêtaient à entrer chez Lasserre, et l'entraîna sous les arcades du jardin, ne restaient plus à Maria, sous son manteau, que pull et bottes, et il la saccagea fermement tout contre les grilles de fer — elle avait alors un visage de séquestrée dont vient de se terminer la peine, elle semblait vouloir arracher un trop-plein d'elle et le lui donner, son loup royal traînait dans la poussière pendant qu'il l'estoquait sans merci contre les grilles de ce Palais-Royal, entre lesquelles ne filait plus aucun chat cause de querelle.

Mon amour, pensait-il, je t'apporterai des wagons de chats, mon amour te voilà possédée d'une évidente intention de te mettre en pièces, ne compte pas sur moi pour la réprimer, est-ce donc un crime, suis-je en train de t'assassiner, un indiscret de passage pourrait le croire tant ton crâne cogne sec contre ces barreaux et tant tu gueules, à réveiller des échos dans le fond de la Sierra Leone, mais ce naze de passant ne saurait pas, il n'y a que moi pour savoir que d'invisibles forceps écartent les parois de ton sexe plus doux que le doigt d'un gant de pécari — changement à vue, sorcière, tes bras se recouvrent de plumes rouges comme ceux des jeunes filles aztèques vouées à décapitation en l'honneur de la déesse du maïs et enterrées morceau par morceau dans les champs pour la perpétuation des cycles. Si ta seule volupté, cette nuit, est de partager ton corps et ton sang pour que je les prenne et les boive, mon eucharistie, je prendrai et je boirai car demain le moment du sacrifice sera révolu et je sais tes parjures.

A cinq heures du matin, après avoir parcouru la ville dans tous ses sens, spécialement les interdits, et niqué dans le parking George-V, légèrement fatigués, ils crapahutèrent jusqu'à la chambre d'Amine, et la scène fut dans l'alcôve.

— Et pourquoi, à la fin de toutes les histoires d'amour, les amants doivent-ils obligatoirement crever ? fit Maria, étendue, si longue et si brune, sur les draps, qu'on aurait cru une brassée de glaïeuls sombres. C'est idiot, ce truc-là. C'est ne pas sentir que le monde est une merveille de complexité. Seconde après seconde, il change, nous muons à tous les instants, selon les saisons et les équinoxes. Ce sont bien des mecs qui ont écrit ces grandes tragédies où les deux héros clabotent sur commande au dernier acte. Dis-moi,

Amine, que nous ne mourrons pas. Ich liebe dich. File-moi un clope.

De fait, nous ne mourrons pas tout de suite, songea-t-il, la regardant tirer de ce clope d'amples bouffées cancérigènes. Plus aucun regret des origines, elles étaient même largement dépassées, et c'était si extraordinaire que mourir ne valait plus le coup. Il l'aimait, sa folle, éperdue d'un désir de dislocation, il aimait cette créature prête à toutes les fourberies sélénites et à toutes les redoutables sincérités, capable de pétrifier en gargouilles les monstres de son mental hier comparable à *L'Enfer* de Bosch, et il reconnut, devant cet être bifide, il reconnut, devant cette maraudeuse magicienne, que nul n'avait autant qu'elle le génie de la vie, et le sens de son inextricable alliage avec la mort.

Le jour se levait et sur elle il perdait déjà des pouvoirs. Elle allait se reculotter de cuir, ôter les grimages de sa face, voire se décaper au savon de Marseille, elle serait autre, ce Castor et ce Pollux. Non plus l'obscure prêtresse aux plumes rouges, mais la gaie, étourdie, sereine adolescente, profession écrivain. Il n'y pourrait jamais rien. Ces métamorphoses le sidéreraient toujours, lui qui se contenterait de vieillir. A elle de porter fièrement son signe double, d'égrener ses pas au long du jour, de voler plus que de marcher, toujours chargée d'un urgent message, toujours actrice et spectatrice de son jeu goguenard et faux derche.

Il ne lui quémanderait plus des heures de présence. Il renonçait à elle, diurnement. Il lui laissait son soleil et ses bourrasques. Il la voulait sévère, noire et ardente, au plus lointain minuit. Il l'accueillerait après le crépuscule, dès la lune apparue, elle déserterait le cortège des Moires et irait vers lui, et il la verrait, droite au seuil de l'ombre, forte du plus secret pouvoir, un pied sur le zénith, un autre sur le nadir, primitive, pathétique alchimiste concoctant sa drogue d'immortalité sur une lune de camphre avant de plier sous les genoux de son amant.

Chaque aube grelotterait d'inquiétude, car il la perdrait jusqu'au prochain soir où elle reviendrait au seul homme qui détînt le privilège de l'écouter bruire près de lui jusqu'aux acides blessures de l'aurore qui éteint les luminaires du ciel et chasse des tréteaux nocturnes les comédiens, les sorciers, les masques, les tricheurs, et asperge les nyctalopes de sa lumière corrosive.

Au mieux, il lui restait une centaine de nuits avec elle, et il acceptait le partage.

*

Cette beauté limitrophe mâchait hardiment du chewing-gum, qu'elle cracha avec grâce avant de lui balancer que si elle avait des règles, à nouveau, et gonflait, c'était sa faute. Elle gémit que son ventre prenait les proportions de celui de Kubera dieu des Richesses, il chercha en vain ledit ballonnement, ne vit qu'un ventre plat, tendu comme un tambour d'une saine peau brun cramoisi qui sentait encore la mer (laquelle ? motus, flicard !) et contemplant l'ensemble de l'aimée avec mansuétude, faute d'être flic, se fit huissier et l'inventoria avant une nouvelle saisie.

Un corps de danseuse balinaise, taillé comme un arbrisseau. Gênée, la môme, de la présence de seins contraires à l'orthodoxie androgyne. Doigts prestes, radioactifs, imprégnés de tabac, quand ils n'étaient pas maculés de l'encre de son stylo Mont-Blanc. Devant ce fait accompli, cette beauté de vingt-huit berges, il admit qu'il ne survivrait pas à la mort de Maria Tiefenthaler, car cette perverse multipliait les signes particuliers, et que la vue d'un stylo Mont-Blanc, de doigts jaunis ou de deux pêches incompréhensibles haut placées sur un corps d'éphèbe ou de page florentin lui serait à jamais intolérable.

Clope au bec, elle fourrageait sous les draps pour retrouver un slip qui devait s'être égaré du côté du Palais-Royal — un string fantaisie, précisa la divine, afin d'exhorter la chose à sortir de la literie dont on risquait l'incendie imminent, mais Amine en avait vu d'autres, et continuait d'observer de son œil de basilic, avec un attendrissement presque paternel, l'énervement du sapajou en quête de son froc. Non qu'elle fût pudique, chaste était la femme de Putiphar comparée à Maria Tiefenthaler, mais extrêmement maniaque et avaricieuse quant à ses objets personnels, dont cette pièce de lingerie, excellent support de magie noire qu'elle n'entendait abandonner à aucun de ses amants. Elle exhuma le string et adressa un sourire ébloui à Dieu qui le lui restituait. Tout à l'heure, petite fille démissionnant, balbutiant sous lui, maintenant, quelqu'un comme Metternich ou de Gaulle en plus petit avec un soupçon d'Harpo Marx.

Fronçant le sourcil, cintre de la lune, elle cherchait à présent ses chaussettes et ravageait les draps de ses mains de singesse — ah merde, éructait la jeune fille passionnée retrouvant son amant qui aurait pu cent fois mourir à la guerre, merde, je ne partirai pas d'ici sans mes Burlington à losanges. En vue de la récupération de celles-ci, elle forait une galerie sous la courtepointe d'où dépassaient une paire de minces mollets et les pieds qui s'ensuivent, pour, triomphante, réapparaître munie de ses trophées et retaper les draps afin que s'en effaçât l'empreinte de son corps, elle aussi vulnérable à des opérations antéchristiques.

Frappé d'idolâtrie devant cette sphinge sinueuse que corsetait l'ombre de ses côtes, qu'amenuisait en son milieu une taille de fourmi, il reconnut que le monstre était d'envergure à assoiffer un chameau et saouler un musulman, sortilèges plus puissants que les mots et les philtres, pensa-t-il, ces hanches arides, ces épaules rocailleuses, les lourdes roses de ses seins, et je ne risque pas le désenchantement car jamais ne sera vraiment là cette gamine à la splendeur d'anathème qui me jure foi et renouvellement de passion défiant les lois du genre, pour, cinq minutes après un orgasme qui parut durer une heure et l'envoyer valdinguer au plafond, se préoccuper d'un slip à deux sous et de chaussettes à losanges comme si c'étaient, le premier, un morceau minuscule du voile de la Ka'aba, les secondes, des chaussettes de sept lieues, bon, la voilà qui, à l'approche de l'aurore, replie soigneusement derrière son dos ses ailes de chauve-souris, la voilà qui se reculotte avec une gestuelle incomparable si ce n'est à la danse des Grues de la Chine antique... Il contemplait avec une sorte de bonté nouvelle cette créature qui se harnachait méthodiquement, enfilait une chaussette, jambe levée et dents serrées sous l'effort car chaussette de laine drue et récalcitrante, cela sans cesser de téter son fume-cigarette patiné de nicotine, il admirait, que de probe attention à sangler ses boots, à refermer dans le ciboire d'un Kleenex les hosties de morve qu'elle expectorait souvent car souvent enchiffrenée la douce, Maman Benkamou, vous aviez raison, elle doit nourrir des crapauds et boire le sang des poulets lors d'une macumba mensuelle au Père-Lachaise, il y a Action de l'Invisible, je ne la reconnais déjà plus, jeune ou vieille à volonté, elle brosse ses cheveux, la frivole aux miroirs, aux peignes, aux fards judicieux, et la voici casquée d'étain lourd, indéchiffrable, culottée, bottée, un mec, interdite d'approche comme les textes de la religion druze, la voici toute ramassée sur elle-même sans que rien de suave et de rond ne dépasse, imprenable, or, mystère, elle dit m'aimer comme ça impromptu, comme on dit aimer le chocolat ou adorer les pannequets crème citron, elle répète qu'elle m'aime, sa bouche nue fait de ces mots de précises morsures, on dirait qu'elle croque une pomme pour m'en jeter le trognon.

Il ramassa le trognon, relique de son silence, embrassa son front à l'endroit où, des siècles auparavant, elle portait le tilâka hindou — désormais n'espérant plus la réduire à une brève apparition d'une centaine d'années sur cette terre ni l'enfermer dans une superficie même équivalente à celle du Trianon, il l'accepterait avec ses chats, ses légions de fidèles, ses milliers de mots et ses vies antérieures.

Il prendrait ce qu'elle voudrait bien lui donner, il la respecterait, ne chercherait plus à l'envoûter — vilenie! — ferait fumer dans sa chambre ce fameux galbanum de Syrie évinceur de démons, s'arracherait les lèvres plutôt que de lui demander un seul détail de ce qui fut, Seigneur, un voyage, son été, des vacances, une bourlingue — six heures du matin, dit-elle, puis-je avoir un décaféiné?

Elle saupoudrait son décaféiné d'un édulcorant de synthèse sans calories, et paraissait ne plus se souvenir de l'époque exquise où il l'obligeait à avaler du café sucré, mixture deux fois fatale, dont l'absorption tendait à la rendre spasmophile jusqu'à invalidité, et à lui faire prendre ces kilos qu'elle ne supportait pas. Qui était-il donc, alors, pour l'empoisonner ainsi, pour disposer sur la table des fiançailles tous les vénéfices des Borgia et pour s'assurer que, stoïque, elle s'enfilait bel et bien ces saloperies ? Chapeau bas devant la belle santé ! Celle qui (peut-être) revenait de Kaboul avait oublié les festins de crabes, de poulpes, toutes ces somptueuses et poisonneuses ripailles, au temps où à son doigt brillaient deux carats et demi... Ce feu blanc devait véritablement lui cramer l'annulaire, à la gazelle, pour qu'elle le lui rendît si vite, effarée par la puissance de cette occulte ligature !

Il se pouvait qu'un jour, devenu Grand Mufti des Architectes, éclipsant Fouad qui, à l'heure qu'il était, organisait le mieux possible la débâcle de ses activités dans son pays fichu, passait son temps en Suisse ou dans les émirats, il se pouvait bien qu'il lui rachetât une autre bague, une alliance cette fois, et qu'elle l'acceptât...

Pendant qu'il méditait, incorrigible, sur cette perspective d'épousailles, le compromis de fée cacao et d'enfant des drugstores, âge présumé vingt printemps, lapait son déca, il s'avisa qu'elle avait presque fini sa tasse, se sentit diminuer à vue d'œil, car hop, avanti, petit déj escamoté presto, et l'enfant des drugstores allait se barrer, vers quelle Chine ou quel Mexique, mystère, il ressentit le début d'une tachycardie, dans quelques instants elle prendrait cavalièrement congé or malgré les événements houleux de la nuit et bien qu'il l'acceptât telle qu'en elle-même dorénavant, il y avait des chances qu'il ne la revît jamais.

Une aurore aux pinces livides, pas du tout cuisse-de-nymphe ni doigts de rose, une de ces aurores fantomales d'un été gâché, s'agrippait aux rideaux. Les tirer, faire comme si c'était encore la nuit. Les dieux seuls ont le privilège de prolonger selon leur caprice l'ombre ou la lumière, et de commander aux nuits de succéder aux nuits. Il n'était pas même demi-dieu. Ses orgueilleux désirs avaient reçu leur châtiment : une titanesque dégringolade dans les lieux infernaux, parmi lesquels Beyrouth ne fut pas le pire. Or Paris, Singapour, New York, la Californie, le Maghreb, l'Orient, l'Extrême-Orient, l'Australie, Bornéo, l'Inde, attendaient Maria Tiefenthaler. Monde glouton qui — pas de raison qu'il fût le seul — voulait à toute force se la garder, Maria la chatte. Elle allait se lever, et le planter là, le cul par terre et l'air marri. Elle reposa sur la soucoupe sa tasse au fond de laquelle miroitait encore un petit lac de café noir. A force de rétrécir, en l'attente de l'affreux départ de cette fille, il se voyait lilliputien, devant une ogresse immense, gorgée de décaféiné Sanka et de saccharine. Il décida de se servir aussi une tasse de Sanka — de cette façon, il gagnait quelques minutes, elle aurait la politesse d'attendre qu'il ait fini de boire pour lui demander de la raccompagner, subtile ruse arabe, qu'il mit à exécution. Il fit semblant de déguster ce breuvage insipide, des yeux ne buvait qu'elle jusqu'à en déborder, encore quelques secondes de vous, Maria, car à l'encontre de la fresque détachée des murs de la loggia des Tornabuoni pour occuper le panneau à droite de la Samothrace et n'en pas bouger d'un pouce, le sosie de la seconde Grâce, soit Mlle Tiefenthaler, s'apprêtait à disparaître aussi prestement que le singe Hanuman dans les forêts du Ramayana, alors pitié laissez-moi Maria sale singesse achever la cérémonie du café. Ne vous résorbez pas de suite dans un miroir ou dans une lampe, pour la bonne raison que vous en avez marre d'être ici et que je n'en finis pas de boire cette ambroisie de Sanka.

— Aurais-tu du feu, Ghoraïeb ? Ça fait une heure que je cherche mon briquet, sans que ça te mine.

Une heure que le briquet occupait ses pensées, cher briquet. Et il n'avait pas prévenu son geste ! A genoux, seigneur au visage couvert de mouches, pour allumer cigarette de Mademoiselle. Mademoiselle allumer vos cibiches, sucrer de faux sucre votre faux café, en revanche vous baiser tout ce qu'il y a de plus authentiquement, vous pédicurer les orteils, démêler cette chevelure votive qui plaît tant à Yémanja votre mère brésilienne, je ferai tout ça et davantage pour que vous me reveniez, sinon qu'il me reste de vous au moins des cendres dont je me frictionnerai le crâne si vous me larguez, des montagnes de cendres il y aura car vous torpillez deux paquets de blondes par nuit. Fumez donc, ne bougez plus, que mon regard se promenant sur vous baguenaude encore un peu sur les sentiers du paradis. Vous voilà désemparée par ce blême bourgeonnement solaire derrière les rideaux, vous tressez vos cheveux en une natte hâtive, votre œil roule dans son orbite pour inspection du monde diurne, vous êtes décidément la plus inquiétante des femmes.

La dernière goutte de café avalée, elle lui annonça froidement son indisponibilité avant la semaine suivante, il entendit un bruitage où revenaient les noms de personnes étrangères, Edmond, Tova, Jeanne, Miss Yuan, diable quelle fidélité vouait-elle donc à ces gens-là, et que lui faisaient, à lui, son père de con, sa belle-mère cette pute, Maximilien ce fou sioniste et psychanalo, alors...? Alors, il se demanda comment se débrouillaient ces femmes qui s'abandonnaient au point d'accepter qu'on les éventrât presque, pour se reprendre si entièrement, tirer sur leurs chaussettes, sangler leurs boots, ingurgiter un liquide chaud — excellent le matin sur l'estomac — puis sourire aux anges (innombrables dans le cas Tiefenthaler) et à ce futur délectable : une semaine dont l'Autre serait absent mais à la fin de laquelle il ne serait accueilli qu'avec plus d'enthousiasme, et pour être si parfaitement heureuses ainsi. Tripailles lunatiques ! Il décompta environ cinquante nuits d'amour, qu'il passerait à tringler des grognasses ou son polochon, soit à lire et relire du Tiefenthaler, soit à bouffer des lasagnes avec sa belle-mère qui aimait souper après le spectacle, à se hérisser quand son père oserait lui parler du Liban sans savoir ce qui s'y passait, à... D'horreur, il ferma les yeux. Les rouvrit, les plissa chinoisement, se montra d'une courtoisie également chinoise, l'aida à enfiler ce manteau de fourrure dans lequel quasi à poil quelques heures auparavant... Elle sembla ravie de ces prévenances, preuves que leurs rapports ayant perdu tout caractère satanique et trivial ressemblaient dès lors à un tableau de maître, excellemment construit et éclairé avec la science d'un Léonard, fourguant dans le sfumato les démons indésirables. Elle rayonnait, elle qui le condamnait pendant six jours à la décrépitude d'un ciel sans astre. Il n'entreprendrait aucune procédure pour la voir avant le terme fixé. Il respecterait les rites nouveaux. Primo, ordre de la ramener rue de Maubeuge avant l'heure poubelliforme et huitième du jour. Plus question de glander. La Tief voulait rentrer, on rentrerait. Chacun chez soi. Voulez-vous, mademoiselle, vous hisser, prenant appui de ma main, sur ce marchepied, et jusqu'au siège qui pendant quinze minutes encore (je ferai exprès de louper les feux) bénéficiera du creux imprimé par votre cul divin. Non, mademoiselle, je ne me roulerai pas à terre arrachant mes cheveux touffe après touffe pour que vous restiez là, et dormiez mal, mais près de moi. Sur le chemin, si nous trouvons un fleuriste ouvert, nous achèterons des roses et des dahlias pour votre grand-mère Ogon la Foudre, que dis-je votre grand-mère, j'allais oublier Jeanne, Tova, et le cousin cachère, bref j'en aurai pour cent sacs de floralies destinées à ceux que pendant sept jours, ma garce, vous me préférerez. Amen.

La Range-Rover convoyant des tombereaux de fleurs aborda la rue de Maubeuge. Elle se tordait le cou pour les respirer et voir si le chat n'asphyxiait pas dessous — à elle, sa panthère parfumée, de ne pas en revenir.

Une seule chose, mon aimée, je ne monterai pas avec toi, la vue de ton escalier m'incommode encore un peu, et je risque de tomber sur Grand-Mère Ogon au cas où elle descendrait aux aurores faire ses courses. J'espère que le chat, son panier et les bouquets ne seront pas trop lourds... Dénégation de la demoiselle, qui préférait également qu'il ne se cognât pas dans un passé trouble et dans Mme Bachelard, cela après la dionysiaque merveille d'une nuit où finissaient l'été et ses cieux d'asters mauves, où commençait l'autre saison, la sienne, l'automne flambant comme les érables japonais et roux comme les épagneuls bretons. Juste avant de sortir de la Range-Rover, elle se pencha vers Amine le Stoïque, d'une main empoigna férocement sa nuque, l'embrassa à se charcuter les muqueuses buccales, et l'aimé sentant, à la base de son crâne, la pression d'un instrument glacé, crut que les doigts de la strige venaient soudain de se changer en couteaux, que non pas, celle dont la langue était si chaude et s'entortillait avec une telle véhémence autour de la sienne, la panthère parfumée qui se serrait si fort contre lui, agrippait dans sa tendre main les clés Fichet de la maison des femmes.

*

Croulant sous des brassées de roses variété Paprika et Elizabeth of Glamis, coinçant sous son avant-bras gauche le panier du chat dont l'anse s'était cassée, réussissant le prodige de jongler avec l'ensemble et d'insérer sans bavure la clé dans la serrure du portail, elle se retourna, fit une moue pour simulacre collégien

371

de baisers, il en chut un sur la tempe et un autre en haut de la pommette de Ghoraïeb fils, le portail s'ouvrit dans un bruit de coffre-fort et se referma dans un boucan épouvantable sur la minuscule porteuse de roses et de chat. Il s'avisa que, pour la première fois, il lui avait fait des cadeaux qui lui plaisaient vraiment.

Le ciel bleuissait, virait au bleu fané des hortensias, ça sentait le soufre et la pomme moisie du côté des poubelles, il ne se décidait pas à démarrer, ralluma la cigarette qu'elle avait mal éteinte et qui fumait dans le cendrier de la voiture, goûta sur le papier filtre le parfum framboisé de son rouge à lèvres, la remercia de n'avoir pas usé de son fume-cigarette et de lui avoir laissé cette trace d'elle, respira grâce à ce bout de mégot mentholé un peu de l'haleine pure et fraîche d'une fille qui jurait l'aimer. Or il savait que si, le lendemain, traversait sa route un gitan de race sindi ou de la famille Bouglione, soit une Hindoue au nez incrusté d'or, elle s'en irait, drainée par leur musique comme les rats de Hameln par celle de la flûte, et que jamais plus il ne pourrait lui interdire ses échappées belles. Mais il savait également que, où qu'elle allât, quels que fussent les lointains où elle s'exilât sans qu'il pût la rejoindre, au retour, elle le convoquerait avec son inexpugnable innocence et qu'il ne saurait jamais lui résister ni s'abstraire d'elle car — chuchotait la jeune fille dont il percevait distinctement la voix bien que les séparassent deux étages, l'épaisseur blindée d'une porte palière et celle d'une cochère —, car, bien avant le minuit céleste de ta naissance, toi dont le soleil est en exil, je te connaissais, moi la reine d'un si lointain royaume dont tu seras, jusqu'à la fin des mondes, tour à tour le Maître et le Fou.

Qu'il en soit ainsi, Maria mon amour, je t'attendrai, mais mon attente est dorénavant tout autre, nous avons passé l'épreuve et il y a entre nous comme le souvenir d'un crime de sang — eh oui ma belle, nous avons vaillamment tenté de nous trucider l'un l'autre — je t'attendrai donc sans qu'en souffre mon imbécile orgueil, j'irai lentement sur ton chemin de ronces, sur ta voie de crucifiée, vers toi ma volupté, le fond de mon calice, ma lie savoureuse, vers toi saloperie messianique, toi mon écorchée grimpant sur toutes les collines y compris celle de Belleville faute du Golgotha pour y être plus près de Dieu, toi le plus secret de mes maux, le sixième de mes sens, toi qui m'as mis au monde et à nouveau me perdras, mon châtiment et mon action de grâces, j'irai vers toi mon iniquité pour te saluer comme tu le mérites, feutre balayant la poussière au risque d'en soulever jusqu'à tes immenses prunelles d'or, car quelque chose d'inconnu m'empoigne et me courbe à terre devant toi, ma seule guerre sainte.

Âme délivrée, il s'aperçut qu'il fumait le filtre, écrasa le mégot avec ses condoléances, referma le cendrier d'où émana un vert souffle de menthe, à croire qu'en froissait une feuille entre ses doigts celle qui, dans sa chambre close, sous le gardiennage des milices célestes et la louange de leurs ailes, dans la ferveur musquée du parfum des roses, dormait toute fléchie, comme prosternée au bord du plus secret abîme d'où montaient les psaumes d'un intraitable espoir.

TABLE

DU MÊME AUTEUR

Aux Éditions du Mercure de France
L'ANTIVOYAGE, 1974
LE DIABLE VERT, 1975
LES ROIS ET LES VOLEURS, 1975
HIÉROGLYPHES DE NOS FINS DERNIÈRES, 1977
LE LIGNAGE DE SERPENT, 1978
LES SEIGNEURS DE PONANT, 1979

Aux Éditions Stock
AMÉRINDIENNES, 1979

Aux Éditions Jean-Claude Lattès
UNE PASSION, 1981

Aux Éditions Albin Michel
MARIA TIEFENTHALER, 1982